Y Cyfnod Sylfaen 3 – 7 oed

Athroniaeth, Ymchwil ac Ymarfer

Siân Wyn Siencyn
(golygydd)

Cyhoeddiadau Prifysgol Cymru Y Drindod Dewi Sant
Caerfyrddin
SA31 3EP

www.ydrindoddewisant.ac.uk

Argraffiad cyntaf 2010

ISBN 978-0-9560079-1-9

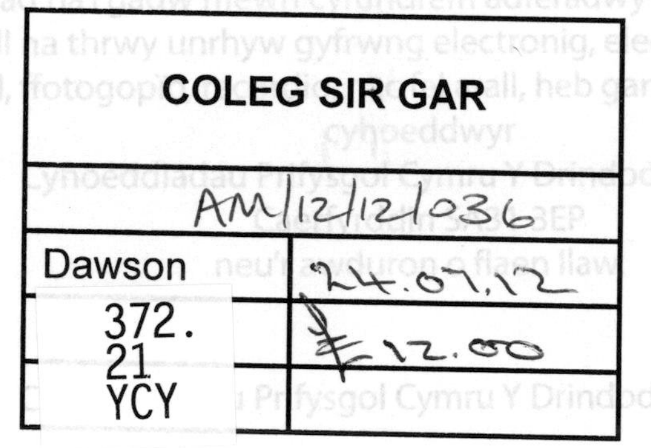

Golygwyd gan Bethan Mair

Dyluniwyd gan Laurance Trigwell

Argraffwyd gan J D Lewis, Caerfyrddin a Llandysul.

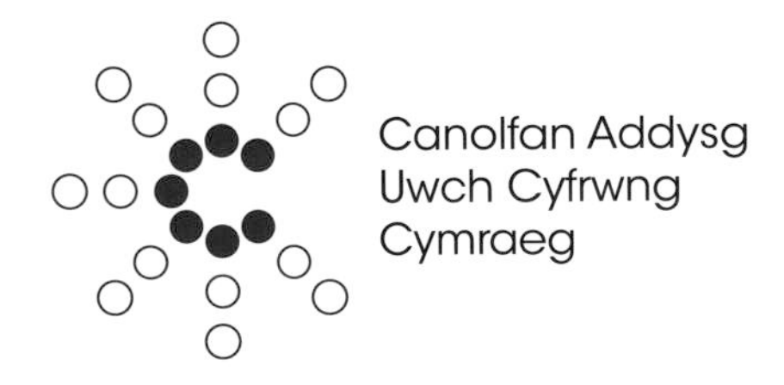

Cyhoeddwyd gyda chymorth Canolfan Addysg Uwch Cyfrwng Cymraeg

Y Plentyn Bach
Cyflwyniad i Astudiaethau Plentyndod Cynnar

Cynnwys

Gair cyn cychwyn

Croeso i chi i'r ail yn y gyfres o lyfrau ar blentyndod cynnar. Cyhoeddwyd *Y Plentyn Bach: Cyflwyniad i Astudiaethau Plentyndod Cynnar* yn 2007 a dyma *Y Cyfnod Sylfaen: Athroniaeth, Ymchwil ac Ymarfer* wedi dod i'w ddilyn.

Fel y cyntaf o'r gyfres, nid llawlyfr ar *sut i wneud* yw'r gyfrol hon. Er bod arweiniad ar arfer da, nid bwriad y cyhoeddiad yw cynnig rhestrau o weithgareddau a rhyw fath o lyfr rysetiau ynglŷn â sut i 'wneud' y Cyfnod Sylfaen. Y bwriad yw cynnig dadansoddiad o'r Cyfnod Sylfaen, a'r athroniaeth a'r egwyddorion sy'n sail i'r cwricwlwm blaengar hwn rydym ni yng Nghymru mor falch ohono. At hyn, y gobaith yw y bydd y cyhoeddiad yn arfogi ymarferwyr blynyddoedd cynnar i gynnal y weledigaeth a'i hamddiffyn os bydd gwleidyddion ac addysgwyr y dyfodol yn ymosod arni.

Bydd ambell i ddarllenydd yn sylwi yn syth ein bod wedi osgoi, at ei gilydd, penodau o dan deitlau'r meysydd dysgu. Ceir esboniad am hyn yn y bennod gyntaf. Bu cryn drafodaeth ar un adeg, wrth gynllunio'r Cyfnod Sylfaen yn nechrau'r ganrif, ynghylch parhau gyda fframwaith y meysydd dysgu. Y ddadl oedd bod dysgu plant ifainc yn integredig a holistaidd. Bues i ymhlith y rhai a fu'n dadlau o blaid hyn. Nid oes modd, medden ni, cynnal y gwahaniaethau er mwyn cyfleustra oedolion. Oedolion sy'n gweld gwahaniaethau rhwng datblygiad mathemategol plentyn pedair oed a datblygiad ei iaith. Ond colli'r ddadl honno fu'r hanes - ei cholli dros dro.

Mae pob pennod yn cynnig *critique* o ddogfennaeth swyddogol y Cyfnod Sylfaen ac felly y dylai fod. Nid dogfennau statig mohonyn nhw. Maen nhw, fel y Cyfnod Sylfaen ei hun, yn broses barhaus o ddatblygu, gwella, ymateb i ymchwil, a hunan feirniadaeth. Dyma, wrth gwrs, yw nodweddion ymarferydd da hefyd.

Mae cyfranwyr y gyfrol hon yn staff Ysgol Plentyndod Cynnar neu Ysgol Addysg a Hyfforddiant Cychwynnol Athrawon, Prifysgol Cymru: Y Drindod Dewi Sant. Rhyngom, mae gennym brofiad helaeth o weithio gyda phlant: fel athrawon, arweinyddion cylchoedd meithrin, cynorthwywyr dosbarth, ymgynghorwyr, ymchwilwyr, rheolwyr meithrinfeydd ac yn y blaen. Diolch iddyn nhw am eu brwdfrydedd a'u parodrwydd i rannu eu harbenigeddau.

Diolch i'r Ganolfan Addysg Uwch Cyfrwng Cymraeg am noddi'r cyhoeddiad.

Sian Wyn Siencyn
Ysgol Plentyndod Cynnar
Prifysgol Cymru Y Drindod Dewi Sant
Tachwedd 2010

Pennod 1

Y Cyfnod Sylfaen: Athroniaeth ac Ymchwil

Pennod 1

Y Cyfnod Sylfaen: Athroniaeth ac Ymchwil

Siân Wyn Siencyn

Cyflwyniad

Parodd sefydlu Cynulliad Cenedlaethol Cymru yn 1999 chwyldro yng Nghymru ar sawl cyfrif. Un o'r newidiadau pwysicaf, yn ddi-os, oedd yr hyder a fynegwyd i ddatgan gweledigaeth newydd ym maes addysgu plant ifainc. Erbyn 2003, wedi dros dair blynedd o ymchwil ac ymgynghori, cyhoeddodd Gweinidog Addysg a Dysgu Gydol Oes Llywodraeth Cynulliad Cymru ei chynigion radical ym maes addysg blynyddoedd cynnar: cwricwlwm yn seiliedig ar chwarae fel cyfrwng i hyrwyddo dysgu plant hyd at 7 oed, sef Y Cyfnod Sylfaen 3 – 7 oed. Gellir dadlau, yn bur ddramatig, bod Y Cyfnod Sylfaen yn ganlyniad i fethiant. Bu cryn gonsŷrn, er enghraifft, yng Nghymru, a thrwy weddill gwledydd Prydain hefyd, ynghylch lefelau cymharol uchel o anawsterau llythrennedd ymhlith oedolion ifainc, yn enwedig pobl ifainc yn y system droseddol (LlCC, 2003: 11). Gwelwyd hefyd, yn ystod deng mlynedd ar hugain olaf yr ugeinfed ganrif, bod eithrio cymdeithasol ac ymddygiad anghymdeithasol yn peri pryder. Nid peth newydd yw hyn wrth gwrs, ac mae problemau heriol iawn yn parhau, er enghraifft comisiynodd Llywodraeth Cynulliad Cymru adolygiad cenedlaethol ar ymddygiad a phresenoldeb plant 7 – 18 oed mewn ysgolion (LlCC, 2008b) gan fod hwn yn fater o bryder cynyddol. Daeth yr adroddiad i'r casgliadau canlynol:

- Mae cysylltiad eglur rhwng llythrennedd isel a phroblemau o ran ymddygiad a phresenoldeb;
- Mae nifer fawr o weithwyr proffesiynol yn teimlo nad ydynt wedi cael digon o hyfforddiant mewn trin problemau presenoldeb ac ymddygiad;
- Mae gormod o 'waharddiadau answyddogol' o rai ysgolion ac amrywiad eang yn y ffordd y caiff y rheolau eu cymhwyso;
- Na chedwir golwg yn iawn ar nifer y disgyblion sydd allan o'r ysgol;
- Dylid gwrando ar blant yn well ynglŷn â'r materion hyn.

Y casgliad mwyaf arwyddocâol, yn y tymor hir, yw bod angen ymyrraeth lawer cynt i fynd i'r afael â thriwantiaeth ac anawsterau ymddygiad mewn ysgolion. Gwelir hefyd yr her aruthrol sy'n deillio o geisio sicrhau tegwch i blant sy'n byw mewn tlodi. Er bod gostyngiad mewn tlodi plant dros y blynyddoedd diwethaf, mae cyfradd y gostyngiad wedi sefyll yn yr unfan. Yn 2009, cyhoeddodd Sefydliad Joseph Rowntree *What is Needed to End Child Poverty in Wales?* a chafwyd ynddo gadarnhad bod oddeutu 32% o blant yng Nghymru yn byw mewn tlodi. (Rowntree, 2009) Mae'r cyswllt rhwng tlodi plant a chyrhaeddiad addysgol isel wedi ei hen sefydlu. Amlinellodd Egan (2007) nifer o bolisïau addysgol blaengar yng Nghymru a ddatblygwyd er mwyn ceisio unioni'r annhegwch gwahaniaethol sy'n deillio o dlodi gan effeithio ar lwyddiant addysgol plant sy'n byw mewn tlodi, er enghraifft *Dechrau'n Deg a Chlybiau Brecwast Rhad.*

Ymddengys felly bod ymrwymiad Llywodraeth y Cynulliad i les plant yn gadarn. Mewn ymateb i her Confensiwn y Cenhedloedd Unedig ar Hawliau'r Plentyn, cyhoeddodd y Llywodraeth saith nod craidd at gyfer plant a phobl ifainc. Mae'r saith nod craidd hyn yn sail i holl weithgareddau Adran Plant, Addysg, Dysgu Gydol Oes a Sgiliau'r Llywodraeth:

Y saith nod craidd

Datganiad Llywodraeth Cynulliad Cymru

Mae gennym saith nod craidd ar gyfer plant a phobl ifanc sy'n seiliedig ar Gonfensiwn y Cenhedloedd Unedig ar Hawliau'r Plentyn. Y nodau hyn fydd yr sail i holl weithgareddau APADGOS (Yr Adran Plant, Dysgu Gydol Oes a Sgiliau)

Rydym yn anelu at sicrhau bod pob plentyn a pherson ifanc:

- yn cael dechrau da, ynghyd â'r seiliau gorau posibl ar gyfer tyfu a datblygu yn y dyfodol
- yn cael cyfle i fanteisio ar amrywiaeth eang o gyfleoedd addysg, hyfforddiant a dysgu, gan gynnwys cyfleoedd i feithrin sgiliau personol a chymdeithasol hanfodol
- yn cael mwynhau'r iechyd corfforol a meddyliol, cymdeithasol ac emosiynol gorau posibl, gan sicrhau hefyd nad ydyn nhw yn cael eu cam-drin na'u herlid ac nad oes unrhyw un yn cam-fanteisio arnyn nhw
- yn cael manteisio ar amrediad o weithgareddau chwarae, gweithgareddau hamdden, chwaraeon a gweithgareddau diwylliannol
- yn cael gwrandawiad, yn cael eu trin â pharch, a bod eu hil a'u hunaniaeth ddiwylliannol yn cael eu cydnabod
- yn cael cartref diogel a chymuned sy'n cefnogi eu lles corfforol ac emosiynol
- heb fod o dan anfantais o ganlyniad i unrhyw fath o dlodi

(LlCC, 2008: 3)

Y Cyfnod Sylfaen – cefndir hanesyddol

Fel y nodwyd eisoes, bu pryder ers rhai blynyddoedd ynglŷn â'r math o brofiadau dysgu cynnar roedd plant Cymru yn eu cael. Beirniadwyd yn bennaf y dull traddodiadol neu'r dull mwy ffurfiol sydd yn disgwyl i blant dreulio gormod o amser yn cyflawni tasgau di-fudd wrth eu byrddau heb gyfleoedd digonol i ddatblygu sgiliau iaith drwy siarad a sgwrsio am eu gweithgareddau. Roedd y farn a fynegwyd gan Estyn bod *'dim digon o bwyslais yn cael ei roi ar ddatblygu mynegiant creadigol a dealltwriaeth ddiwylliannol plant'* a phryder damniol bod plant yn cael eu cyflwyno i ddarllen ac ysgrifennu ffurfiol *'cyn eu bod yn barod'* (LlCC, 2003: 6) yn dystiolaeth bellach o fethiant yr hen drefn.

Yn 2000, penderfynodd Pwyllgor Addysg cyn 16, Ysgolion a Dysgu Gydol Oes y Cynulliad apwyntio ymgynghorydd arbenigol i ymgymryd ag adolygiad o'r ddarpariaeth i blant tair oed yng Nghymru. Un o amcanion yr adolygiad oedd asesu gwerth addysgol buddsoddi mewn darpariaeth i blant cyn oed ysgol statudol. Cyhoeddwyd yr adolygiad, a elwir ar lafar yn Adroddiad Hanney, yn 2001 (LlCC, 2001). Yn ei gyflwyniad i'r Adroddiad, dywed Cynog Dafis, Cadeirydd Pwyllgor y Cynulliad a gomisiynodd yr Adroddiad:

> ...bydd gwireddu'r strategaeth hon yn her ond mae'n un sydd rhaid ei gwireddu. Byddai methiant yn golygu methu ein plant a'n dyfodol.

Ni fu'r croeso i'r Adroddiad yr un mor frwd o bob cyfeiriad. Nododd Cadeirydd Bwrdd yr Iaith Gymraeg, mewn anerchiad i Fudiad Ysgolion Meithrin ym mis Hydref 2000, er enghraifft:

> Mae'n anodd credu, ar ôl hanner canrif o addysg ddwyieithog a mwy na chwarter canrif ar ôl sefydlu Mudiad Ysgolion Meithrin, a'r cynnydd sylweddol yn nifer y plant sy'n siarad Cymraeg, fod adroddiad pwysig fel hwn yn rhoi cyn lleied o bwyslais ar y dimensiwn Cymraeg. Wrth gynhyrchu adroddiad ar addysg i blant teirblwydd yng Nghymru, sut gallwch chi esgeuluso sôn am drochiad ieithyddol, sôn am y miloedd o blant sy'n dechrau ar y daith o fod yn uniaith i fod yn ddwyieithog
>
> (http://www.byig wlb.org.uk/cymraeg/newyddion/pages/ cadeiryddybwrddynbeirniaduadroddiadblynyddoeddcynnar.aspx Mynediad Medi 2009)

Ymatebodd y Gweinidog Addysg (Jane Davidson ar y pryd) i'r her a osodwyd gan Adroddiad Hanney ac a gymeradwywyd gan bwyllgor Addysg y Cynlluniad. Yn y ddogfen ymbaratoi *Y Wlad sy'n Dysgu* (LlCC, 2001) nododd y Gweinidog Addysg a Dysgu Gydol Oes ei bwriad i ystyried sut roedd cyfuno'r Canlyniadau Dymunol gyda Chyfnod Allweddol 1 er mwyn creu cwricwlwm statudol newydd i blant o 3 oed i 7 oed. Dyma a ddaeth, maes o law, yn Gyfnod Sylfaen. Y bwriad oedd gwella ansawdd a hyrwyddo datblygiad y plentyn cyfan er mwyn gwella cyfleoedd plant. Daeth y term 'cychwyn cadarn mewn bywyd' (*a flying start in life*) yn rhan o ieithwedd addysg.

Cyhoeddwyd dogfen ymgynghorol Y Cyfnod Sylfaen yn Chwefror 2003 gyda'r gwahoddiad i'r sawl oedd am ymateb i wneud hynny. Cafwyd tua 650 o ymatebion – sef y nifer mwyaf o ymatebion i ymgynghoriad o'r fath a gafwyd erioed. At ei gilydd, roedd yr ymateb yn gadarnhaol dros ben gyda chryn frwdfrydedd o du'r maes ei hun at y cynllun. Erbyn Medi 2004, yn dilyn ymgynghoriad pellach gydag awdurdodau addysg leol, cytunwyd ar 41 o leoliadau – yn cynnwys ysgolion, cylchoedd meithrin a meithrinfeydd – i dreialu'r Cyfnod Sylfaen.

Darpariaeth a gynhelir (maintained provision)	Yn cael ei chynnal gan Awdurdodau Lleol, er enghraifft: • Dosbarth meithrin mewn ysgol • Dosbarth derbyn mewn ysgol • Uned feithrin sy'n rhan o ysgol
Darpariaeth nas cynhelir (non-maintained provision)	Yn cael ei chynnal gan y sector wirfoddol neu'r sector breifat, er enghraifft: • Cylch meithrin • Gwarchodydd plant • Meithrinfa ddydd

Yn dilyn y cyfnod peilot, comisiynwyd gwerthusiad cynhwysfawr yn 2005 i'r Cyfnod Sylfaen newydd. Cafwyd adroddiad *Prosiect Monitro a Gwerthuso Gweithredu'r Cyfnod Sylfaen yn Effeithiol (Monitoring and Evaluation of Effective Implementation of the Foundation Phase – MEEIFP)* yn 2006 ac roedd y canfyddiadau cynnar yn gadarnhaol iawn, at ei gilydd. Nodwyd, er enghraifft, bod y pwyslais ar ddysgu drwy chware a dysgu gweithredol yn derbyn croeso brwd gan addysgwyr. Gwelwyd hefyd bod y cwricwlwm ehangach, holistaidd, yn fwy perthnasol i ddysgu plant ifainc (Siraj-Blatchford, Sylva, *et al.*, 2006: 3).

Rhoddwyd cryn sylw yn ddiweddar i gonsŷrn ynghylch cyllido priodol i'r Cyfnod Sylfaen a'r addewid i gynyddu cymhareb oedolyn i blant, ymhen amser, i 1:8 i blant o dan 5 oed ac 1:15 i blant 5–7 oed. Diddorol felly yw sylwi bod Iram Siraj-Blatchford, Kathy Sylva a'u tîm, sef awduron adroddiad MEEIFP yn awgrymu bod hyfforddiant priodol i staff yn bwysicach na niferoedd staff:

> Mae angen gofalu na ddylid gosod mwy o bwys ar wella cymarebau nag ar sicrhau hyfforddiant o ansawdd uchel ar gyfer staff sy'n gweithio mewn ysgolion neu leoliadau. Mae perthynas gryfach rhwng ansawdd darpariaeth a chymwysterau staff na rhwng ansawdd y ddarpariaeth a chymarebau. (Siraj-Blatchford *et.al* 2006: 7)

Mae gwybodaeth a dealltwriaeth staff o ddatblygiad plant, o brosesau dysgu plant ynghyd â sgiliau staff wrth arsylwi yn elfennau pwysicach na faint o oedolion sy'n bresennol. Ansawdd yn bwysicach na niferoedd.

Lansiwyd y Cyfnod Sylfaen 3–7 oed yn swyddogol mewn cynhadledd genedlaethol yn Stadiwm y Mileniwm yng Nghaerdydd ar Ragfyr 4 2006. Cafwyd yn y cyfarfod hwnnw gadarnhad pendant iawn ac ymrwymiad cadarn gan y Gweinidog i sicrhau dyfodol y Cyfnod Sylfaen. Un amcan allweddol a hynod arwyddocaol y Cyfnod Sylfaen yw'r hyn y cyfeirir ato yn y ddogfen ymgynghorol wreiddiol, sef y bwriad i

> ...helpu plant i ddysgu sut i ddysgu; datblygu sgiliau meddwl; a meithrin agweddau cadarnhaol tuag at ddysgu gydol oes.
>
> (LlCC, 2003: 12)

Agwedd sydd yma, bid siŵr, yn adlewyrchu'r nod o gael gweithlu a dinasyddion sy'n medru addasu i ofynion gwaith newydd, sy'n medru symud o un math o waith i un arall gan fynd a'u 'hagweddau at ddysgu' gyda nhw. Mae'n annhebygol y bydd gweithiwr y dyfodol yn cychwyn gyrfa yn 21 oed ac yn parhau yn yr un swydd – neu mewn swydd sy'n gofyn am yr un sgiliau – drwy gydol ei oes. Rhaid felly wrth sgiliau a galluoedd hyblyg a'r rheini'n cynnwys, yn anad dim, sgiliau meddwl.

Yn ganolog i'r Cyfnod Sylfaen y mae *datblygiad personol, cymdeithasol a lles*. Dyma yw sail y math o hunanhyder sydd ei angen ar bob unigolyn er mwyn sicrhau eu bod yn medru bod yn hyblyg, yn barod i gymryd risg ac i wynebu her, i fod yn greadigol yn ei ffordd o feddwl. Mae datblygiad personol a chymdeithasol y plentyn bach a lles y plentyn yn ganolog i'r cwricwlwm, yn allweddol i ddysgu'r plentyn ifanc a hefyd i les cymdeithas.

Datblygiad y meysydd dysgu

O'r cychwyn, cafwyd meysydd dysgu fel fframwaith i'r cwricwlwm newydd. Adlewyrchwyd y pwysigrwydd a roddwyd i'r dull hwn yn y Canlyniadau Dysgu drwy gadw, i raddau helaeth, i'r un patrwm, sef Iaith, Llythrennedd a Sgiliau Cyfathrebu; Datblygiad Mathemategol; Datblygiad Personol a Chymdeithasol; Gwybodaeth a Dealltwriaeth o'r Byd; Datblygiad Creadigol; a Datblygiad Corfforol (ACAC, 1995). Yn nogfennaeth gychwynnol Y Cyfnod Sylfaen, fodd bynnag, cyflwynwyd un maes ychwanegol, sef Dwyieithrwydd ac Amlddiwylliannedd. Arweiniodd hyn at ddadlau a dryswch ymhlith ymarferwyr a hyfforddwyr fel ei gilydd: beth yw dwyieithrwydd, dwyieithrwydd ym mha ieithoedd, beth yw safle iaith ac ieithoedd yn y cysyniad o amlddiwylliannedd?

Erbyn 2007, roedd y maes dysgu hwn wedi'i drawsffurfio drwy ei ymestyn i feysydd eraill gan sefydlu Datblygiad Personol a Chymdeithasol a Lles ac Amrywiaeth Ddiwylliannol fel maes dysgu. At hyn, cafwyd maes dysgu Datblygu'r Gymraeg wedi ei osod yn gadarn a diamheuol, yn ymwneud â hawl pob plentyn yng Nghymru i'r Gymraeg. Canlyniad oedd hyn i ddryswch a gododd o ddefnydd llac o'r term 'dwyieithrwydd' ac anghytundeb ynghylch yr hyn oedd yn ddisgwyliedig. Gyda chyhoeddi *Iaith Pawb*, cynllun Llywodraeth y Cynulliad i ymestyn a sefydlogi dwyieithrwydd yng Nghymru (LlCC, 2003), ildiwyd i'r pwysau i gynnwys Datblygu'r Gymraeg fel maes dysgu ar ei ben ei hun.

Bu cryn lobïo, o du lleiafrif bid siŵr, i geisio perswadio Gweinidog Addysg a Dysgu Gydol Oes Llywodraeth y Cynulliad i hepgor yr hen fodel o feysydd dysgu. Model oedd hwn a ddaeth o 1995 gyda chyhoeddi'r Canlyniadau Dymunol i Ddysgu Plant Cyn Oed Ysgol (ACAC). Y ddadl oedd bod parhau i ddadansoddi a didoli dysgu a datblygiad plant i set o feysydd gyda dangosyddion penodol o 'lwyddiant' neu ddeilliannau yn annaturiol. Sut, er enghraifft, yr oedd modd cadw datblygiad mathemategol (cysyniad diwylliannol penodol, gellir dadlau) ar wahân i ddatblygiad iaith? Oedd modd caffael cysyniad megis *llai* neu *ymhellach* oni bai bod geiriau i adnabod y cysyniad? Roedd y gweinidog, fodd bynnag, o'r farn bod y cynlluniau ar gyfer y Cyfnod Sylfaen yn ddigon heriol ynddynt eu hunain heb iddi danseilio ymhellach yr hen gwricwlwm. Roedd hyn yn siom i nifer ar y pryd ond yn dystiolaeth, o bosibl, bod y maes yn un sy'n newid yn gyson ac yn ymateb i her ymchwil newydd. Nid oes disgwyl, efallai, i'r meysydd dysgu barhau am byth.

Dadl mathemateg

Gair personol

Yn 1995-96, roeddwn i'n datblygu drafft o ddogfen Y Canlyniadau Dymunol i ACAC (fel yr adwaenid y corff hwnnw ar y pryd). Bu trafodaethau brwd a bywiog ymysg aelodau'r panel ymgynghorol ynghylch rhai o'r meysydd dysgu. Cafwyd, er enghraifft, gryn anghytuno ynghylch ym mha faes dysgu y dylid gosod arian a siopa. Roedd rhai yn dadlau mai prosesau cymdeithasol a diwylliannol oedd arian a siopa nad oedd a wnelo, erbyn hyn, â chysyniadau mathemategol. Cardiau plastig a sieciau oedd y profiad o siopa i'r mwyafrif o blant – ac erbyn heddiw, llai o sieciau a mwy o siopa ar-lein yw'r arfer. Dadleuai eraill ar y panel bod arian a siopa yn brosesau deallusol yr oedd angen sgiliau mathemategol er mwyn eu cyflawni. Cafwyd cyfaddawd – gosodwyd arian a siopa yn Datblygiad Personol a Chymdeithasol a hefyd yn Datblygiad Mathemategol... ond tybed a ddylai hefyd ymddangos yn Iaith, Llythrennedd a Sgiliau Cyfathrebu (ysgrifennu siec, darllen cyfarwyddiadau ar-lein), a beth am Wybodaeth a Dealltwriaeth o'r Byd...?

Mae'r canllawiau i weithredu'r Cyfnod Sylfaen (y casgliad o lawlyfrau a elwir gan nifer – yn anffodus efallai, o ystyried arwyddocad hanesyddol y term – yn 'llyfrau gleision') yn nodi'n glir a chyson bod dysgu plant ifainc yn broses integredig. Cyfeirir at 'natur gyfannol dysgu'

> Mae pob agwedd ar ddysgu wedi'u cydgysylltu ar gyfer plant ifanc; dydyn nhw ddim yn rhannu eu dysgu a'u dealltwriaeth yn feysydd o'r cwrciwlwm. Mae'r saith Maes Dysgu yn ateb ei gilydd.
>
> (APADGOS, 2008a: 5)

Dafydd a Clare

Mae Dafydd a Clare yn chwarae ceir a garej yn y cylch meithrin. Mae un o'r oedolion yn y tîm yn ymuno â nhw er mwyn arsylwi, gwrando a phenderfynu os oes angen symud y chwarae yn ei flaen. Gwelir Dafydd yn chwilio'n ofalus yn y bocsys yn y garej. Fel hyn mae'r sgwrs yn mynd:

Oedolyn	Wyt ti'n chwilio am rywbeth arbennig Dafydd?
Clare	He wants plugs. You want plugs don't you Dafydd?... Cos the car's broken.
Oedolyn	Ah...wela i. Mae Dafydd eisiau plugs. Ti moyn plygiau Dafydd, wyt ti? Mae Clare yn dweud bod ti'n chwilio am blygiau.
Dafydd	Mmmmm
Clare	We want three plugs. Tri. Don't we Dafydd?
Oedolyn	Diddorol iawn. Chi moyn tri phlwg. Pam tri?
Clare	Cos the car's broken and it's got three. It's got three, yes Dafydd? Tri, isn't it?
Dafydd	Fi wedi cael nhw.
Oedolyn	Sawl un wyt ti wedi cael?
Dafydd	Tri... un, dau, tri.
Clare	There, that's good. We've got them now. Fix the car Dafydd...

Ystyriwch mor anodd a chymhleth fyddai ceisio arsylwi'r chwarae hwn o bersbectif un neu ddau faes dysgu yn unig. Mae'r chwarae a'r dysgu yn amlochrog, yn ddwfn, yn gyd-ddibynnol ac yn cwmpasu sawl maes dysgu: mathemateg, datblygiad y Gymraeg, datblygiad personol a chymdeithasol, iaith a chyfathrebu...

Dysgu ac addysgu effeithiol

Addysgeg – Pedagogi

Clywir y gair addysgeg yn aml erbyn hyn, sef addasiad Cymraeg o'r term pedagogi. Yn syml, ei ystyr yw gwyddor addysgu a pha strategaethau addysgu sy'n debygol o fod fwyaf llwyddiannus. Daw'r term o'r Roeg, yn golygu 'arwain'. Y pedadog (caethwas ran amlaf) oedd yn tywys plentyn y teulu i'r ysgol. Daeth y gair Lladin 'educatore' (tarddiad y gair 'education', wrth gwrs) yn fwy poblogaidd yn ddiweddarach.

Ond mae'r term yn llawer mwy cymhleth na hynny ac ers hanner canrif a mwy cafwyd tanseilio'r gair neu ei ddadansoddi'n fanwl. Roedd gwaith addysgwyr megis Franz Fanon a Paulo Freire yn ddylanwadol iawn ar y meddylfryd cyfoes. Yn yr hen ystyr, gwelir yr athro neu'r addysgwr fel person mwy grymus a mwy gwybodus na phlant ac mewn sefyllfa o awdurdod drostyn nhw. Yn y model newydd o bedagogi, gwelir addysgwyr hyfedr ac effeithiol fel rhai sy'n meddu ar ystod eang o sgiliau, anian ac agweddau sy'n creu awyrgylch dysgu er mwyn i'r plentyn cyflawn ffynnu ynddo.

Dysgu ac addysgu

Yn draddodiadol yn y Gymraeg, dysgu oedd y gair a ddefnyddid i ddisgrifio'r broses roedd y ddwy ochr yn ymwneud â hi. Roedd athrawon yn dysgu ac roedd plant hefyd yn dysgu. Dyma, mewn ffordd, gydnabod y berthynas ryngweithiol rhwng y naill bartner a'r llall.

Mae'r dystiolaeth ymchwil o blaid y paradeim o ddysgu fel proses ddeuol, y naill bartner yn ddibynnol ar y llall, yn sylweddol. Dengys gwaith Ferre Laevers (1994), Pascal a Bertram (1997) ac eraill bwysigrwydd creiddiol y plentyn ei hun yn y broses ddysgu a'r addysgwr fel cyfrannwr effro neu ymrwymedig (y term a ddefnyddir yn Saesneg yw *engaged*). Mae Pascal a Bertram (1997) yn tanlinellu'r berthynas ddeuol hon:

> Nid yn unig y mae steil ymwneud yr oedolion yn effeithio'n uniongyrchol ar lefelau cyfranogi plant, ond mae cyfranogi plant hefyd yn effeithio ar steil yr oedolion o ymwneud.
>
> *Not only does the adults' style of engagement directly effect the children's levels of involvement, but the children's involvement effects the adult's style of engagement.* (Pascal a Bertram, 1997: 135)

Elfen bwysig o'r berthynas gyfartal hon rhwng addysgwr a phlentyn yw'r cysyniad o sgaffaldu. Cysyniad yw hwn a ddaw o ddamcaniaethau Vygotsky ynghylch parth datblygiad procsimol *(zone of proximal development)*. Agwedd cwbl hanfodol i'r cysyniad hwn o barth datblygiad procsimol yw'r math o gymorth a gaiff y dysgwr gan yr oedolyn a hefyd, yn ôl damcaniaeth Vygotsky, gan gyfoedion mwy abl. Er mwyn i'r cymorth fod yn berthnasol ac yn llwyddiannus – hynny yw, er mwyn i'r plentyn ddysgu – rhaid i'r cymorth hwnnw fod yn addas i ofynion y dysgwr. Rhaid i'r cymorth hefyd fod yn sensitif i ddiwylliant ac i anian y plentyn. Rhaid i'r cymorth gael ei gynnig ar yr amser iawn – hynny yw, rhaid i'r oedolyn fod yn ofalus yn amseriad a modd yr ymyrryd. Afraid dweud, felly, bod gofyn i addysgwr effeithiol fod yn ymwybodol iawn o lefel datblygiad y plentyn er mwyn addasu ar gyfer y plentyn. Mae Bredekamp a Copple (1997) yn cyfeirio at hyn fel ymarfer datblygiadol addas *(developmentally appropriate practice)*.

> Rhoddir pwyslais arwyddocaol yn Y Cyfnod Sylfaen ar bwysigrwydd ddeall datblygiad plant:
>
> ...mae'n hanfodol bod gan bob ymarferydd wybodaeth / dealltwriaeth drylwyr o ddatblygiad plant...
>
> (APADGOS, 2008b: 12)

Ond nid proses hawdd yw datblygiad plant. Mae'n gymhleth ac, yn aml, yn flêr. Nid yw'n dilyn patrwm llinynnol taclus ac mae lle i feirniadu'r modd llinynnol, model y cerrig milltir, sy'n cael ei amlinellu yng Nghanllawiau'r Cyfnod Sylfaen; er enghraifft yn Proffil Datblygiad Plentyn (APADGOS, 2009a: 29) ceir amlinelliad bras o ddatblygiad iaith plentyn, yn ôl misoedd oed:

24 – 30 mis	Gallu deall llawer mwy o eiriau nag maen nhw'n gallu eu dweud. Ymateb i enw cyntaf. Defnyddio brawddegau tri gair.
30 – 36 mis	Ateb cwestiynau syml 'Ble?' a 'Beth?'. Defnyddio brawddegau pedwar gair yn gyson. Colli'r geiriau cyswllt yn aml. Ymuno â hwiangerddi. Dechrau dilyn straeon o luniau ac yn gwahaniaethu rhwng print a lluniau.
36 – 48 mis	Gofyn amrywiaeth o gwestiynau gan ddefnyddio'r geiriau 'Pwy?', Beth?', 'Ble?', 'Pryd?', 'Pam?' ac ati. Canu caneuon a rhigymau. Dechrau adnabod natur alffabetig darllen ac ysgrifennu.

Y broblem gyda'r math hwn o 'amlinelliad bras' yw ei fod yn declyn llawer rhy amrwd a chyntefig – ac yn aml, anghywir – i ddisgrifio proses mor gymhleth. Petaem yn edrych ar y dangosyddion uchod yn fanwl a dadadeiladu eu hystyron, fe welem ddarlun mwy cyfoethog:

Datganiad dangosydd Proffil	***Ymateb dadansoddol***
Gallu deall llawer mwy o eiriau nag maen nhw'n gallu eu dweud	Hyn, wrth gwrs, yn wir am bob un ohonom. Mae sgiliau gwrando a deall yn llawer mwy cyffredin na sgiliau llafar. Hynny yw, mae gan bawb sgiliau goddefol mwy cadarn na sgiliau gweithredol.
Ymateb i enw cyntaf	Mae babis bychan iawn yn ymateb i'w henwau drwy flincio a throi llygad, drwy wenu. Gweler gwaith Trevarthen ac eraill.
Defnyddio brawddegau tri gair	Mae iaith a defnydd o iaith yn fwy cywrain a chymhleth na chyfrif geiriau. Dengys astudiaethau disgwrs mewn ieithyddiaeth bod yr hen drefn o MLU (Mean Length Utterances) yn ddull anaddas o lunio darlun cyflawn o ddatblygiad iaith plant.
Ateb cwestiynau syml 'Ble?' a 'Beth?'	Dengys gwaith arloesol ieithyddion megis Brown (1986) a Wells (1981, 1986) ar ddatblygiad iaith plant sy'n siarad Saesneg, bod eu cwestiynau 'what' yn broses o gaffael cysyniadau deallusol, o ddeall cysyniadau cymdeithasol, o ennyn sylw ac ymwneud oedolion. Dengys y dystiolaeth ymchwil bod y cwestiynau 'where' yn datblygu'n hwyrach na chwestiynau 'what'

Colli'r geiriau cyswllt yn aml	Nid yn gymaint colli cysyllteiriau y bydd plant ifainc iawn ond yn hytrach nid ydynt wedi caffael amrywiaeth ohonynt eto. Dengys y llenyddiaeth ymchwil, er enghraifft, bod plant ifainc yn defnyddio 'and' a'u bod, ymhen amser, yn caffael amrywiaethau cysylltiol megis 'then', 'so', "cos'...
Ymuno â hwiangerddi	Mae babis bychain iawn yn ymuno â hwiangerddi, yn enwedig rhai cyfarwydd, drwy ddangos ystod o ystumiau a seiniau bodlon neu gyffrous (Meltzoff a Kuhl 1999, Gopnik 2009).
Arddangos empathi at eraill pan fyddan nhw'n drist	Syniad yn seiliedig ar fodel Piagetaidd o ddatblygiad plant fyddai'n gyfrifol am y rhagdybiaeth hon – rhagdybiaeth sy'n gyfeiliornus yn ôl rhai. Dengys gwaith Gopnik eto bod babanod ifainc iawn yn cael eu hypsetio os yw plentyn bach arall yn dioddef, a cheisiant ei gysuro.

Bu gwaith Bronfenbrenner (1978) yn sail i ffordd o feddwl am blentyndod fel plethwaith o systemau ecolegol. Nid mater uniongyrchol o ystyried datblygiad yr unigolyn oddi mewn i feysydd datblygol yw hi bellach. Awgrymodd Bronfenbrennar bod dysgu yn weithgaredd cymdeithasol a bod diwylliant ac amgylchedd yn ddylanwad allweddol ar y prosesau cymdeithasol hynny. Un o'r ffactorau a bwysleisir gan Bronfenbrenner yw'r trafferthion a'r rhwystrau sy'n wynebu plant wrth iddyn nhw geisio trosglwyddo sgiliau a dysgu blaenorol o un sefyllfa gymdeithasol i un arall, o un diwylliant i un arall – megis rhwng cartref ac ysgol.

Defnyddiwyd yr acronym Saesneg PILES – *Physical, Intellectual, Language, Emotional and Social* – fel ffordd o gofio'r meysydd datblygiad. Er bod didoli fel hyn yn medru bod yn ddefnyddiol ar brydiau – er enghraifft, wrth i weithwyr iechyd megis nyrsys geisio adnabod anawsterau datblygiad – dylid defnyddio fframweithiau'r cerrig milltir datblygiad yn ofalus iawn. Mae plant ifainc yn amrywio'n fawr a gall yr amrywiadau hynny fod o ganlyniad i nifer o ffactorau.

Gwelir yng ngwaith heriol cyfoes ymchwilwyr megis Penn (2004), Dahlberg a Moss (2005) a MacNaughton (2006) ddefnydd o dermau megis *'multiple childhoods' a 'multiplicity of childhoods'* gan adlewyrchu'r gwahaniaethau ym mywydau a phrofiadau plant. Mae'r ideoleg a'r damcaniaethau diweddar sy'n canfod plentyndod fel amrywiaeth o wirioneddau a phrofiadau, wedi arwain at broses o amau'r dulliau traddodiadol o ddisgrifio datblygiad plant. Gwelir hefyd ddamcaniaethau systemau ecolegol Bronfenbrenner yn cynnig model o ddatblygiad dynol sy'n amlinellu'r ddibyniaeth rhwng y systemau ecolegol cymhleth; er enghraifft, gall agweddau a disgwyliadau cymdeithasol ddylanwadu'n fawr ar y profiadau a gaiff plant.

Ystyriwch fywydau ehangach plant
Sut mae oriau gwaith rhieni yn medru effeithio ar fywydau plant? Beth am gost gofal plant ac argaeledd gofal ar ôl ysgol? Beth am amodau gwaith rhieni? Ydy rhieni'n cael amser rhydd i fynd a'u plant at y deintydd, i fynychu cyngerdd Nadolig a gynhelir yn y prynhawn, i ofalu am blant pan fydd ysgolion yn cael diwrnodau hyfforddiant mewn swydd? Sut mae polisïau cyhoeddus, megis cyfnod i ffwrdd i dadau yn dilyn genedigaeth babi newydd, yn effeithio ar les plant a theuluoedd?
Dyma'r math o ystyriaethau y mae model ecolegol Bronfenbrenner yn amlinellu.

Afraid dweud bod tlodi, amodau gwaith rhieni, ansawdd cartref, pellter o'r man gwaith, argaeledd trafnidiaeth gyhoeddus, adnoddau megis meysydd chwarae ac yn y blaen, i gyd yn medru effeithio ar fywydau plant ac ar eu datblygiad. At hyn, bydd polisïau cyhoeddus, yn cynnwys polisïau iechyd ac addysg, hwythau yn effeithio ar blant. Yn wir, gellir dadlau bod Y Cyfnod Sylfaen ei hun yn ffactor dylanwadol:

> Dyma bolisi addysg sydd â'i fwriad yn gadarn yn y nod o fowldio plant – eu meddyliau a'u cymeriadau – i fod yn hyblyg, yn greadigol, yn ddysgwyr gydol oes, ac i fod yn gadarn yn eu canfyddiad ohonyn nhw eu hunain.
>
> (Siencyn, 2008: 15)

Tystiolaeth ymchwil

Nid mympwy gwleiddyol neu ffansi'r funud yw'r Cyfnod Sylfaen. Mae wedi ei seilio'n gadarn ar dystiolaeth ymchwil gydnabyddedig. Gwelwyd, dros y deugain mlynedd diwethaf, gorff o dystiolaeth gynyddol nad oedd modd ei anwybyddu. Dengys gwaith Pramling Samuelson yn Sweden, er enghraifft, bwysigrwydd oedi cyn cychwyn ar addysg ffurfiol. Caiff hyn ei gydnabod yn nogfennaeth gynnar Y Cyfnod Sylfaen:

> Mae llawer o dystiolaeth o ymchwil yn awgrymu nad yw plant yn dechrau elwa ar addysgu ffurfiol sylweddol tan eu bod tua 6 neu 7 oed yn unol â'u datblygiad cymdeithasol a gwybyddol. Gall rhai plant dangyflawni a chyrraedd safonau is o'i gyflwyno'n gynharach.
>
> (LlCC, 2003: 14)

Yn ddiddorol, cafwyd adlais pellach o hyn yn Adolygiad Addysg Caergrawnt (Children: their world, their education: the Cambridge Review of Education) (Alexander, 2009). Edrychir yma ar dri phrosiect ymchwil sylweddol iawn sydd wedi dylanwadu ar bolisi blynyddoedd cynnar yng Nghymru a thu hwnt.

Astudiaeth Perry Pre-school (High/Scope)

Ceir, yn nogfennaeth gynnar Y Cyfnod Sylfaen, gyfeiriad at yr astudiaeth enwog hon fu mor ddylanwadol ar bolisi yn ystod y blynyddoedd diweddar. Yn dilyn cyhoeddi canlyniadau'r prosiect, yn arbennig y manteision ariannol arwyddocaol a geir i gymdeithas o fuddsoddi mewn addysg briodol i blant ifainc, cafwyd tro pedol gan lywodraeth Dorïaidd Prydain yn 1994. Y canlyniad oedd i lywodraeth John Major gyflwyno trefn talebau meithrin i dalu am addysg cyn-ysgol i blant. Erbyn hyn, wrth gwrs, nid chlywir dadl aeddfed yn erbyn pwysigrwydd y blynyddoedd cynnar. Dyma ddywed dogfen ymgynghorol Y Cyfnod Sylfaen:

> Mae astudiaeth High/Scope Perry Pre-School yn America yn awgrymu hefyd bod rhoi cyfleoedd addas i blant wneud penderfyniadau am y gweithgareddau a wnânt yn eu helpu i wella eu sgiliau cymdeithasol a rhyngbersonol. Caiff hyn effaith gadarnhaol ar eu datblygiad personol a chymdeithasol yn y tymor hir.
>
> (LlCC, 2003: 10)

Cychwynnodd gwaith The Perry Pre-School Project yn y 1960au yn ardaloedd diwydiannol yr Unol Daleithiau gyda rhaglenni cyn-ysgol penodol yn darparu ar gyfer plant Affricanaidd-Americanaidd difreintiedig. Dros gyfnod o ddegawdau, mae'r ymchwilwyr, dan arweiniad Weikart a Schweinhart, wedi casglu data cyfoethog ac arwyddocaol ar werth addysg feithrin: gwerth ariannol, cymdeithasegol, a phersonol. Awgryma adroddiadau diweddar y project hwn bod manteision addysg feithrin hyd yn oed yn fwy arwyddocaol nag a feddyliwyd ynghynt (Schweinhart et al 2005:4):

> ...mae'r adroddiad yn awgrymu bod addysg cyn-ysgol o ansawdd dda yn medru gwneud iawn am effeithiau anfantais.
>
> *...(the report) suggests that good quality preschool provision can ameliorate the effects of disadvantage.*
>
> (Whitely *et al,* 2005: 156)

Awgrymwyd yng ngwaith prosiect Perry Pre-school bod unrhyw addysg feithrin yn fanteisiol i blant difreintiedig. Ond er mwyn cael y deilliannau gorau – yn ddeallusol, yn gymdeithasol ac yn economaidd – rhaid wrth fath o gwricwlwm a phedagogi sy'n hybu annibyniaeth a hunan-les plentyn. Mae'r Cyfnod Sylfaen wedi ei seilio ar ganlyniadau cadarn yr ymchwil swmpus hwn, canlyniadau y byddai'n anghyfrifol eu hanwybyddu.

The Effective Provision of Pre-School Education (EPPE) Project

Dyma brosiect allweddol arall (Sylva et al. 2003) fu'n ddylanwadol iawn ar ddatblygu ystod o bolisïau ar gyfer plant ifainc a'u teuluoedd, gyda'r Cyfnod Sylfaen yn flaengar yn ei plith. Mae EPPE yn brosiect uchelgeisiol a hirymor, a ariennir gan Adran Addysg llywodraeth San Steffan, sy'n asesu datblygiad a chynnydd plant rhwng 3 a 7 oed. Mae'r prosiect yn edrych ar ddwy elfen benodol: nodweddion teulu a phlentyn unigol a hefyd mathau gwahanol o ddarpariaeth cyn-ysgol a dylanwad yr elfennau hyn ar gyrraeddiadau plant.

Nid yn annisgwyl, canfu EPPE bod nodweddion teulu a phlentyn, ynghyd â'r cartref, yn ddylanwadau grymus ar blant a'u cyraeddiadau. Mae profiadau cyn-ysgol a meithrin hefyd yn ddylanwadol. Dyma'n fras rai o brif ddarganfyddiadau EPPE:

- Enilla plant difreintiedig fantais arwyddocaol o brofiadau cyn-ysgol o ansawdd da, yn enwedig pan fydd cymysgedd o blant o wahanol gefndiroedd cymdeithasol.
- Mae rhai mathau o ddarpariaeth cyn-ysgol yn fwy effeithiol nag eraill. Mae'r ddarpariaeth fwyaf effeithiol yn integreiddio elfennau gofal ac addysg.
- Mae perthynas rhwng darpariaeth cyn-ysgol o ansawdd uchel a datblygiad deallusol, cymdeithasol ac ymddygiadol plant.
- Mae darpariaeth gan staff â chymwysterau uwch yn sgorio'n uwch o ran ansawdd a dengys plant yn y darpariaethau hyn fwy o gynnydd.
- Mae dangosyddion ansawdd yn cynnwys ymwneud cynnes gyda phlant, cael athro wedi'i hyfforddi yn rheolwr, a chyfartaledd da o athrawon cymwys ar y staff.
- Bydd plant yn dangos mwy o gynnydd mewn darpariaeth sy'n canfod datblygiad cymdeithasol ac addysgol plant yn gyfartal ac yn gyfatebol

(http://www.dcsf.gov.uk/research/data/uploadfiles/SSU_SF_2004_01.pd. Mynediad Medi 2009)

Daeth EPPE â geirfa a chysyniadau newydd i'w ganlyn, er enghraifft cafwyd y term *'sustained shared thinking'* (meddwl parhaus ar y cyd) i ddisgrifio'r broses gymhleth a chywrain a geir wrth i oedolion a phlant drafod.

> Mae 'meddwl parhaus ar y cyd' yn digwydd pan fydd dau neu fwy o unigolion yn 'gweithio gyda'i gilydd' mewn modd deallusol i ddatrys problem, egluro cysyniad, gwerthuso gweithgaredd, ymestyn naratif ac yn y blaen…
>
> *'Sustained shared thinking' occurs when two or more individuals 'work together' in an intellectual way to solve a problem, clarify a concept, evaluate an activity, extend a narrative etc.*
>
> (Sylva, *et al*, 2004: 6)

Darganfu EPPE bod meddwl parhaus ar y cyd yn fwy tebygol o ddigwydd ar lefel un-i-un na mewn grwpiau. At hyn, mae oedolion sy'n sgwrsio gyda phlant drwy ddefnyddio cwestiynau agored yn fwy effeithiol wrth hybu dysgu plant.

Drwy ddadansoddi datblygiad plant mewn 141 o ganolfannau cyn-ysgol, medrodd EPPE amlinellu nodweddion y ddarpariaeth oedd yn hybu datblygiad plant. Mae EPPE, felly, wedi adnabod saith maes o bwysigrwydd mawr wrth weithio gyda phlant ifainc:

1. ***Ansawdd yr ymwneud llafar rhwng plant ac oedolion.***
   Po fwyaf y meddwl parhaus ar y cyd sy'n digwydd, po fwyaf o gynnydd a welir yn y plant.

2. ***Cychwyn gweithgareddau***
   Mae cydbwysedd rhwng plant ac oedolion wrth gychwyn gweithgaredd yn bwysig. Mae gweithgareddau sy'n cael eu dewis gan blant yn fwy tebygol o arwain at gyfleoedd effeithiol i ymestyn meddwl plant.

3. ***Gwybodaeth a dealltwriaeth o'r cwricwlwm***
   Mae perthynas uniongyrchol rhwng dealltwriaeth oedolion o'r cwricwlwm a'u heffeithiolrwydd yn hyrwyddo datblygiad plant

4. ***Gwybodaeth o sut mae plant ifainc yn dysgu***
   Dylai oedolion, er mwyn bod yn effeithiol, ddeall datblygiad plant a'r wybodaeth sy'n sail i bedagogi addas.

5. ***Sgiliau oedolion er mwyn cefnogi plant***
   Mae oedolion sy'n meddu ar gymwysterau priodol yn fwy effeithiol wrth gyflwyno gweithgareddau'n gysylltiedig â'r cwricwlwm. At hyn, maen nhw'n fwy effeithiol wrth annog plant i chwarae mewn modd heriol.

6. ***Pwysigrwydd perthynas gyda rhieni a'r teulu***
   Mae darpariaeth fwyaf effeithiol yn rhannu gwybodaeth gyda rhieni, yn annog rhieni i fod yn rhan o ddysgu eu plant, ac yn cynnwys plant mewn penderfyniadau.

7. ***Effeithiolrwydd polisi ymddygiad addas***
   Mae darpariaeth ble bydd staff yn cynorthwyo plant i ddeall eu gwrthdrawiadau drwy siarad a rhesymoli yn fwy effeithiol. Nid yw systemau disgyblu sy'n atal gwrthdaro heb drafod neu sy'n ceisio dwyn sylw oddi wrth y 'camymddwyn' yr un mor effeithiol.

(Sylva *et al*, 2004: 6)

Bu dylanwad EPPE ar bolisi cyhoeddus mor arwyddocaol nes i lywodraeth San Steffan ei ymestyn ymhellach. Ceir EPPE 3 – 11 er mwyn darganfod a yw effaith addysg blynyddoedd cynnar yn parhau hyd nes i blant gyrraedd ddiwedd addysg gynradd a'r modd y gall ddylanwadu ar y cyfnod anodd hwnnw o drosglwyddo i addysg uwchradd.

Plant medrus, dysgwyr medrus
(Competent Children, Competent Learners 1992–)

Dyma brosiect uchelgeisiol a hirdymor a noddir gan lywodraeth Seland Newydd sy'n dilyn plant penodol o 4 + hyd 20 mlwydd oed. Cafwyd, ers 1992, doreth swmpus o dystiolaeth ymchwil a'r data wedi ei gyhoeddi mewn ystod cyfoethog iawn o bapurau ymchwil, adroddiadau a llyfrau. Yn wir, mae swmp y llenyddiaeth ymchwil sydd wedi deillio o'r prosiect yn creu anawsterau i'r sawl sydd am ei grynhoi mewn ychydig eiriau. Gellir gweld y llyfryddiaeth sydd wedi, ac sy'n parhau, i ymddangos o'r prosiect ar

http://www.nzcer.org.nz/default.php?products_id=134.

Cynigiodd y prosiect ddiffiniadau o hyfedredd:

> Mae hyfedreddau yn gyfuniadau o wybodaeth, sgiliau ac agweddau, y gellir eu harsylwi mewn gweithgareddau bob-dydd, neu eu mesur drwy tasgau penodol.
>
> *Competencies are combinations of knowledge, skill, and attitude, which can be observed in everyday activities, or measured by giving specific tasks.*
>
> (http://www.nzcer.org.nz/default.php?products_id=134.Mynediad Medi 2009)

Â'r prosiect yn ei flaen i adnabod yr hyfedreddau sy'n gysylltiedig â dysgu effeithiol ac sy'n berthnasol i gyfranogi economaidd a chymdeithasol (economic and social participation):

- Cyfathrebu
- Chwilfrydedd
- Dyfalbarhau
- Sgiliau cymdeithasol
- Cyfrifoldeb personol
- Llythrennedd (darllen ac ysgrifennu)
- Mathemateg
- Datrys problemau, rhesymeg

Ymhlith y dystiolaeth ymchwil, noda adroddiad Wylie, Thompson a Lythe (1999) y canlynol:

- Bod adnoddau teuluol megis incwm teuol a lefel addysg y fam yn gysylltiedig â lefel hyfedredd plant. Erbyn i blant gyrraedd 5 – 8 oed, caiff incwm isel effaith negyddol mwy arwyddocaol ar blant.
- Erbyn i blant gyrraedd 8 oed, mae eu haddysg blynyddoedd cynnar yn parhau i fod yn ddylwandol. Roedd plant oedd wedi cael mwy na 4 blynedd o addysg blynyddoedd cynnar yn sgorio'n uwch, waeth beth yw incwm y teulu.
- Mae ansawdd yr addysg blynyddoedd cynnar yn ddylanwadol. Bydd darpariaeth o ansawdd uchel yn sicrhau amrywiaeth i blant, yn caniatâu i blant ddewis a dechrau ar eu gweithgareddau a'u chwarae, ac yn caniatâu iddyn nhw gwblhau dan eu pwysau.
- Mae agweddau ac ymddygiad staff mewn darpariaeth blynyddoedd cynnar yn ffactor ddylanwadol: mae cynhesrwydd ac empathi o du'r oedolion yn bwysig iawn.

Mae'r negeseuon sy'n deillio o ymchwil cadarn a chynyddol yn glir, sef bod profiadau plant yn y blynyddoedd cynnar yn gwbl allweddol i'w cyfleoedd mewn bywyd. Yn y blynyddoedd cynnar hyn, rhwng genedigaeth a 6 – 7 mlwydd, caiff agweddau plant at y byd, at bobl eraill ac atyn nhw eu hunain eu sefydlu. Ond mae ansawdd y ddarpariaeth y byddwn yn ei gynllunio ar gyfer plant ifainc yn greiddiol i lwyddiant y ddarpariaeth. Rhaid wrth gwricwlwm addas, oedolion sydd wedi eu hyfforddi'n briodol, a dealltwriaeth o sut mae plant ifainc yn dysgu orau. Ymhlith pethau eraill, rhaid wrth Y Cyfnod Sylfaen.

Prif negeseuon y bennod

- Seilir y Cyfnod Sylfaen ar ymchwil fydeang a rhyngwladol sy'n cadarnhau y modd mae plant ifainc yn dysgu orau a'r dulliau mwyaf effeithiol o hyrwyddo'r dysgu hwnnw.
- Nid oes modd – ac ni ddylid – gwahaniaethu meysydd dysgu. Mae'r saith maes dysgu yn gwbl gysylltiedig â'i gilydd.
- Mae plant yn byw mewn bydoedd amrywiol ac mae llawer o ddylanwadau amrywiol yn effeithio ar eu datblygiad megis dylanwadau teuluol, gwleidyddol, cymdeithasol, amgylcheddol a diwylliannol.
- Mae llwyddiant y Cyfnod Sylfaen yn dibynnu ar oedolion sy'n wybodus ynghylch dysgu plant ifainc, yn deall cymhlethdod datblygiad plant ac sy'n medru darparu awyrgylch dysgu addas.

Pennod 2

Chwarae Plant

Pennod 2

Chwarae Plant

Sally Thomas ac Alison Rees Edwards

Cyflwyniad

Athroniaeth sylfaenol Y Cyfnod Sylfaen yw bod lle canolog i chwarae yn nysgu plant ifainc. Gwelir hyn yn y rhagarweiniad i fframwaith y cwricwlwm:

> Bydd plant yn dysgu drwy weithgareddau sy'n cynnig profiadau uniongyrchol gyda'r busnes difrifol o 'chwarae' yn darparu'r cyfrwng. Drwy eu chwarae, bydd plant yn ymarfer a chyfnerthu eu dysgu, yn chwarae gyda syniadau, arbrofi, cymryd risgiau, datrys problemau, ac yn gwneud penderfyniadau'n unigol, mewn grwpiau bach a mawr.
>
> (APADGOS, 2008a: 4)

Nid cysyniad newydd mo'r cynnig mai trwy chwarae y bydd plant ifainc yn dysgu. Archwiliwyd, ymchwiliwyd a thrafodwyd mater cymhleth chwarae ers cyfnod Platon, ond erys o hyd yn bwnc anodd iawn ei ddiffinio a'i ddeall. I raddau helaeth mae'r ffaith mai oedolion sy'n llunio ac yn defnyddio diffiniadau o chwarae yn cynyddu'r broblem ymhellach. Ychydig o ddadlau sydd bellach fod chwarae yn gymhleth, yn ddifrifol, ac yn arwyddocaol yn y broses ddysgu. Yn wir, mae'r ffaith bod plant ar draws y byd ac ymhob diwylliant yn ymwneud â chwarae yn dangos ei arwyddocâd – yn enwedig i'r plant eu hunain – ond mater trafod o hyd yw ei berthnasedd mewn lleoliadau addysgol ac mewn cwricwla addysgol. Ceir trafodaeth frwd hefyd ynghylch rôl yr oedolion wrth ddarparu amgylchedd ar gyfer chwarae a dysgu yn hytrach nag ymgymryd ag addysgu.

Cyd-destun hanesyddol

Cafodd gweithiau'r athronydd o Ffrainc, Jean-Jacques Rousseau, ac yn enwedig ei lyfr *Émile* (1762) am addysg bachgen ifanc, ddylanwad aruthrol ar Johann Pestalozzi (1746–1827), addysgwr o'r Swistir, a Friedrich Froebel (1782–1852), addysgwr o'r Almaen. Credai Pestalozzi fod profiadau ymarferol a chyffwrdd â gwrthrychau'n fwy buddiol i blant na dysgu ar y cof. Hyrwyddai'i syniadau yntau amgylcheddau dysgu priodol i blant gan gynnwys chwarae'n rhydd yn yr awyr agored (Smith, 2010; Brock et al, 2009). Agorodd Froebel ei *kindergarten* gyntaf ym 1826 ac mae yntau'n enwog am ei ddull plentyn-ganolog a'i syniadau ynglŷn â chwarae a datblygiad (Smith, 2010).

Credai Maria Montessori (1870–1952) hefyd mewn dull plentyn-ganolog. Rhoddai hithau, fel Froebel, bwyslais mawr ar brofiadau o fywyd go iawn o fewn amgylcheddau strwythuredig a oedd o gymorth i blant gyda dysgu amlsynhwyraidd. Arloesodd gyda'r syniad o gelfi ac offer maint plentyn er mwyn galluogi plant i ddatblygu sgiliau'n annibynnol, tra bod yr oedolion yn arsylwi (Brock et al, 2009). Datblygodd Margaret McMillan (1860–1931) a'i chwaer Rachel (1859–1917) syniadau Froebel a Pestalozzi ynglŷn ag addysg amgylcheddol ymhellach, gan ddechrau mudiad 'meithrinfa yn yr ardd' sydd yn ffasiynol iawn heddiw (Thomas, 2005). Ym 1580, sy'n syndod o bell cyn arloeswyr y 19eg ganrif megis Montessori, Froebel a'r chwiorydd McMillan, ysgrifennodd Montaigne, yr awdur ysgrifau o Ffrainc:

> Dylid nodi nad chwarae o gwmpas mae'r rhan fwyaf o blant sy'n chwarae; dylid ystyried eu gemau fel eu gweithgaredd mwyaf dwys.
>
> *It should be noted that most children at play are not playing about; their games should be seen as their most serious-minded activity.*
>
> (yn Cooper, 2004: 16)

O'r 1920au, ystyriai'r seicdreiddydd Susan Isaacs (1885–1948) fod chwarae yn broses hanfodol...

> Chwarae yw bywyd plentyn a'r cyfrwng iddo ddod i ddeall y byd y mae'n byw ynddo.
>
> *Play is a child's life and the means by which he comes to understand the world he lives in.*
>
> (Isaacs, 1933, yn Cohen, 2006: 3)

Canolbwyntiai Isaacs ar y modd y defnyddid chwarae i fynegi gwrthdaro ac ofnau plant yn ogystal â'r hyn y byddent yn ei ddysgu drwy chwarae (Cohen, 2006; Siencyn, 2008). Gwerthfawrogai Isaacs chwarae fel gwaith plant a thynnai sylw at ei bwysigrwydd o ran darparu cyfrwng i blant allu mynegi'u hunain, gan bwysleisio gwerth deallusol ac addysgiadol addysg blynyddoedd cynnar (Thomas, 2005). Amlygai bwysigrwydd arsylwi, cofnodi a dadansoddi chwarae plant gyda ffocws penodol ar yr awyr agored er mwyn gallu treiddio i'w meddylfryd (Moyles, 2005). Trwy'r arsylwadau hyn, dechreuai amau camau datblygiad gwybyddol Piaget oherwydd iddi deimlo bod rhai plant yn symud yn gyflymach o lawer drwy bob cam nag roedd yntau wedi credu y byddai'n bosibl (Siencyn, 2008). Gellid dadlau fod gwaith Isaacs a McMillan, yn ogystal â gwaith Piaget, Bruner a Vygotsky ym maes cysylltiedig seicoleg, wedi arwain at boblogrwydd yr hyn a elwid yn 'ddysgu plentyn-ganolog gweithredol' (child-centred active learning) yn y 1960au a'r 1970au (Thomas, 2005). Cydnabyddir eu dylanwad a'u harwyddocâd yn nogfennaeth y Cyfnod Sylfaen lle rhoddir crynodebau o'u gwaith a'u dylanwad (LlCC, 2008c: 28-31).

Er gwaethaf yr ymddiddori hwn dros gyfnod hir mewn chwarae plant (gan addysgwyr, athronwyr a seicolegwyr), hyd yn oed heddiw nid yw'n cael ei dderbyn gan bawb fel rhywbeth sydd o werth arbennig. Awgryma Singer *et al* (2006) fod gwerth chwarae wedi cael ei gwestiynu yn America'r 1950au a'r 1960au. Dyma gyfnod y ras i'r gofod a theimlid mai dysgu darllen, ysgrifennu, a rhifyddeg i'r plant oedd yr unig ffordd o gynyddu goruchafiaeth fydeang yr Unol Daleithiau. Ystyrid bod drilio a chael plant i ddod i gysylltiad â 'dyfeisiadau addysgiadol' yn weithgareddau teilwng i foddhau amser a sylw plant.

Efallai mai fel ymateb i'r symudiad hwn i ddulliau mwy ffurfiol tuag at addysg y cychwynnodd Weikart ymagweddiad newydd at ddysgu cynnar wrth fynd ati i sefydlu Prosiect Perry Pre-school (High/Scope). Cychwynnodd y prosiect yn y 1960au gyda'r bwriad o frwydro yn erbyn anfantais ac effeithiau tlodi ar gyrhaeddiad plant. Canolbwyntiai'r prosiect ar grŵp o blant dros nifer o flynyddoedd, plant a ddewiswyd ar hap i fynychu un o dair rhaglen cyn ysgol: High/Scope, Addysgu Uniongyrchol ac Ysgol Feithrin. Dangosodd y canlyniadau fod yr ysgol feithrin a'r dull High/Scope, lle'r oedd y gweithgareddau'n cael eu cychwyn gan blant ac â phwyslais ar chwarae, wedi helpu datblygu gallu plant i ryngweithio'n gadarnhaol ag eraill (Miller a Devereux, 2004; Moyles, 2005) yn fwy na'r plant yn y grŵp Addysgu Uniongyrchol. At hynny, dros gyfnod o amser, roedd y plant yn fwy tebygol o raddio yn yr ysgol uwchradd, o gael swydd ac incwm uwch, ac yn llai tebygol o gyflawni trosedd (Singer et al, 2006). Mae dull High/Scope yn annog plant i ddilyn eu diddordebau'u hunain. Hefyd mae'n cael plant i gyfranogi wrth gynllunio a gwerthuso'u profiadau – dull sy'n hollol gyson, wrth gwrs, ag egwyddorion ac arfer y Cyfnod Sylfaen.

Polisi a deddfwriaeth

Ers cyflwyno addysg statudol yng Nghymru, tua chant a deg ar hugain o flynyddoedd yn ôl, bu llawer o addasiadau a newidiadau. Fodd bynnag, go brin bod chwarae wedi bod yn ffactor mewn unrhyw gwricwlwm.

> Rhoddwyd dysgu drwy chwarae o'r neilltu. Cyfyngwyd dewis plant o ran gweithgareddau yn seiliedig ar chwarae i 'awr aur' efallai (â thafod yn y boch) ar brynhawn Gwener.
>
> *Learning through play became sidelined. Children's choice of play-based activities was limited to perhaps a (tongue in cheek) 'golden hour' on a Friday afternoon.*
>
> (Moyles, 2005: 19).

Mae gweithredu'r Cyfnod Sylfaen yn symudiad i ffwrdd o ffurfioldeb y Cwricwlwm Cenedlaethol, a gyflwynwyd yng Nghymru a Lloegr drwy Ddeddf Diwygio Addysg 1988, a gellid ei ystyried yn ddychweliad at y dull mwy plentyn-ganolog oedd yn boblogaidd mewn addysg yn y 1960au a'r 1970au. Dros nifer o flynyddoedd, roedd gwahaniaethau cynyddol o ran polisi wedi ymddangos rhwng Cymru a Lloegr. Gwelwyd gwahaniaethau pellach rhwng y ddwy wlad gyda chyllido cyhoeddus i ddarpariaeth y blynyddoedd cynnar yn 1994, hynny yw darpariaeth a gymeradwywyd i blant dan 5 oed. Roedd gwahaniaeth arwyddocaol a sylfaenol o ran naws a chynnwys rhwng dogfennau'r *Canlyniadau Dymunol* (ACAC, 1996) i Gymru ac i Loegr. Cydnabyddai dogfen Cymru rôl allweddol chwarae mewn dysgu cynnar, a hynny mewn cyferbyniad â chwricwlwm oedd yn fwy anhyblyg a than ddylanwad canlyniadau yn Lloegr.

Yn sgil creu Cynulliad Cenedlaethol Cymru ym1999 , bu cynnydd pellach yn y gwahaniaethau hyn rhwng polisi addysg yng Nghymru a Lloegr. Tynnodd Moyles sylw at y gwahaniaethau o ran y syniadaeth am addysg yn y tirlun gwleidyddol, gan gynnig mai Cymru yn unig yn y Deyrnas Unedig sy'n hyrwyddo'r cysyniad o gwricwlwm chwarae (Moyles, 2005). Er 2008 ceir tystiolaeth bellach fod Lloegr yn dechrau dilyn arweiniad Cymru drwy gyfyngu ar y Tasgau Asesu Safonol (TASau) o blaid asesu gan yr athro yng Nghyfnodau Allweddol 1 a 3.

Adlewyrchir y pwyslais ar ddysgu gweithredol trwy weithgaredd ymarferol, sy'n ein hatgoffa am draddodiad Froebel, yng ngofynion y cwricwlwm newydd:

> Mae arfer gorau yng Nghymru yn cynnwys cwricwlwm eang a chytbwys... Mae plant yn dysgu trwy weithgareddau ymarferol sydd o anghenraid yn eu herio a'u hysgogi. Mae gweithgareddau sydd wedi'u cynllunio'n dda yn helpu plant i ddatblygu eu chwilfrydedd a'u hannibyniaeth yn ogystal â'u gwybodaeth, eu sgiliau a'u dealltwriaeth.
>
> (LLCC, 2003: 8)

Mae Cynulliad Cymru hefyd yn cefnogi chwarae fel hawl ehangach nag yn y Cyfnod Sylfaen. Mae rhan 4 mesur arfaethedig *Plant a Theuluoedd (Cymru)* (a gyflwynwyd i'r Cynulliad Cenedlaethol ym mis Mawrth 2009) yn ei gwneud yn ofynnol i awdurdodau lleol gynnal archwiliad o gyfleoedd chwarae i blant yn eu hardal. Yn ôl Chwarae Cymru (2006), gwelir chwarae mewn cyd-destun hollol wahanol o'i gymharu â gwledydd eraill. Yma yng Nghymru, mae polisïau a strategaethau ar lefel y llywodraeth sy'n cydnabod bod gan blant ifainc hawl ac angen i chwarae. Mae'r ddogfen *Polisi Chwarae a'r Egwyddorion Gwaith Chwarae* yn cydnabod bod chwarae o ansawdd yn hanfodol i blant:

> Mae gan bob plentyn a pherson ifanc angen chwarae. Mae'r cymhelliad i chwarae yn reddfol. Mae chwarae yn rheidrwydd biolegol, seicolegol a chymdeithasol, ac mae'n sylfaenol i ddatblygiad iach a lles unigolion a chymunedau.
>
> (Chwarae Cymru, 2006: Dim tudalen)

Diffinio chwarae – dadelfennu chwarae

Mae llawer o ddiffiniadau amrywiol o chwarae, ac yn aml bydd y diffiniadau hyn yn deillio o safbwyntiau gwahanol. Rhennir y diddordeb hwn mewn chwarae, yn ddamcaniaethol ac yn ymarferol, ar draws meysydd seicoleg, seicotherapi, addysg, daearyddiaeth ddynol, anthropoleg ac astudiaethau o ddiwylliant plant. Ymddengys fod y pwyslais ar chwarae a ddewisir yn rhydd neu a gychwynnir gan y plentyn yn thema gyffredin. O fewn maes addysg blynyddoedd cynnar, cysylltir chwarae fel arfer â dysgu ac fe'i gwelir fel cyfrwng datblygiad. Mae Moyles yn dadlau o blaid ystyried chwarae fel proses sy'n cynnwys amrywiaeth o ran ymddygiad, cymhelliant, cyfleoedd, arferion, sgiliau a dealltwriaeth (Moyles, 2005). Mae Pat

Broadhead (Athro *Playful Learning* Prifysgol Fetropolitan Leeds) yn galw am ddychwelyd at ddysgu chwareus – *fel hawl yn hytrach na fel rhodd* (Broadhead yn Brock et al, 2009: xxiii). Ystyriai Vygotsky fod chwarae yn hanfodol er mwyn i blant ddysgu a datblygu (Olusoga, 2009 yn Brock et al, 2009: 43), a chredai Bruner fod plant yn archwilio'u byd ac yn dysgu trwy chwarae (MacNaughton, 2003). Disgrifia Cohen (2006) chwarae fel profiad dysgu. Unwaith eto gwna Moyles ddadansoddiad diddorol a dadleuol o'r farn wleidyddol am chwarae, gan gyfeirio at ddosbarth, pŵer a'r rhywiau:

> System gwerthoedd y grŵp amlycaf o ran pŵer gwleidyddol yn y 1980au – sef dynion gan fwyaf, y rhan fwyaf ohonynt wedi cael eu haddysg o fewn y sector annibynnol, a'r rhan fwyaf ohonynt yn ansicr iawn ynglŷn â menywod – a bennai'r wleidyddiaeth y buont yn deddfu ar ei chyfer o fewn telerau'r Ddeddf Diwygio Addysg. Iddyn nhw, gweithgaredd gwamal, isel ei statws oedd chwarae, gweithgaredd a gysylltid â gwallt hir, gleiniau a hedoniaeth 'Cenhedlaeth y Chwedegau', neu â menywod a phlant mewn neuaddau eglwysi. Dim ond mewn gemau tîm cystadleuol neu ar y cwrs golff y ceid chwarae oedd yn dderbyniol.
>
> *The value system of the dominant political power group of the 1980s – mostly men, mostly educated within the independent sector, mostly deeply uncertain about women – determined the politics for which they legislated under the terms of the Educational Reform Act. For them, play was a frivolous and low-status activity associated with the long hair, beads and hedonism of 'The Sixties Generation', or with women and children in church halls. Acceptable play took place only in competitive team games or on the golf course.*
>
> (Moyles, 2005: 17)

Thema gyffredin arall mewn diffiniadau o chwarae yw mwynhad a hwyl. Nid yw hyn yn gwrthdaro â'r cysyniad o chwarae fel y cyfrwng i blant archwilio a dysgu; yn wir os gwelir dysgu fel rhywbeth i'w fwynhau, bydd hyn yn ysgogi diddordeb pellach mewn gweithgareddau, ac felly yn hwyluso dysgu pellach.

Yn y ddogfen Canlyniadau Dymunol i Ddysgu Plant (ACCAC, 1996), cyflwynwyd chwarae fel gwaith plant, a hyrwyddwyd chwarae fel rhywbeth difrifol, ac yn wir, honnwyd mai 'gwaith plant' yw chwarae. Ailadroddir hyn yn nogfennaeth y Cyfnod Sylfaen:

> I blant, gall chwarae fod yn fusnes difrifol (ac mae hynny'n wir yn aml). Mae'n gofyn am sylw dwys. Mae'n ymwneud â'r plentyn yn dysgu drwy ddyfalbarhau, rhoi sylw i fanylion, a chanolbwyntio – nodweddion sydd wedi'u cysylltu fel arfer â gwaith. Mae chwarae yn hanfodol i'r

> ffordd y bydd plant yn dod yn ymwybodol o'u hunain a hefyd y ffordd y byddant yn dysgu rheolau ymddygiad cymdeithasol; mae hefyd yn hanfodol i ddatblygiad deallusol.
>
> (APADGOS, 2008a: 6)

Dadleua Broadhead fod chwarae yn fwy na gwaith plant, mai dyma'u hunangyflawniad (self actualisation), archwiliad holistaidd o bwy a beth ydynt, o beth maent yn ei wybod ac o bwy y gallent fod (Brock et al, 2009: 89). At hynny, awgryma Siencyn (2008) fod chwarae nid yn unig yn anodd ei ddiffinio, ond mae hefyd weithiau yn anodd gweld 'chwarae' yn digwydd. Hefyd ystyrir chwarae fel hawl plentyn, rhywbeth y dylai fod gan bob plentyn gyfle i ymwneud ag ef, a'i fod yn fuddiol i les y plentyn. Yn wir, dywed Chwarae Cymru fod hawl plant i chwarae wedi ei gydnabod gan lywodraethau'r DU a Llywodraeth Cynulliad Cymru fel ei gilydd, fel ymrwymiad i Gonfensiwn y Cenhedloedd Unedig ar Hawliau'r Plentyn, Erthygl 31, sy'n datgan:

> Mae gan bob plentyn yr hawl i orffwys a hamdden, i gymryd rhan mewn gweithgareddau chwarae ac adloniadol sy'n briodol i oedran y plentyn ac i gymryd rhan mewn bywyd diwylliannol a'r celfyddydau heb unrhyw rwystr.
>
> (Chwarae Cymru, 2010)

Yn aml bydd oedolion yn dadelfennu chwarae yn ddosbarthiadau yn ôl mathau gwahanol, categorïau gwahanol neu gamau gwahanol o chwarae. Er enghraifft disgrifia Smith (2010) chwe math o chwarae a gydnabyddir yn eang:

Math o chwarae	Adnoddau/ Enghraifft
Chwarae amodoldeb gymdeithasol (social contingency play)	Gemau syml megis pi-po.
Chwarae synhwyraidd-weithredol (sensorimotor play)	Gweithgareddau gyda gwrthrychau e.e. sugno, bwrw yn erbyn ei gilydd, gollwng dro ar ôl tro.
Chwarae â gwrthrych (object play)	Chwarae adeiladu, lego, adeiladu tyrau, clai, toes, chwarae dŵr.
Chwarae iaith (language play)	Chwarae â synau, geiriau ac ymadroddion, bablo, rhigymu, ailadrodd ymadroddion.

Chwarae gweithgarwch corfforol (physical activity play)	Chwarae ymarfer corff megis dringo, rhedeg a seiclo. Chwarae codwm – chwarae corfforol cymdeithasol er enghraifft cwrso ac ymaflyd codwm.
Chwarae ffantasi neu chwarae cogio (fantasy or pretend play)	Gweithgareddau sy'n efelychu ymddygiad a gweithgareddau bob dydd, weithiau gan ddefnyddio gwrthrychau i gynrychioli gwrthrychau eraill e.e. defnyddio banana blastig yn botel babi. Gall y math hwn o chwarae hefyd gynnwys ffurfiau mwy cymhleth o chwarae dramatig-gymdeithasol drwy, er enghraifft, chwarae rôl.

(Smith, 2010: 8–11)

Yn aml bydd lleoliadau sy'n defnyddio'r dull High/Scope yn rhannu'r ystafell ddosbarth yn ardaloedd o ddiddordeb amrywiol, er enghraifft ardal blociau, ardal awyr agored, ardal greadigol ac ardal dawel. Bydd lleoliadau eraill yn neilltuo ardaloedd penodol ar gyfer chwarae dramatig-gymdeithasol neu farcio. Nid ymddengys fod unrhyw gytuno ynghylch y categorïau hyn a bydd gan leoliadau eraill gategorïau eraill neu ffyrdd eraill o ddisgrifio mathau o chwarae. Er enghraifft, mae cyfarwyddyd y Cyfnod Sylfaen (APADGOS, 2008ch: 24-37) yn gosod chwarae yn y categorïau canlynol:

- dychmygol/smalio
- byd bach
- adeiladu
- chwarae â defnyddiau naturiol
- chwarae creadigol
- chwarae corfforol

Hefyd bydd gwahanol fathau o chwarae yn gorgyffwrdd ac yn ymdoddi i'w gilydd. Efallai fod plant yn gwneud sylwadau ac yn datblygu stori am y gwrthrych maent yn ei greu gyda chlai, ac felly byddant yn cyfuno chwarae creadigol, chwarae iaith a chwarae dychmygus â chwarae gyda defnyddiau naturiol. Felly nid yw symleiddio chwarae yn gategorïau bob amser yn fuddiol nac ychwaith yn ddefnyddiol.

Mae chwarae hewristig a chwarae blociau'n enghreifftiau o ba mor gymhleth y gall chwarae fod, yn ogystal â dangos yr ystod o ddysgu a all ddigwydd gydag adnoddau mor syml. Yn ôl Hirsch (1984) mae chwarae blociau'n caniatáu i blant ailadrodd eu chwarae drosodd a throsodd ac yn rhoi amser iddynt ddatblygu agweddau ar eu chwarae. Honna fod chwarae blociau'n datblygu dros amser (blynyddoedd) a bod ei bosibiliadau'n tyfu gyda'r plentyn wrth iddo ddysgu sgiliau a gwybodaeth newydd. Efallai y bydd plant yn dechrau gyda gweithgareddau syml megis nôl ac estyn (tote and carry), gan arbrofi gyda phosibiliadau'r blociau, ond gyda phrofiad bydd y 'nôl ac estyn' gan blant dwy a thair blwydd oed yn newid i gynnwys adeiladu, arbrofi gyda lle a syniadau am greu llociau, nes i blant adeiladu strwythurau cynrychiadol er mwyn rhoi cartref i'w chwarae dramatig-gymdeithasol a'i gynnal (pedair i bum oed) (Hirsch, 1984). Mae'r defnydd ehangach o'r blociau'n hyrwyddo dysgu ar draws y cwricwlwm ac mewn ystod eang o feysydd datblygiad: mae'n cynnwys gwybodaeth am sut mae defnyddiau'n ymddwyn a sut mae siâp a ffurf yn arwyddocaol (cysyniadau mathemategol a gwyddonol); mae'n datblygu cryfder a medrusrwydd corfforol trwy symud a chydbwyso blociau trwm a rhai mwy ysgafn; mae'n caniatáu creadigrwydd wrth gynllunio a datblygu adeiladau a'r chwarae y gellir ei hyrwyddo gyda'r strwythurau hyn ac o'u mewn; mae'r trafod a'r esbonio sydd eu hangen er mwyn rheoli'r gwaith yn datblygu sgiliau iaith a geirfa fathemategol yn ogystal â datblygu sgiliau cymdeithasol y plentyn. Yn eu tro, mae'r rhain i gyd yn rhoi ymdeimlad o gyflawniad a hunanhyder i'r plentyn.

Chwarae blociau mewn lleoliad blynyddoedd cynnar

Mae Aaron yn bedair a hanner blwydd oed, mae e'n unig blentyn ac mae'n byw gyda'i fam, ei dad a'i fam-gu. Mae'i fam-gu yn gofalu am Aaron tra bod ei rieni yn y gwaith. Nid aeth i'r ysgol feithrin. Saesneg yw ei iaith gyntaf. Mae Aaron yn ddisgybl mewn dosbarth derbyn Cymraeg yn yr ysgol gynradd leol, gyda 26 o blant eraill o amrywiaeth o gefndiroedd a diwylliannau. Mae 3 chynorthwy-ydd dysgu yn y dosbarth derbyn sy'n helpu'r athrawes ddosbarth, Mrs Jenkins.

Mae Aaron yn ei chael yn anodd cymdeithasu gyda'i gyfoedion ac mae'n tueddu rheoli sesiynau chwarae rhydd dan do ac yn yr awyr agored. Mae'n well ganddo gwmni oedolion ac mae'n treulio'r rhan fwyaf o'r diwrnod ysgol yn sgwrsio'n groyw â nhw yn y Saesneg. Nid yw'n mwynhau eistedd a gwrando ar storïau na gweithgareddau ysgrifennu.

Mae Mrs Jenkins yn arsylwi ar Aaron dros nifer o ddyddiau ac yn nodi'i anawsterau o ran cymdeithasu a chwarae gyda'r plant eraill. Mae'n cyflwyno stori am drên i'r dosbarth ac yn sylwi ar unwaith nad oes gan Aaron unrhyw ddiddordeb. Mae'n galw'i enw ac yn gofyn am ei help. Esbonia Mrs Jenkins i Aaron fod angen ei help arni i adeiladu trac newydd i'r trên yn y stori. Mae'n ei arwain at focs mawr sy'n llawn o flociau pren o amrywiol siapiau a meintiau. Gofynna iddo a hoffai i un o'r plant eraill ei helpu. Mae'n enwi Megan, merch dawel. Gofynna'r athrawes a ydy hi'n fodlon helpu ac mae'n cytuno. Mae Aaron a Megan yn dechrau drwy estyn y blociau pren hir a syth ac wedyn maent yn eu gosod ar bwys ei gilydd mewn llinell ar y llawr. Maent yn parhau i wneud hyn nes iddynt ddefnyddio'r holl flociau sydd â'r un dimensiynau. Nid oes unrhyw sgwrsio. Wedyn mae Aaron yn rhuthro at ei athrawes gan honni ei fod wedi gorffen.

Mae Mrs Jenkins yn sylweddoli fod y gweithgaredd yn llawer rhy gaeedig a diflas i'r plant. Yn lle hynny gofynna iddynt adeiladu syrpreis iddi. Mae Aaron yn mynd yn ôl at y bocs ac yn gwacáu'r holl flociau ar y llawr, gan wneud twrw mawr a thynnu sylw'i gyd-ddisgyblion. Mae'n eistedd ynghanol y blociau, gan ddewis amryw o siapiau a'u hastudio'n fanwl. Wedyn mae'n dechrau gosod blociau gwahanol ar ben ei gilydd i ffurfio adeiladwaith cymhleth. O dro i dro, bydd Megan yn gosod blociau ar hap fan hyn a fan draw. Mae'n dal llygad Aaron, sy'n gwenu arni, ac yn dechrau siarad â hi yn dawel.

Mae adeiladwaith Aaron yn cynnwys 2 wal uchel, 2 wal is, bwâu a phontydd gyda thrac pren o'i gwmpas. Mae'n dewis bloc llai gan ei lusgo ar hyd y trac a gwneud sŵn trên. Mae hyn yn tynnu sylw nifer o'r plant, sy'n gadael eu gweithgareddau gan eistedd a gwylio Aaron ynghanol y blociau. Un ar y tro, gyda chydsyniad Aaron, maent yn dechrau chwarae gyda'r blociau.

Er syndod i Mrs Jenkins, erys Aaron gyda'r blociau am dipyn mwy nag awr, gan wrando a siarad gyda'i gyd-ddisgyblion, gyda rhywfaint o ymdrech i ddefnyddio nifer o eiriau Cymraeg.

Trafodwch

- Beth yw gwerth yr hyn mae Aaron yn ei wneud?
- Pam mae hyn yn peri syndod i Mrs Jenkins?
- Beth mae hyn yn ei ddweud wrthych am drefn ystafell ddosbarth Mrs Jenkins? Er enghraifft, pa weithgareddau sydd ar gael, pa ddewisiadau mae'r plant yn eu gwneud, sut mae'u hamser yn cael ei drefnu ac ati.

Dull arall o gategoreiddio chwarae yw trwy'i gyd-destun cymdeithasol, ac unwaith eto mae cyfarwyddyd y Cyfnod Sylfaen yn defnyddio hwn fel dull o ddisgrifio chwarae plant. Disgrifia'r ddogfen *Chwarae/Dysgu Gweithredol* (APADGOS 2008ch: 13-23) ddatblygiad cymdeithasol chwarae yn nhermau

- chwarae ar eu pennau eu hunain neu chwarae unigol
- chwarae gwylio neu'n wyliwr
- chwarae cyfochrog
- chwarae mewn partneriaeth neu chwarae cysylltiadol
- chwarae cydweithredol neu grŵp

Awgryma'r ddogfen fod y rhain yn gyfnodau neu'n gamau datblygiadol o chwarae. Mae'r cyfarwyddyd yn cydnabod bod hon yn ffordd or-syml iawn o ystyried chwarae plant, a thra ei fod yn awgrymu bod y mathau hyn o chwarae yn datblygu yn eu trefn, noda hefyd:

> Er y gall plant symud trwy'r cyfnodau hyn, byddan nhw weithiau'n dewis dychwelyd i gyfnod cynharach; er enghraifft, er y gall plant fod yn chwarae'n gydweithredol bydd yna adegau pan fydd angen iddyn nhw chwarae ar eu pennau eu hunain neu pan maen nhw wedi dewis gwneud hynny.
>
> (APADGOS, 2008ch: 13).

Fodd bynnag yn y ddogfen *Cyfnod Sylfaen: Proffil Datblygiad Plentyn* cysylltir y camau hyn o chwarae cymdeithasol ag oedran – serch i'r camau gael eu disgrifio fel rhai bras (APADGOS 2009a: 13) ac yn y *Fframwaith ar gyfer Dysgu Plant 3 i 7 oed yng Nghymru,* cysylltir y camau hyn â lefelau deilliannau penodol. Er enghraifft, dywed deilliant 4 ar gyfer Datblygiad Personol a Chymdeithasol, Lles ac Amrywiaeth Ddiwylliannol y bydd y *plant yn cymryd rhan yn annibynnol mewn gweithgareddau chwarae ar y cyd* (APADGOS 2008h: 44). Ymddengys nad yw'r farn hon, sy'n gaeth i gronoleg, yn cyd-fynd â'r meddylfryd mwy sefydledig, ac ymddengys nad yw'n ystyried tystiolaeth ymchwil megis gwaith arloesol Jackson a Goldschmied a gyhoeddwyd gyntaf yn 1994, sy'n dangos bod babanod iau na blwydd oed yn ymwneud â chwarae cyfochrog a chysylltiadol. Mae hyn yn gwrthgyferbynnu'n llwyr â'r deilliannau a ddisgrifir yn y *Fframwaith ar gyfer Dysgu Plant* sy'n awgrymu nad yw plant yn ymwybodol o deimladau pobl eraill tan ddeilliant lefel 2 (APADGOS, 2008a: 44).

Chwarae a dysgu

Ceir cydnabyddiaeth eang o rôl chwarae wrth hwyluso dysgu gan blant yn eang (Bruce, 1996; Moyles, 2005; Parker-Rees, 2007). Mae Brock et al yn disgrifio chwarae fel hyn:

> Ymddygiad deinamig, gweithredol ac adeiladol. Rhan hanfodol a chanolog o dwf iach, datblygiad a'r dysgu gan bob plentyn ar draws pob oedran, parth a diwylliant.
>
> *A dynamic, active and constructive behaviour. An essential and integral part of all children's healthy growth, development and learning across all ages, domains and cultures.*
>
> (Brock *et al*, 2009: 285).

Pwysleisir chwarae fel thema ganolog i gwricwlwm y Cyfnod Sylfaen drwy gydol y ddogfennaeth. Drwyddi draw ailadroddir y broses chwarae a'r cysyniad bod chwarae yn datblygu gwybodaeth a sgiliau am bethau, am y plant eu hunain ac am eraill.

Ystyriai Piaget (1896–1980) chwarae i fod yn gyfrwng i hyrwyddo meddwl gan blant. Archwiliai sut mae plant yn dysgu drwy gyfnodau neu gamau a gwelai chwarae a darganfod fel pethau sylfaenol i ddatblygiad (Brock *et al,* 2009; Singer *et al,* 2006). Dywedodd Vygotsky (1896–1934) fod chwarae'n helpu plant i weithio allan y rheolau ar gyfer rhyngweithio cymdeithasol.

Credai hefyd fod chwarae yn galluogi plant i greu 'parth datblygiad procsimol' (zone of proximal development) er mwyn gweithredu ar lefel uwch. Roedd Piaget a Vygotsky o'r farn bod chwarae yn rhoi cyfleoedd i blant ddysgu mwy am eu byd, gan ganiatáu iddynt dderbyn syniadau newydd a meithrin eu dychymyg. Pwysleisiai Bruner bwysigrwydd chwarae ar gyfer datrys problemau a chreadigrwydd. Mae Claxton (1997) yn adeiladu ar syniad Piaget o anghydbwysedd (*disequilibrium*) a syniad Bruner o aflonyddiad (*perturbation*) gan awgrymu bod chwarae yn cynnig y cyfle i ddysgu oherwydd bod dysgu yn deillio o ansicrwydd (Claxton, 1999). Dengys gwaith Samuelsson a Carlsson (2008) nad yw plant ifainc bob tro yn gwahanu'r syniadau o chwarae a dysgu; iddynt hwythau, archwilio ac arbrofi yw'r cyfan. Fel y sylwa Moyles (2005), mae tueddiad naturiol gan blant i chwarae a greddf naturiol i ddysgu a bod yn chwilfrydig a dyfeisgar.

Fel y soniwyd eisoes, cyn dechrau'r 20fed ganrif, ystyriai llawer o athronwyr a damcaniaethwyr ymddygiad dynol fod chwarae yn ddull o gael gwared â gormodedd o egni, heb feddwl bod ei angen ar gyfer datblygiad dynol. Nid oedd ystyriaeth i chwarae fel therapi neu bod iddo ddibenion therapiwtig (Levine a Chedd, 2007). Fodd bynnag, yn enwedig ers gwaith Sigmund Freud, ei ferch Anna Freud a'i chydweithiwr hithau Melanie Klein, mae'r defnydd o chwarae fel therapi yn ennill tir bellach. Er enghraifft, i blant ar y sbectrwm awtistig mae chwarae yn aml yn rhywbeth heriol. Efallai eu bod yn cael anhawster wrth brofi a deall cynnwys lleferydd a rhyngweithio ag eraill, hefyd yn aml bydd sefyllfaoedd dychmygol yn anodd iddynt eu deall. Fel canlyniad, gall plant ar y sbectrwm awtistig deimlo wedi'u drysu ac ar goll, ac yn aml byddant yn troi at weithgareddau sy'n gysur iddynt ond sy'n ymddangos yn ailadroddus ac yn amhriodol i bobl eraill (Moor, 2008).

Mae *Replays* yn ddull seiliedig ar chwarae a ddatblygwyd i helpu plant ag anawsterau ymddygiad. Defnyddir chwarae fel cyfrwng therapiwtig ar gyfer gweithio gyda phlant sy'n cael anhawster ymdopi ag emosiynau heriol (Levine a Chedd, 2007).

> Hefyd, rhaid ystyried y rhwystrau i chwarae, dysgu a chyfranogi a achosir gan anawsterau corfforol, synhwyraidd, cyfathrebu neu ddysgu.
>
> (APADGOS, 2008ch: 5)

Mae angen adnabod y rhwystrau hyn a'u dileu pan fo'n bosibl. Mae hon yn elfen yn rôl yr oedolyn cyfrifol a phroffesiynol sy'n darparu'r amgylchedd dysgu i'r plentyn.

Ystyriwch

Meddyliwch am y rhwystrau i chwarae a all fod i blentyn â nam difrifol ar y golwg mewn lleoliad meithrin. Pa gamau fyddech chi'n eu cymryd er mwyn goresgyn y rhwystrau hyn? Sut byddech chi'n sicrhau mynediad i chwarae yn yr awyr agored a chydraddoldeb i blentyn â nam ar y golwg a phlentyn mewn cadair olwyn?

Rôl yr oedolyn yn hyrwyddo chwarae

Un o'r prif wahaniaethau rhwng y Cyfnod Sylfaen a chwricwla blaenorol yw'r pwyslais ar yr oedolyn fel hwylusydd a chefnogwr yn hytrach na'r oedolyn fel athro. Mae'n hyrwyddo datblygiad y plentyn fel unigolyn a dinesydd y dyfodol yn hytrach na gweld y plentyn fel gwrthrych sydd angen ei addysgu ac angen gwybodaeth:

> Caiff cymhelliant ac ymrwymiad i ddysgu eu hannog wrth i blant ddechrau deall eu potensial a'u galluoedd eu hunain. Caiff plant eu cynorthwyo i dyfu'n feddylwyr ac yn ddysgwyr hyderus, cymwys ac annibynnol.
>
> (APADGOS, 2008a: 15).

Mae hyn yn arwain at oblygiadau yn ymwneud â hyfforddiant oedolion sy'n gweithio gyda phlant ifainc yn y Cyfnod Sylfaen. Bydd angen i raglenni hyfforddi i'r sawl sy'n gweithio yn y Cyfnod Sylfaen gynnwys datblygiad dynol a dealltwriaeth o chwarae a dysgu, o arddulliau dysgu ac o ddogfennu dysgu plant. Gan na fydd dysgu plant yn cael ei gofnodi bellach, er enghraifft mewn llyfrau gwaith, bydd angen i oedolion ddarparu ffurfiau eraill o dystiolaeth o ddysgu.

Mae datblygu amgylchedd dysgu sy'n cydnabod plant fel dysgwyr galluog yn hanfodol ar gyfer gweithredu'r cwricwlwm. Ni ellir gorbwysleisio arwyddocâd deall chwarae ac mae angen archwilio'r gwahaniaethau rhwng cefnogi a hyrwyddo chwarae o'i gymharu ag ymyrryd mewn gwaith plant. Dylai oedolion sy'n gweithio gyda phlant eu galluogi i ymgolli yn yr hyn maent yn ei wneud gan ganolbwyntio ar yr hyn mae'r plant yn ei wneud ac nid ar y cynnyrch terfynol. Credai Piaget fod oedolion yn chwarae rôl hanfodol wrth ddarparu amgylchedd ysgogol lle gall plant ddysgu a datblygu. Fodd bynnag, awgryma Smidt (2007) y dylai oedolion hefyd ryngweithio'n sensitif ac mewn ffordd sy'n debygol o helpu plant i gymryd y cam nesaf yn eu dysgu a'u datblygiad. Ni ddylai oedolion weithredu fel hwyluswyr yn unig, ond hefyd fel ysgogiad pryfoclyd (provocative stimulus), gan ddarparu sefyllfaoedd a phroblemau sy'n gallu cysylltu chwarae â bywyd go iawn ar gyfer plant (Roskos a Christie, 2000).

Mae mater sensitif rhyngweithio ac ymyrryd yn bwysig. Mae angen i oedolion wneud penderfyniadau drwy'r amser, ar sail arsylwi ar y plentyn a'u gwybodaeth amdano, ynglŷn â phryd mae'n briodol i ymyrryd â chwarae'r plentyn a phryd y byddai hynny'n anfanteisiol neu'n tarfu ar y plentyn – hefyd pa fath o ymyriadau a fyddai'n briodol. Nodir hyn yn *Arsylwi ar Blant:*

> Drwy arsylwi ar blant a deall eu datblygiad mae ymarferwyr yn meithrin y sgil o wybod pryd i ymyrryd a phryd i beidio ag ymyrryd. Y rhesymau amlycaf dros ymyrryd yw fel a ganlyn:
>
> - mae angen cymorth ar blant a/neu maen nhw'n cael anhawster gyda thasg a gallen nhw fynd yn rhwystredig pe na bai cymorth yn cael ei roi

- nid yw plant yn symud ymlaen yn eu dysgu ac mae angen iddyn nhw symud ymlaen i'r cyfnod nesaf ar y continwwm dysgu
- mae plant mewn perygl gan y gallai fod yna fater iechyd a diogelwch
- mae plant yn anghytuno â phlant eraill ac yn methu â chael ateb cadarnhaol
- mae plant yn ymosodol gyda'r adnoddau, neu pan fydd angen ychwanegu neu dynnu adnoddau o sefyllfa chwarae er mwyn ymestyn y chwarae/dysgu
- mae plant am eich cynnwys chi yn y gweithgaredd.

(APADGOS, 2008c: 14)

Mae ymyrryd â chwarae plant hefyd yn ganolog i drafodaethau cyfredol am wir natur chwarae. Os bydd oedolyn yn cyfranogi mewn chwarae plant, naill ai yn y cynllunio neu'n weithredol, ai chwarae ydyw o hyd?

Ystyriwch

- Os yw oedolion yn strwythuro a rheoli'r chwarae, ai chwarae sy'n digwydd?
- I ba raddau y gall oedolion ymwneud â chwarae plant heb ei or-reoli neu ymyrryd?
- I ba raddau y gall plant ymwneud â chynllunio gweithgareddau neu hyd yn oed fod yn gyfrifol amdanynt?

Ystyriwch honiad Berk (2004) fod gormod o ymyrraeth gan oedolion yn chwarae plant yn medru amharu ar chwilfrydedd naturiol plant.

Mae rôl arwyddocaol gan oedolion o ran darparu'r awyrgylch dysgu a'r adnoddau, arwain rhyngweithiadau plant â'r profiadau a gynigir, gosod heriau digonol ac arsylwi ar ddeilliannau'n ofalus (Miller a Devereux, 2004). Gall ymyrraeth gan oedolion yn y chwarae ddarparu amgylchedd lle mae plant yn cael cyfleoedd i gydweithio a rhyngweithio â defnyddwyr iaith mwy profiadol (Grugeon, 2005). Mae ymyrraeth sensitif yn caniatáu i oedolion ymestyn iaith, modelu, cyfryngu (*mediate)*, holi cwestiynau a chanolbwyntio sylw'r plant ar dasgau neu feysydd penodol. Gall oedolion ymyrryd am ychydig er mwyn rhoi rhywfaint o gyfarwyddyd, ac wedyn tynnu yn ôl. Efallai y bydd angen cefnogaeth ychwanegol neu fathau gwahanol o gefnogaeth ar rai plant ofnus ac amharod, a gall rôl gynhaliol yr oedolyn fod yn fwy cymhleth (Cooper, 2004). Gall cyfnodau chwarae di-strwythur a chyfnodau cymdeithasol achosi gofid i rai plant, ac efallai mai dyma'r adeg pryd maent yn fwyaf ymwybodol o unrhyw wahaniaethau ac yn teimlo na allant ymdopi. Efallai na wyddant sut i wneud ffrindiau neu ymuno mewn gêm. Bydd angen cefnogaeth ar y plant hyn er mwyn ymarfer cymryd rhan mewn chwarae. (Knowles, 2006).

Mae dealltwriaeth am chwarae, chwarae a dysgu a phedagogi sy'n seiliedig ar chwarae yn arwyddocaol o ran effeithiolrwydd addysg blynyddoedd cynnar (Moyles et al, 2002). Mynegodd Siraj-Blatchford et al (2002) a Siraj-Blatchford a Sylva (2005) bryder bod gan rhai ymarferwyr ddiffyg hyder yn eu gwybodaeth a'u dealltwriaeth am chwarae, ac yn aml roedd eu cysyniad am chwarae yn gul ac wedi'i gyfyngu i fathau penodol o weithgaredd neu feysydd dysgu.

Cyd-destun diwylliannol chwarae

Er iddi ymddangos fod chwarae yn weithgaredd mae plant ar draws y byd yn ymwneud ag ef, mae diwylliannau gwahanol yn edrych ar chwarae mewn ffyrdd gwahanol. Mae dulliau plant sy'n dod o gymdeithasau a chefndiroedd gwahanol o ddefnyddio a chael mynediad i chwarae yn amrywio, a gall dull chwarae plant penodol fod yn ddull unigol.

Mae rhan helaethaf yr ymchwil ar chwarae ac ar blant sy'n chwarae wedi'i seilio mewn diwylliannau gorllewinol, lle bydd llawer o blant yn mynychu lleoliadau blynyddoedd cynnar ac yn chwarae â phlant eraill o oedran tebyg (Smith, 2010; Brock et al, 2009). Fodd bynnag, ni fydd plant o rai diwylliannau yn Affrica, Canolbarth America neu Dde America yn mynychu lleoliadau sy'n canolbwyntio ar blant ac maent yn treulio rhan helaethaf eu dyddiau gyda'u teuluoedd a'u cymunedau (Rogoff, 2003; Brock et al, 2009). Mewn rhai diwylliannau ystyrir bod caniatáu amser i chwarae yn bwysig, ond yn aml bydd llai o amser i chwarae gan blant sy'n cael eu magu mewn teuluoedd gwledig, amaethyddol neu incwm isel gan fod gorchwylion domestig ganddynt i'w cyflawni (Göncü et al, 2000; Larson a Verma, 1999, yn Smith, 2010: 85). Mewn rhai diwylliannau yn India, wrth i blant dyfu, bydd ganddynt fwy a mwy o gyfrifoldebau a gorchwylion a llai a llai o amser i chwarae. Ymddengys fod llai o amser i chwarae gan ferched na bechgyn oherwydd rhoddir mwy o waith yn y cartref iddyt a hefyd byddant yn gofalu am frodyr a chwiorydd iau (Smith, 2010). Fodd bynnag, er gwaethaf y ffaith bod yn rhaid i rai plant weithio, nid ydynt yn rhoi'r gorau i chwarae yn gyfan gwbl. Byddant yn dod o hyd i ffyrdd eraill o'u difyrru'u hunain wrth gyflawni'u gorchwylion, megis rhoi ofn i adar neu daflu cerrig tra eu bod yn chwilio am ddŵr (Smith, 2010).

Diwylliannol hefyd yw cyfranogiad oedolion mewn chwarae plant ac fel y noda Rogoff bydd cymunedau'n amrywio o ran eu disgwyliadau ynghylch a fydd rhieni neu bobl eraill yn chwarae gyda phlant ifainc yn ogystal â gofalu amdanynt (Rogoff, 2003: 121). Dadleua hefyd fod plant mewn cymdeithasau gorllewinol yn cael eu rhannu fwyfwy i grwpiau oed neu gyfoedion, ac wrth i blant gael mwy o amser hamdden mae oedolion wedi trefnu chwarae'r plant fwyfwy. Canlyniad y rhannu hwn i grwpiau oed yw lleihau cyfranogiad cymunedau yn natblygiad y plant, gan arwain at seilio cymdeithasoli, gofalu a meithrin plant y gorllewin fwyfwy ar bolisi llywodraethau (Rogoff, 2003). Bydd hyn hefyd yn lleihau cyfleoedd plant i arsylwi ar oedolion a phlant eraill hŷn yn eu cymunedau, gan arwain at ddiffyg modelu ymddygiad aeddfed priodol.

Hefyd, ymddengys fod mater y rhywiau'n arwyddocaol i chwarae plant. Fel sy'n wir gyda dysgu, gall bechgyn a merched ddod at chwarae mewn ffyrdd gwahanol, er enghraifft trwy'u defnydd o iaith er mwyn cael mynediad i chwarae, neu'u dewisiadau o ran gweithgareddau chwarae megis chwarae codwm, anturio yn yr awyr agored neu chwarae rolau domestig.

Diogelir cyfle cyfartal mewn deddfwriaeth ac nid yw'r Cyfnod Sylfaen yn eithriad i hynny. Pwysleisia'r *Fframwaith ar gyfer Dysgu Plant 3 i 7 oed yng Nghymru* y dylid cynnwys pob plentyn beth bynnag bo'i oedran, anabledd, rhyw, hil, crefydd a chred (APADGOS, 2008a: 7). Ystyrir datblygiad personol a chymdeithasol plant yn nogfennaeth y Cyfnod Sylfaen, ac mae hyrwyddo agweddau cadarnhaol tuag at bobl eraill a dealltwriaeth fod anghenion, agweddau a chredoau gwahanol gan bobl eraill yn allweddol.

Hyd yn oed yn y DU ymddengys fod pryder cynyddol ynglŷn â diffyg cyfle i chwarae (play malnourishment). Honna Doug Cole, Cadeirydd Cymdeithas Ryngwladol Chwarae:

> Ceir corff ymchwil cynyddol sydd wedi dechrau dynodi canlyniadau sy'n peri pryder pan na fydd plant yn cael mynediad i brofiadau chwarae ysgogol. Awgryma'r darnau ymchwil amrywiol fod canlyniadau ffisiolegol pendant yn sgil cael eich amddifadu o chwarae. Yn fwy penodol mae hyn yn ymwneud â datblygiad niwrolegol gwael yn ogystal ag effeithiau mwy gweladwy fel plant yn mynd yn dreisgar, yn ymosodol ac yn wrthgymdeithasol yn ogystal â bod mewn perygl o beidio â bod yn heini a bod yn ordew.
>
> *There is a growing body of research that has begun to identify disturbing consequences of children being denied access to stimulating play experiences. The various pieces of research suggest that there are distinct physiological consequences of play deprivation. More specifically this is around poor neurological development as well as the more tangible impacts such as children becoming violent, aggressive and anti-social as well as running the risk of being unfit and obese.*
>
> (Cole 2005: dim tudalen)

Gan ystyried hyn a'r galwadau gan arbenigwyr megis Broadhead (2009) a Parker-Rees (2007) am ddychwelyd i 'ddysgu chwareus' a 'chwarëusrwydd' (clywir y term playfulness yn dod yn fwy cyffredin yn y llenyddiaeth erbyn hyn) efallai fod ffocws y Cyfnod Sylfaen ar chwarae fel y prif gyfrwng i blant ddysgu yn un amserol.

Prif negeseuon y bennod

- Mae chwarae yn allweddol i brosesau dysgu plant ifainc. Trwy eu chwarae, bydd plant ifainc yn dysgu am y byd ac yn dod i ddeall rheolau cymdeithasol.
- Mae chwarae yn gymhleth iawn ac mae'n ymwneud ag elfennau datblygol megis datblygiad deallusol, cymdeithasol, ac emosiynol plant ifainc.
- Er bod damcaniaethwyr ac ymchwilwyr wedi cydnabod pwysigrwydd chwarae ers canrifoedd, erbyn hyn, mae lle canolog i ddysgu mewn cwricwlwm addysg plant ifainc.
- Yn ei hanfod, mae chwarae plant yn broses diwylliannol.

Pennod 3

‘Tu fewn, tu allan a thu hwnt: golwg ar yr amgylchedd dysgu’.

Pennod 3

'Tu fewn, tu allan a thu hwnt: golwg ar yr amgylchedd dysgu'.

Carys Richards

> Mae amgylcheddau dan do ac awyr agored sy'n llawn hwyl, yn gyffrous, yn ysgogol ac yn ddiogel, yn hybu datblygiad plant a chwilfrydedd naturiol i archwilio a dysgu drwy brofiadau uniongyrchol.
>
> (APADGOS, 2008a :4)

Yn sgil gweithredu'r Cyfnod Sylfaen yng Nghymru, un o'r ffactorau allweddol sy'n cael ei bwysleisio yw dylanwad yr amgylchedd ar blentyn. Gwyddys am bwysigrwydd darparu amgylcheddau priodol a gwneir ymgais gan ddarparwyr i greu amgylcheddau cartrefol, lliwgar, lleoedd gyda naws groesawgar ac apelgar sy'n denu ac yn sbarduno dysgu plant. Hyd at ddyfodiad y Cyfnod Sylfaen, cymharol newydd oedd y gydnabyddiaeth mewn dosbarthiadau cynradd o'r effaith bosib y gall amgylchedd ei chael ar y plentyn. Nid felly'r achos yn y sector blynyddoedd cynnar; cydnabuwyd gan nifer o addysgwyr plant ifainc megis Montessori a Rinaldi y dylawnwad a gaiff y ddarparieth ar blentyn yn gorfforol, emosiynol a gwybyddol.

Gwelir trafodaethau cyson mewn gwaith ymchwil o'r amgylchedd dysgu. Ceir awgrymiadau eang o ran y mathau o adnoddau, gofod a phrofiadau y dylid eu cynnwys a'u cynnig. Sonnia Malaguzzi (1991) a McMillan a Harriman (2006) am ardaloedd heriol, amrywiol, arbrofol ac ymchwiliol; gofodau lle gall plant ryngweithio'n annibynnol, cydweithio ag eraill yn gyfoedion neu'n oedolion er mwyn gwneud synnwyr o'r byd. Cyfeiria nifer o addysgwyr (Isaacs 1930, Moyles 1994, Riley 2007) at bwysigrwydd ehangder o brofiadau, y defnydd o'r tu allan ac at y mathau o offer y dylid eu cynnwys.

Ystyriaethau Cyffredinol

Chwarae a dysgu gweithredol yw prif gyfrwng dysgu plant ifainc. Caiff hyn ei gydnabod gan addysgwyr ac ymchwilwyr megis Lowenfeld (1935), Sheridan (1977), Moyles (1994) a David (1999) i enwi ond rhai. Yn nogfen Y Cyfnod Sylfaen 'Fframwaith ar gyfer Dysgu Plant 3 – 7 oed yng Nghymru' nodir:

> Bydd plant yn dysgu drwy weithgareddau sy'n cynnig profiadau uniongyrchol gyda'r busnes difrifol o 'chwarae' yn darparu'r cyfrwng.
>
> (APADGOS, 2008a: 4)

Er mwyn sicrhau profiadau dilys, rhaid talu sylw i nifer o ffactorau sy'n dylanwadu ar y math o ddarpariaeth a gynigir. Wrth werthuso amgylcheddau dysgu, rhaid cydnabod nad oes modd defnyddio un llinyn mesur cadarn gan i'r amgylcheddau amrywio o un i'r llall, a hynny am nifer o resymau. Ystyrir yma rai o'r ffactorau dylanwadol sy'n cyfrannu at yr heriau ac at yr amrywiaethau rhwng lleoliadau. Bydd yr ardal a lleoliad yr adeilad ei hun, er enghraifft, yn ogystal â'r bensaernïaeth, yn allweddol yn enwedig yng nghyd-destun ysgolion.

> Mae'r dosbarth yn rhan o adeilad mwy a gafodd ei adeiladu mewn cyfnod penodol o hanes ac yn unol ag athroniaeth addysgol y cyfnod.
>
> *The classroom or class base is part of a larger school building which was built in a particular time in history under the philosophies of education that existed at those times.*
>
> (Moyles, 1994: 39)

Ystyriaethau pwysig yw'r math o ofod mewnol ac allanol, cyflwr a lleoliad y celfi a'r adnoddau, nifer yr oedolion, ynghyd ag oed a nifer y plant. Bydd rhain, wrth gwrs, yn allweddol wrth geisio sicrhau ymarfer cynhwysol lle mae bob plentyn yn cael cyfleoedd i ryngweithio ag eraill, waeth beth fo'i angen.

> Gall amgylchedd plentyn achosi her cymdeithasol, emosiynol a chorfforol ac atal cynhwysiant... Bydd plant ag anableddau corfforol yn mynd yn rhwystredig yn sydyn oherwydd diffyg ramp neu lifft ac mae grisiau neu ddrysau cul sy'n atal symudoledd yn enghreifftiau o sut y gall yr amgylchedd osod rhwystrau rhag gynnwys pawb.
>
> *A child's environment can cause social, emotional and physical challenges and be far from inclusive... Children with physical disabilities can quickly become frustrated in the absence of ramps or lifts and the existence of steps or narrow doorways that impede the mobility just two examples of how the environment can also be a barrier to inclusion.*
>
> (Doherty o Brock *et al*, 2009: 212)

I blant ag anawsterau emosiynol ac ymddygiadol, mae'r drefn dydd-i-ddydd yn y lleoliad yn allweddol er mwyn iddynt deimlo'n sefydlog. Noda Griggs (1991) y dylid cysylltu dulliau dysgu'r unigolion gyda'r amodau dysgu *(learning styles to learning conditions)* a bod yn rhaid talu sylw i'r dimensiwn amgylcheddol, cymdeithasol, emosiynol, corfforol a seicolegol. Mae Moyles yn ategu hyn:

> Waeth beth fo'r amgylchedd newydd, bydd plant yn ymateb i fframwaith sosio-ddiwylliannol newydd gyda niferoedd mwy o blant eraill (cymharol ddieithr) ac oedolion a gall hyn effeithio'n arwyddocaol ar eu hymddygiad a'u cysyniad o'r hunan – fel y byddai i bawb ohonom.

> *Whatever the new environment, children react to being in a different sociocultural framework with a larger number of (relatively unknown) other children and adults and this can affect significantly their behaviour and self concept – as it would all of us.*
>
> (Moyles, 1994: 33)

Ystyriaeth sydd efallai'n fwyaf blaenllaw wrth feddwl am yr amgylchedd dysgu yw ei ymddangosiad gweledol, y lliwiau a ddefnyddir, arddangosfeydd, sut mae'r adnoddau'n cael eu gosod, y math o oleuni naturiol, y parthau ymchwiliol, eu maint a'r hyn sy'n cael eu cynnwys ynddynt. Sylwer hefyd ar y cyfleoedd sydd i'r plant ymarfer a datblygu gwahanol ddiddordebau a sgiliau o un man i'r llall: a yw'r ardaloedd yn cynnig amrediad o brofiadau heriol ac ydynt yn annog annibyniaeth a hunan-reolaeth?

Bydd lleoliadau blynyddoedd cynnar yn amrywio'n fawr o ran eu dulliau a'u hedrychiad esthetig, hynny yw ni fydd un dosbarth neu ddarpariaeth yn union yr un peth ag un arall. Byddant, fel rheol, yn adlewrchu egwyddorion, gwerthoedd a dealltwriaeth yr oedolion o anghenion plant. Hynny yw, yr oedolion sy'n gosod yr agenda. Mae ymchwil, serch hynny, yn awgrymu y dylai'r amgylchedd adlewyrchu diddordebau ac awydd y plant eu hunain.

> Mae plant yn dysgu orau pan fydd ganddynt lais yn eu dysgu eu hunain a phan fyddant yn cyfrannu mewn ffordd gadarnhaol at eu hamgylchedd.
>
> *Children learn best when they have a say in their own learning and contribute in a positive way to their environment.*
>
> (Stobbs, 2006: xii)

Sy'n arwain at bwysigrwydd ystyried cefndir y plant o ran eu teulu, diwylliant, traddodiadau, arferion, iaith ac yn y blaen.

Yn ddiweddarach yn y bennod hon, ceir trafodaeth ar bwysigrwydd yr amgylchedd allanol a phwysigrwydd gwerthuso cyson. Yr hyn sy'n eglur yw nad yw hi'n bosibl creu amgylchedd priodol heb adnabod yr elfennau hynny sy'n dylanwadu ar yr hyn a ddigwydd oddi fewn iddo. Y nod yw creu amgylchedd sy'n annog y plentyn i arbrofi, darganfod, ymchwilio, creu perthnasau a datbygu hyder – ffactor allweddol yn y broses o sicrhau lles y plentyn.

Cefndir a dylanwadau hanesyddol

Enw blaenllaw o ran creu amgylcheddau addysgol sy'n gosod y plentyn yn ganolbwynt yw Freidrich Froebel (1782–1852). Pwysleisiodd Froebel y dylai plant dderbyn profiadau dan do ac yn yr awyr agored a bathodd y term *kindergarten* sef yr Almaeneg am ardd (*garten*) plant (*kinder*). Roedd 'yr ardd' yn ganolog i athroniaeth Froebel am ddau reswm: yn gyntaf, y profiadau uniongyrchol a gaiff plant ac yn ail, tebygrwydd yr ardd i fagwraeth plant a'r anogaeth ddaw o hynny i blant dyfu'n un â natur.

> ...er meithrin yr ifanc ... i annog plant i dyfu, yn sail i gytgord gyda natur.
>
> *...for the nurture of the young ... to encourage children to grow, underpin harmony with nature.*
>
> (Garrick, 2004: 17)

Dylai'r amgylchedd, yn ôl Froebel, fod yn ddiogel ond heriol, yn meithrin chwilfrydedd ac yn symbylu'r synhwyrau. Nododd y dylai amgylcheddau allanol a mewnol gael eu hystyried yn un gofod a fyddai'n cyflwyno llu o brofiadau i blant:

> ...amgylchedd sy'n caniatáu mynediad rhydd i ystod eang o ddeunyddiau fydd yn hyrwyddo cyfleoedd penagored, cynrychioladaeth a chreadigrwydd.
>
> *...an environment which allows free access to a rich range of materials that promote open-ended opportunities for play, representation and creativity.*
>
> (www.froebel.org. Mynediad Gorffennaf 16 2009)

Agwedd arall yr ymchwiliodd Froebel iddi oedd dehongliad creadigol. Gwnaed hyn drwy ganu ac adrodd penillion yn ogystal â chynnig yr hyn a alwodd yn *rhoddion* a *gweithredoedd* sef y naill yn gasgliad o offer chwarae a'r llall yn gyfres o symudiadau ac arferion corfforol i'w hymarfer. Gwelodd Froebel fod gan yr amgylchedd a'r ddarpariaeth le canolog mewn cymunedau a fyddai'n annog cysylltiadau cadarn â'r cartref. Awgrymodd, wrth sefydlu'r awyrgylch amgylcheddol priodol y byddai'r plentyn yn ffynnu. Atseinia Brehony (2006) athroniaeth Froebel o bwysigrwydd chwarae a'r defnydd o offer ac adnoddau pwrpasol hyd heddiw, sy'n dangos ei fod yn wir arloeswr o'i gyfnod.

Gwyddonydd, addysgwr ac athronydd oedd Rudolf Steiner (1861–1925). Ystyriai ef y plentyn fel bod ysbrydol, a rôl yr oedolion oedd sicrhau amgylcheddau a fyddai'n uno plentyn yn un ei holl agweddau, yn ysbrydol, yn greadigol, yn foesol ac yn ddeallusol. Pwysleisiodd Steiner bwysigrwydd y plentyn yn llywio'i ddysgu ei hun oddi fewn i'r amgylchedd ac iddo deimlo'n ddigon cyfforddus i ymchwilio a darganfod neu i fod yn llonydd a thawel. Yn yr un modd â Froebel awgrymodd Steiner bod amgylcheddau ac adnoddau naturiol pwrpasol yn hanfodol i gefnogi datblygiad y plentyn.

> Mae'r athro yn ymdrechu i greu amgylchedd sy'n rhoi amser i blant chwarae ac sy'n eu hannog i ddefnyddio'u dychymyg a dysgu darganfod syniadau oddi fewn iddyn nhw eu hunain.
>
> *The teacher endeavours to create an environment that gives children time to play and encourages them to exercise their imagination and learn to conjure up ideas from within themselves.*
>
> (Hale a Maclean, 2004: 3)

Mae Froebel a Steiner, ill dau, yn credu bod y gweithgareddau a gynigir i blant pedair i chwech oed yn ymwneud â'r cartref a'r ardd. Bydd y rhain yn cynnwys sgubo, coginio, adeiladu, gofalu am anifeiliaid, canu, gwrando ar storïau, paratoi'r bwrdd bwyd, torri ffrwythau, paentio, modelu clai a darlunio. Mewn rhai ysgolion Steiner gwelir y muriau wedi'u paentio mewn lliwiau cynnes a defnyddir mwslin i rannu ardaloedd ac i orchuddio ffenestri er mwyn pylu'r goleuni. Credai Steiner y dylai plant dderbyn cyfleoedd i chwarae'n adeiladol a chreadigol. Nid oedd yn credu mewn cyflwyno darllen ac ysgrifennu cyn i blant gyrraedd saith oed; cyn hynny yr iaith lafar, drwy sgwrs a stori, y dylai oedolion ganolbwyntio arno. Ystyriai Steiner yr angen am gydbwysedd rhwng yr academaidd, y creadigol a'r cymdeithasol neu'r pen, y galon, y dwylo (mae *head, heart and hands* yn slogan arferol gan fudiad Steiner). Y nod yw paratoi'r plant am fyd na ellir mo'i ddarogan gan gychwyn gyda'r teimladau a'r byd mewnol.

Erbyn heddiw ysgolion Steiner yw'r prif fath o ysgolion annibynnol sydd wedi cynyddu gyflymaf ar draws byd. Mae sawl ysgol Steiner yng Nghymru ac maen nhw'n cynnal diwrnodau agored yn flynyddol.

Ni ellir trafod dylanwad yr amgylchedd ar blentyn heb ystyried gwaith Loris Malaguzzi (1920–1994), athronydd, addysgwr a sylfaenydd ysgolion a meithrinfeydd ardal Reggio Emilia yn yr Eidal. Roedd Malaguzzi yn credu bod arwyddocâd mawr i ddylanwad yr amgylchedd dysgu ac roedd yntau, fel Montessori, yn galw'r amgylchedd yn 'drydedd athro'.

> Po fwyaf eang y posibiliadau rydym yn cynnig i blant, po fwyaf dwys fydd eu cymhelliant a chyfoethocach eu profiadau. Dylem ehangu'r ystod o bynciau ac amcanion, y math o sefyllfaoedd a gynigiwn a maint eu strwythur, y mathau a'r cyfuniadau o adnoddau a deunyddiau, a'r rhyngweithiadau posibl gyda gwrthrychau, cyfoedion ac oedolion.
>
> *The wider the range of possibilities we offer children, the more intense will be their motivations and the richer their experiences. We must widen the range topics and goals, the types of situations we offer and their degree of structure, the kinds and combinations of resources and materials, and the possible interactions with things, peers and adults.*
>
> (Malaguzzi yn Edwards, 1993: 79)

Ystyria addysgwyr Reggio Emilia hyd heddiw yr ysgol yn 'organeb byw' (*living organism*) sy'n gyson esblygu. Trefnir yr amgylchedd er mwyn annog cyfathrebu a chreu perthynas ag eraill; sicrheir bod y gweithgareddau a'r offer yn cynnig dewis, cyfleoedd i ddarganfod a datrys problemau (Gandini 1993). Mae'r agwedd hon yn tanlinellu pwysigrwydd gweld yr amgylchedd fel gofod deniadol gyda chryn bwyslais ar harddwch naturiol a goleuni. Yn ysgolion a meithrinfeydd Reggio Emilia, gwelir ardaloedd a chilfachau diddorol, lleoedd sydd yn annog chwilfrydedd plant. Ceir hefyd amrywiaeth o adnoddau difyr y bydd plant yn gallu eu trin a'u trafod er mwyn procio'r dychymyg ac ymestyn eu creadigrwydd a'u syniadau.

> Dylai ysgol fod yn lle i bob plentyn, nid wedi'i gynllunio ar y syniad bod pob plentyn yr un fath ond eu bod i gyd yn wahanol.
>
> *A school needs to be a place for all children, not based on the ideat that they are all the same but that they are all different.*
>
> (Malaguzzi, 1991: dim tudalen)

Mae Caldwell (2003) yn nodi bod gan bob congl a gwagle yn ysgolion Reggio Emilia eu pwrpas a'u hunaniaeth, lleoedd sy'n llawn posibiliadau o ymwneud ag eraill ac i gyfathrebu a chânt eu gwerthfawrogi a gofalu amdanynt gan blant ac oedolion.

Bu athroniaeth ac ymarfer Reggio Emilia, sy'n cael ei henwi yn nogfennaeth y Cyfnod Sylfaen fel arfer dda, yn gryn ddylanwad ar ein hymarfer ni yng Nghymru.

Yn 1967 cyhoeddwyd dogfen gynhwysfawr a thyngedfennol bwysig ym myd addysg gwledydd Prydain gan Gyngor Ymgynghorol Canolog Addysg (Lloegr) yn dwyn y teitl *Children and their Primary Schools Vol 1.* Gelwir yr adroddiad, hyd heddiw, yn Adroddiad Plowden ar ôl y wraig a gadeiriodd yr arolwg oedd yn sail iddo. O ganlyniad i'r adroddiad, argymhellwyd nifer o welliannau a thrawsnewidwyd arferion nas gwelwyd ynghynt, megis cydweithio aml-asiantaethol, ystyriaeth o ddatblygiad emosiynol y plentyn, dysgu cyfannol, dysgu hunan-gyfeiriol a rôl yr athro. Bydd rhannau helaeth o Adroddiad Plowden yn taro tant gyda ni gan atsain ein heriau cyfoes. Gellir dadlau mai ychydig iawn o'r argymhellion gafodd eu gweithredu – ond pennod mewn cyfrol arall yw hynny! Un o'r themâu a dderbyniodd gryn sylw oedd dylanwad yr amgylchedd. Dyma, meddai'r adroddiad, yw rôl yr ysgol:

> Mae'r ysgol yn cychwyn yn fwriadol i ddyfeisio'r amgylchedd iawn i blant, i ganiatâu iddyn nhw fod yn nhw eu hunain ac i ddatblygu mewn modd ac ar gyflymdra sy'n addas iddyn nhw... Mae'n gosod pwyslais arbennig ar archwilio unigol, ar brofiadau uniongyrchol ac ar gyfleoedd ar gyfer gwaith creadigol. Mae'n mynnu nad oes modd didoli gwybodaeth i adrannau twt ac nad yw gwaith a chwarae yn gwrth-ddweud ei gilydd ond eu bod yn cyd-fynd.
>
> *The school sets out deliberately to devise the right evironment for children, to allow them to be themselves and to develop in the way and at the pace appropriate to them... It lays special stress on individual discovery, on first hand experience and on opportunities for creative work. It insists that knowledge does not fall into neatly separate compartments and that work and play are not opposite but complementary.'*
>
> (DES 1967: 187)

Gellid dweud bod adroddiad Plowden yn arloesol o ystyried yr argymhellion a wnaed, serch hynny beirniadwyd y ddogfen yn llym gan nifer. Yn eu plith roedd Peters (1969) a heriodd yr adroddiad am iddo ganolbwyntio'n sylweddol ar y dysgu yn hytrach na phwysigrwydd yr addysgu a mynegodd nad oedd sail i nifer o'r honiadau a wnaed. Yn ddiddorol, perthyn elfennau o'r ddwy farn i'r athroniaeth sy'n cael ei gweithredu heddiw. O ddarllen yr adroddiad gwelir bod y cyfranwyr yn croesawu dulliau cyfoes gan gyfeirio at ddarganfyddiadau tîm o Arolygwyr ei Mawrhydi o arfer dda:

> Mae'r dulliau mwy diweddar yn cychwyn gydag effaith yr amgylchedd ar y plentyn ac ymateb y plentyn unigol iddo. Nid oedd modd darogan y canlyniadau ond maen nhw'n hynod werth chweil.
>
> *The newer methods start with the direct impact of the environment on the child and the child's individual response to it. The results are unpredictable but extremely worthwhile.*
>
> (DES, 1967: 200)

Â ymlaen i nodi bod yn rhaid i'r athro fod yn barod i ddilyn dymuniadau a diddordebau plant naill ai fel unigolion neu mewn grwpiau. Rhaid yn ogystal sicrhau adnoddau digonol, rhai materol a dynol, yn ymweliadau, ymwelwyr, llyfrau ac ati er mwyn i'r plentyn lunio darlun cyflawn a gwneud synnwyr o'i syniadau.

Y Cyfnod Sylfaen: hanes cynnar a gwerthusiad

Dechreuwyd gweithredu cynllun peilot y Cyfnod Sylfaen yn 2004 ac yn ystod y flwyddyn beilot gyntaf roedd 41 lleolad dros 22 o awdurdodau Cymru yn rhan o'r cynllun. Plant 3–5 oed oedd yn rhan o'r gylched werthuso yn 2004 ac yn 2005 estynwyd y rhain i gynnwys plant 6 oed (Blwyddyn 1) a rhai 7 oed (Blwyddyn 2) yn yr un lleoliadau. Roedd cyfuniad o ysgolion, meithrinfeydd a lleoliadau cyn-ysgol – yn rai a gynhelid gan awdurdodau a rhai preifat – yn rhan o'r peilot

Er mwyn adnabod y rhwystrau, sicrhau ansawdd a goruwchwylio'r cynllunio ar gyfer y Cyfnod Sylfaen, cafwyd astudiaeth werthusol sef *Prosiect Monitro a Gwerthuso Gweithredu'r Cyfnod Sylfaen (MEEIFP) ar draws Cymru* (Siraj-Blatchford et al 2006) gan dîm profiadol ym maes y blynyddoedd cynnar yn cael ei arwain gan yr Athro Iram Siraj-Blatchford, o Brifysgol Llundain a'r Athro Kathy Sylva o Brifysgol Rhydychen. Roedd y tîm ymchwil yn defnyddio fframweithiau amrywiol er mwyn asesu ansawdd. Y cyntaf o'r rhain yw 'Early Childhood Environmental Rating Scale-Extension' (ECERS-E) sydd wedi ei gynllunio i asesu trefniadau dydd-i-dydd, rhyngweithiadau cymdeithasol a chyfleusterau. Yr ail fframwaith yw 'Early Childhood Environmental Rating Scale-Revised' (ECERS-R) sy'n asesu ansawdd y cwricwlwm (Siraj-Blachford *et al,* 2006) Canolbwyntiodd y tîm ar nifer o agweddau, yn eu plith le ac adnoddau a'r amgylchedd, gan holi:

> Beth yw ansawdd darpariaeth y lleoliadau peilot, ac ai dyma'r math o ansawdd a ddangoswyd fydd yn hybu dysgu a chyflawniadau plant gan gwrdd ag anghenion yr unigolyn?'
>
> (Siraj-Blatchford et al 2006:6)

Yn adran 'gofod a lle' (8.1) o'r adroddiad monitro, holwyd y staff yn y lleoliadau peilot pa newidiadau o ran gofod a dodrefn a wnaed ganddynt y tu fewn a thu allan er mwyn cynnig profiadau dysgu gweithredol. Cafwyd esiamplau niferus o sefydlu ardaloedd allanol, defnyddio llai o gelfi, cyflwyno ardaloedd synhwyraidd, ac mewn rhai achosion, gwaredu waliau a chreu mynediad uniongyrchol i'r tu allan. Roedd y sefyllfa'n wahanol iawn mewn lleoliadau nas cynhelir (cylchoedd meithrin, meithrinfeydd ac yn y blaen) gan fod arian yn brin ac nad oedd gofod priodol y tu allan ganddynt yn aml. Wrth grynhoi, dywed y tîm:

> O safbwynt lle a gofod, mae'n amlwg bod gwaith ar ôl i'w wneud... Mae'n glir...bod angen mwy o wybodaeth fanwl parthed y lle presennol y tu mewn a'r tu allan ym mhob lleoliad er mwyn cael deall y darlun cenedlaethol a'i oblygiadau'n iawn o safbwynt cynnig yr amgylchedd mwyaf priodol ar gyfer dysgu yn y Cyfnod Sylfaen.
>
> (Siraj-Blatchford *et al*, 2006: 64)

Gwelir felly bod pryder ynghylch ariannu yn peri trafferthion o ran sicrhau amgylcheddau effeithiol, yn ogystal mae diffyg cyllido digonol yn dylanwadu ar ansawdd y profiadau a gynigir gan oedolion, yn enwedig os nad ydynt wedi derbyn hyfforddiant digonol ac o ganlyniad bod ganddynt ond ychydig o wybodaeth am addysgeg, datblygiad ac anghenion y plentyn ifanc.

Yn dilyn ymgynghoriad y Cyfnod Sylfaen a'r gwerthusiad, gosodwyd targedau penodol yn eu lle er mwyn ymateb i'r anghysonderau cyllido a threfniadau hyfforddi'r gweithlu ar draws Cymru gyfan. Arolygwyd y lleoliadau peilot gan Estyn yn 2007 a diddorol oedd canfod mai ychydig o ystyriaeth uniongyrchol a roddwyd i'r amgylcheddau dysgu, o ystyried y fath bwyslais a roddir ar ddylanwad yr amgylchedd o fewn yr hyfforddiant cenedlaethol a dull *Early Excellence* (a ddaw o'r Ganolfan Early Excellence yn Huddersfield) o baratoi, cynllunio a chyfoethogi'r ddarpariaeth a fabwysiadwyd fel sail i weithredu'r Cyfnod Sylfaen – cyfeiriwyd atynt o bryd i'w gilydd yn yr adroddiad ond yng ngyd-destun cyllido a defnydd o'r tu allan yn unig. Cynigiodd Estyn rai argymhellion o ran amgylcheddau dysgu megis galw ar Awdurdodau Lleol i gynnal awdit o gyfaddasiadau mewnol ac allanol lleoliadau er mwyn sicrhau bod pob lleoliad yn cael ei ariannu'n briodol er mwyn gweithredu'r Cyfnod Sylfaen (Estyn 2007:19)

Beth yw amgylchedd effeithiol?

Yn ei adroddiad blynyddol, cyhoeddodd Arolygaeth Gofal a Gwasanaethau Cymdeithasol Cymru (AGGCC), sef y corff sy'n gyfrifol am arolygu darpariaethau nas cynhelir, bod y plant yn gyffredinol yn cyfranogi mewn gweithgareddau sy'n rhydd o unrhyw risg, er bod angen i warchodwyr plant wella eu hasesiadau a rheolaeth o risg yn 13% o achosion o'r sampl. Mae'r adroddiad yn nodi bod 92% o adeiladau yn addas yn achosion gofal ddydd a 93% yn gymwys yng nghyd-destun gofal sesiynol. Un anhawster a nodwyd oedd y ffaith y defnyddir adeiladau cymunedol gan amlaf ar gyfer darpariaethau sesiynol a'u bod yn cynnig heriau o ran cynnal amgylchedd addas i blant ac i safon uchel AGGCC (2009).

Heb os, mae rheoli risg yn ffactor bwysig a dylid cymryd pob gofal i sicrhau lles a diogelwch y plentyn yn gorfforol ac yn emosiynol; serch hynny, dadleua nifer o ymchwilwyr y gall osgoi risg cymedrol niweidio datblygiad y plentyn. Dywed New et al (2005) y dylid cynnig *'risk-rich environments'* i blant er mwyn ymateb yn wirioneddol i syniadau, chwilfrydedd a dealltwriaeth y plant.

> Mae (hefyd) yn gofyn am chwilfrydedd a dychymyg yn ogystal â ffydd yn neallusrwydd torfol athrawon, plant a theuluoedd.
>
> *It (also) requires curiosity and imagination as well as faith in the collective intelligence of teachers, children and families.'*
>
> (New *et al*, 2005: 7)

Pe baem yn ymweld â'r holl ddarpariaeth ar gyfer plant o 0–7 oed yng Nghymru er mwyn darganfod effeithiolrwydd yr amgylcheddau, gwelem, heb os, amrywiaeth eang o ran y profiadau, adnoddau a'r gofod sydd ar gael. Disgwyliem weld, o bosib, ardaloedd amrywiol fyddai, er enghraifft, yn annog sgiliau a darganfod drwy ymchwilio. Ond mae Wood ac Attfield (1996) yn awgrymu na ddylid trefnu ardaloedd yn y modd hwn.

> ...cred rhai addysgwyr bod labelu ardaloedd yn ardaloedd mathemateg neu dechnoleg a chynnig adnoddau perthnasol yn dibrisio chwarae ar unwaith...
>
> *... some educators believe labelling an area as maths or technology and making available relevant resources instantly devalues play.*
>
> (Wood ac Attfield, 1996: 158)

O ran cynllunio'r Cyfnod Sylfaen a dilyn dull gweithredol *Early Excellence*, awgrymir y dylai'r gweithgareddau a'r profiadau fod yn gyfannol eu natur sy'n hybu'r defnydd o drawsdoriad o sgiliau. Pwysleisir bod dylanwad yr amgylchedd yn angenrheidiol i'w ystyried gan y gall y plentyn mewn ardal effeithiol ddysgu cymaint ynddo, naill ai'n annibynnol neu o ryngweithio ag eraill. Er hynny dywed Wood ac Attfield eto:

> Nid yw'r amgylchedd ei hun yn dysgu ond gall fod yn strwythur sy'n galluogi gwireddu nodau a bwriadau addysgwyr.
>
> *The environment itself does not teach but can be an enabling structure within which educators' aims and intentions are realised.*
>
> (Wood ac Attfield, 1996: 157)

Wrth greu amgylcheddau i blant dylid sicrhau bod cydbwysedd rhwng anghenion y plant ac amcanion dysgu'r oedolion. Gwnaeth Mester (2008) ymchwil o ran trawsnewid amgylchedd dysgu plant 6 a 7 oed, gwelodd bod cynnwys y plant yn y broses o gynllunio wedi bod o fudd i'r broses addysgol ac ymrwymiad yr unigolion.

> ...roedd cael myfyrwyr i weithio gyda'i gilydd i gynllunio ac adeiladu amgylchedd eu dosbarth...yn creu ymdeimlad o gymuned oedd yn eu cynorthwyo'n emosiynol ac yn academaidd drwy gydol y flwyddyn ysgol. Ar ôl dod dros y syndod bod y dosbarth yn perthyn iddyn nhw ac nid i'r athro yn unig, roedd y plant yn addasu'n fuan ac yn crefu am fwy o berchnogaeth o'u hamgylchedd dysgu.
>
> *...actively engaging students with each other in designing and physically constructing their classroom environment...built feelings of community, which helped them emotionally and academically throughout the school year. After getting over the shock of hearing that the classroom was theirs and not just the teacher's the children quickly adapted and began to crave more ownership of their learning environment.*
>
> (Mester, 2008: 6)

Tu allan a thu hwnt

Soniwyd hyd yma'n benodol am yr amgylchedd mewnol. Gwyddys erbyn hyn bod y defnydd o'r tu allan lawn pwysiced o fewn cyd-destun profiadau dysgu plant. Dengys ymchwil nad syniad newydd yw defnyddio ardaloedd allanol, megis yng ngwaith Robert Owen, Freidrich Froebel, Susan Isaacs, Adroddiad Plowden, Loris Malaguzzi ac ysgolion coedwig gwledydd Ewrop. Mae'r pwyslais a'r defnydd o'r tu allan wedi derbyn cryn sylw yn y degawd diwethaf o ganlyniad i newidiadau amgylcheddol sydd wedi llesteirio rhyngweithiad plant â gweithgarwch allanol. Honnir bod yr arfer o drin offer technolegol megis gemau cyfrifiadurol, diffyg lleoedd priodol tu allan a gofid rhieni am ddiogelwch eu plant bob un wedi arwain at ordewdra ymysg plant (Garrick, 2004). Yng Nghymru cafwyd gan y Cynulliad, Bolisi Chwarae (LlCC, 2002) sy'n amlinellu hawliau chwarae plant gan gynnwys yn ystod yr amser a dreuliant mewn sefydliadau gofal ac addysgol:

> Mae Llywodraeth y Cynulliad yn cydnabod bod effaith cymdeithas fodern ar fywydau plant wedi cyfyngu'n sylweddol ar eu cyfleoedd i chwarae'n rhydd ac yn sgil hyn, wedi arwain at brinder o gyfleoedd chwarae yn yr amgylchedd gyffredinol. Mae felly wedi ymrwymo i hybu'r gwaith o ddarparu cyfleusterau chwarae 'cydadferol' i bob plentyn yng Nghymru sy'n briodol ac sy'n ei hysgogi a'i herio.
>
> (LlCC, 2002: 3)

Mae'r term 'dosbarth allanol' a fathwyd gan Froebel wedi datblygu mewn poblogrwydd ym myd addysg. Ni ddylid, fodd bynnag, ei ystyried fel ardal ar wahân, ond, yn hytrach yn estyniad di-dor o'r ddarpariaeth fewnol. Bydd yr ardal allanol yn annog y plentyn i ddod yn fwy ymwybodol o'i amgylchedd a'r gofal ohono. Cyfeiria Pellegrini a Smith (1998) at y fantais a ddaw o fedru ymarfer sgiliau corfforol bras er mwyn gwella iechyd a ffitrwydd y plentyn. Awgryma Balldock (2001) bod profiadau cynnar y plentyn o ymchwilio ardaloedd eang allanol yn allweddol er mwyn datblygu dealltwriaeth gofodol.

> Gall cwricwlwm chwarae awyr-agored, drwy gynnig cyfleoedd ar gyfer chwarae gweithredol, archwilio a datblygu sgiliau iaith sy'n sail i ddatblygiad academaidd yn ddiweddar, gael rhan bwysig mewn cwricwla plentyndod sy'n addas i fechgyn.
>
> *An outdoor-play curiculum, offering opportunities for active play, exploration and the development of language skills that underpin later academic development may have an important part to play in boy-friendly early childhood curricula.*
>
> (Garrick, 2004: 14)

Pwynt trafod

Mewn adroddiad gan Estyn (2007) ar leoliadau peilot y Cyfnod Sylfaen awgrymwyd bod gwelliant mewn cyrhaeddiadau llythrennedd bechgyn o ganlyniad i weithredu'r Cyfnod Sylfaen. Tybed a oes cysylltiad rhwng y pwyslais ar chwarae tu allan â hyn. Ymchwiliwch i'r hyn mae cyfleoedd awyr agored yn eu cynnig i ddatblygiad plant yn gyffredinol. Ystyriwch hefyd yr hyn mae ymchwil yn ei ddweud ynghylch chwarae bechgyn yn yr awyr agored. Sut mae sicrhau cyfleoedd cyfartal i blant ag anableddau i fwynhau chwarae yn yr awyr agored?

Mae Harriman (2006) yn awgrymu bod ardal allanol yn symbylu chwarae digymell a'r gamp yw sicrhau cydbwysedd o brofiadau ar draws y gwahanol ardaloedd. Dylid creu amgylchedd lle gall y plentyn ddatblygu ac ymchwilio a rhaid ystyried o ddifrif beth all yr ardal gynnig yn naturiol, a sut y gall yr oedolyn ychwanegu at fannau i gyfoethogi'r dysgu. Y nod yw ceisio creu ardal sy'n llawn her ac sy'n cynnig cyfleoedd na ellid eu cynnig oddi fewn i bedair wal. Mae potensial i symud a dysgu corfforol, gwneud sŵn, bod yn swnllyd, bod yn dawel, cuddio, trin offer ar raddfa fawr, chwilota am drychfilod yn eu cynefin naturiol i gyd yn bosibl yn y dosbarth allanol. Gellir dawnsio mewn pyllau, gwylio byd natur yn symud a newid, eistedd a myfyrio a rhyfeddu at ymddangosiad enfys neu flodyn a blannwyd o hedyn rhai wythnosau ynghynt fod yn brofiadau bythgofiadwy i blentyn. Trwy edrych ar y byd o bersbectif gwahanol – o bosib wyneb i waered yn llythrennol, cymryd risg a dod yn ymwybodol o anghenion eraill – adeiledir ar ddealltwriaeth yr unigolyn ifanc o'r byd o'i gwmpas.

Mae ceisio osgoi lleihau profiadau'r plant y tu fewn a thu allan yn hanfodol, drwy beidio â phennu beth dylid ei ddysgu ymhle a chyfyngu ar y posibiliadau. Yn ôl dogfen *Dysgu yn yr Awyr Agored: Modiwl 6* hyfforddiant cenedlaethol y Cyfnod Sylfaen nodir

> Yr adnoddau gorau yw'r rhai sy'n ddigon penagored a hyblyg i hybu amrywiaeth eang o weithgareddau chwarae ac ymchwilio.
>
> (APADGOS, 2009c: 10)

Awgryma'r elusen *Learning Through Landscapes UK*, sy'n gwneud ymchwil ac yn cynnig cyngor i ysgolion, meithrinfeydd ac yn y blaen o ran gwella meysydd chwarae, y dylid creu parthau penodol heb derfynau parhaol y gellid eu symud. Ymysg y rhain mae parth myfyriol cymdeithasol, lle i chwarae rôl a ffantasi, man creadigol a dylanwadol, ardal gorfforol, llecyn naturiol a pharth heriol neu ganolbwynt dramatig. At hyn, dylid creu parth pontio rhwng y tu mewn a'r tu allan i adolygu, ystyried neu arsylwi gweithgarwch, ac i annog symud hwylus ar draws y gofodau. Rhaid wrth reswm arsylwi a monitro'r amgylcheddau'n gyson a'u haddasu fel bo'r angen. Bydd arsylwi manwl a chraff gan yr oedolion yn arwain at wella'r ddarpariaeth a hefyd yn rhoi darlun cyfoethog i'r oedolion o ble mae'r plentyn ar y continwwm dysgu ac adnabod cryfderau, hoffterau ac anawsterau plant unigol. Bydd rhai plant yn ymddwyn yn wahanol mewn gofodau gwahanol ac wrth arsylwi'n ofalus ac yn ddeallus daw oedolion i weld hyn. Canmolodd Estyn (2007) leoliadau peilot y Cyfnod Sylfaen am eu defnydd o'r ardal allanol, serch hynny mae yna heriau amlwg i'w goresgyn cyn y cyrhaeddir defnydd parhaus o'r tu allan fel y gwelir yn rhai o ysgolion Denmarc a Sweden a meithrinfeydd awyr agored (*building-free nurseries*) ym Mhrydain.

Un ffactor bwysig sy'n rhwystro datblygu defnydd o'r dosbarth allanol yw pryder ac ansicrwydd oedolion ynghylch faint o ryddid y dylid ei roi i'r plant. Mae ofnau ynglŷn â diogelwch a phryder rhieni yn rhwystrau – pryder am y tywydd, cael annwyd, bod yn sâl, syrthio a chael dolur. Ond gyda dillad addas ac oedolion sy'n deall chwarae tu allan ac yn paratoi at risg, mae modd lleddfu ofnau rhieni.

Does mo'r fath beth â thywydd gwael, dim ond dillad anaddas

Dyma ddywed addysgwyr yn Sweden. Trafodwch addasrwydd dillad – plant ac oedolion – er mwyn sicrhau profiadau dysgu cyfoethog.

Efallai mai'r mwyaf dylanwadol a diddorol o'r rhwystrau, yn enwedig yng nghyd-destun plant hŷn y Cyfnod Sylfaen, yw pryder ymysg yr oedolion eu bod yn colli gafael a rheolaeth ar y plant.

> Mae dysgu oddi fewn i bedair wal yn gysyniad oedolion ac mae a wnelo mwy â rheolaeth nag a lles plant. Mae hi felly yn gymaint o ryddhad i weld ymarferwyr yn cofleidio'r amgylchedd tu allan fel dewis i'w groesawu, ac atodiad sydd wir ei angen, i'r dosbarth dan do.

> *Learning within four walls is surely an adult concept that has more to do with control than with children's well-being. It is, therefore, such a relief and so refreshing, to see that practitioners are embracing the outdoor environment as a welcome alternative, and much needed supplement, to the indoor classroom.*
>
> (Harriman, 2006: 67)

Mabwysiadwyd Confensiwn y Cenhedloedd Unedig ar Hawliau'r Plentyn gan Lywodraeth Cynulliad Cymru fel sail i'w holl weithgareddau sy'n ymwneud â bywydau plant. Mae saith nod craidd LlCC, sydd wedi'u seilio'n gadarn ar y Confensiwn, yn cynnwys hawl plentyn i gychwyn cadarn a dechrau teg mewn bywyd, i'r addysg a'r hyfforddiant gorau posib, i iechyd meddwl a chorfforol da a chyfle i chwarae ac i fwynhau chwaraeon.

Nid o fewn cyfyngderau'r amgylcheddau dan do yn unig felly y dylid eu hystyried ond yn hytrach yn yr holl amgylcheddau fydd yn dylanwadu ar y plentyn. Nodir yn glir yn nogfennaeth y Cyfnod Sylfaen bod angen cydnabod profiadau a gwybodaeth flaenorol y plant a datblygu partneriaethau cadarn â'r cartref. Drwy wneud hyn ceir gwell darlun o brofiadau'r unigolyn ac arferion teuluol; dyma ystyriaeth bwysig iawn wrth drefnu ymweliadau y tu hwnt i'r amgylchedd dysgu arferol. Bydd rhai plant wedi bod i wahanol gyrchfanau ymhell ac agos ac eraill heb fod llawer ymhellach na'u milltir sgwâr. Ni ddylid ei chymryd yn ganiataol y bydd pob un plentyn wedi bod i gasglu cregyn neu ddail crin. Os bwriedir ymchwilio i ardal gyferbyniol neu thema newydd, tybir mai'r ffordd fwyaf effeithiol yw i fynd ar daith. Cyhoeddodd Llywodraeth Cynulliad Cymru ddogfen *Ymweliadau Addysgol – arweiniad i ddiogelwch wrth ddysgu y tu allan i'r ystafell ddosbarth,* sy'n nodi

> Mae ymweliadau addysgol yn cynnig cyfle amhrisiadwy i gyfoethogi dysgu pobl ifanc, cynyddu eu hunanhyder, eu gwneud yn fwy brwdfrydig ...Yn aml, ymweliadau addysgol fydd yn rhoi'r profiadau mwyaf boddhaus a'r atgofion melysaf o ddydiau ysgol... Maent yn gyfrwng pwerus ar gyfer datblygu hunanymwybyddiaeth a sgiliau cymdeithasol. Mae dysgu tu allan i'r ystafell ddosbarth yn thema gref sy'n rhedeg trwy bob Cyfnod addysg yng Nghymru – o'r Cyfnod Sylfaen... i addysg 14–19.
>
> (LlCC, 2008: 8)

Gall ymweliadau addysgol danio dychymyg a chynnig profiadau o'r newydd i nifer o blant, ond rhaid ystyried ymarferoldeb a phwrpas yr ymweliad a bod yn wyliadwrus o ddiogelwch yn enwedig gyda phlant ifainc iawn. Mae gwneud defnydd o'r gymuned leol yn helpu'r plentyn i ddeall am ei hunaniaeth bersonol a diwylliannol ac i ddysgu am ofal a pharch o'n hamgylcheddau ehangach.

Ymchwil i farn plant
Profiad personol

Ymwelwyd â dwy ysgol (un drefol ac un lled wledig) er mwyn gwneud astudiaeth ymchwil bychan ar farn y plant eu hunain am yr amgylchedd. Holwyd 70 o blant o 3 – 6 oed am eu hoffterau o ran yr amgylchedd dysgu. Diddorol oedd y canlyniadau gan iddynt amlygu mai'r 'ardaloedd' mwy cyfoes eu naws oedd fwyaf poblogaidd sef, yr ardal allanol/ddringo, yr ardal amlsynhwyrol fewnol a'r ardal berfformio. Gwelwyd amrywiaeth o ran dewisiadau'r bechgyn a'r merched yn ogystal ag o ran oed y plant.

Wedi arsylwi a thrafod gyda'r oedolion a oedd yn bresennol, daeth yn amlwg mai ardaloedd oedd y rhain y byddai'r plant yn eu mynychu yn ystod eu dewis rhydd ac ni fyddent yn cael eu defnyddio'n arferol ar gyfer tasgau ffocws a arweinid gan oedolyn. Tybed felly ai dyma'r rheswm dros y dewis gan y plant? Gellid dadansoddi o bosib eu bod yn teimlo mwy o berchnogaeth dros yr ardaloedd hyn neu o bosib eu bod yn fwy rhydd i ddilyn eu hawydd/trywydd eu hunain.

Awgryma hyn ystyriaethau pwysig i oedolion wrth greu ardaloedd a chonglau amrywiol: dylai'r plant chwarae rôl flaengar yn y dewis a'r creu a dylid sicrhau lleoedd sy'n barthau heb oedolion (adult-free zones). Buasai hyn yn caniatâu i'r plant ddatblygu eu chwarae mewn moddau creadigol ac yn galluogi oedolion i arsylwi awydd, tueddiadau a hoffterau'r plant mewn cyd-destun gwahanol.

O ganlyniad i ymchwil, adroddiadau ac arsylwadau, ni ellir dadlau nad yw'r amgylchedd yn dylanwadu ar y plentyn. Mae'r amgylcheddau dysgu yn trosglwyddo negeseuon pwysig i'r plant am ddisgwyliadau a phosibiliadau sy'n eu galluogi i brofi llwyddiant ac ymdopi â methiant mewn modd sefydlog a diogel. Mae profi amgylcheddau amrywiol yn fodd i hwyluso hyn, i ehangu'r cwricwlwm ac yn lle i blentyn ddod yn fwy ymwybodol ohono'i hun a'r byd o'i gwmpas.

> Ffordd arall effeithiol o integreiddio'r cwricwlwm yw ei berthnasu i ddefnydd o'r amgylchedd ac i'r chwilfrydedd di-ddiwedd sydd gan blant am y byd o'u cwmpas. Pan fydd athrawon yn siarad am 'profiadau uniongyrchol' yr hyn a olygir ganddynt, yn aml, yw archwiliad o amgylchedd corfforol yr ysgol, ond mae'r ymadrodd, wrth gwrs, yn cynnwys mathau eraill o brofiadau.
>
> *Another effective way of integrating the curriculum is to relate it through the use of the environment to the boundless curiosity which children have about the world about them. When teachers talk about 'first hand experience' what they often have in mind is the exploration of the physical environment of the school, though the expression of course includes other kinds of experiences as well.*
>
> (DES, 1967: 199)

Dylid gwrando ac ymateb i lais y plentyn, cydweithio gydag oedolion eraill a rhieni, er mwyn darparu amgylcheddau sbardunol – lleoedd i drafod pryderon a chael sgwrs, lleoedd i anturio a mwynhau. Yn anad dim, lleoedd sy'n sicrhau lles y plentyn.

Prif negeseuon y bennod

- Mae'r amgylchedd yn chwarae rhan allweddol yn nysgu plant. Gall fod yn hwylusydd neu gall atal a chyfyngu ar ddysgu plant.
- Mae gan oedolion gyfrifoldeb i sicrhau bod yr amgylchedd yn llawn cyfleoedd i blant i anturio, archwilio, cymryd risg, sgwrsio a chael hwyl.
- Mae chwarae yn yr awyr agored a'r 'dosbarth tu allan' yr un mor bwysig – mae rhai yn dadlau ei fod yn bwysicach – na'r dosbarth tu fewn.

Pennod 4

Meddwl am Feddwl

Pennod 4

Meddwl am Feddwl

Helen Lewis

'Nid yw cael meddwl da yn ddigon. Y peth pwysicaf yw ei ddefnyddio'n dda.'
(Rene Descartes, 1637)

Meddwl. Dyna i chi broses ddiddorol tu hwnt yr ydym ni i gyd yn ymwneud â hi, mewn nifer o ffyrdd gwahanol, am nifer o resymau gwahanol. Yn aml iawn byddwn yn meddwl heb sylweddoli ein bod yn gwneud hynny, ond yna dro arall bydd ein prosesau meddwl yn gofyn am gryn dipyn o ymdrech ar ein rhan. Bu gan athronwyr a gwyddonwyr ddiddordeb yn y broses o feddwl ers canrifoedd, gydag athronwyr megis Descartes yn amlygu'r ffaith fod bodau dynol yn bodoli fel unigolion sy'n meddwl, gan ddatgan: *Cogito Ergo Sum* (Rwy'n meddwl, felly rwy'n bod).

Meddwl am ddeallusrwydd

Wrth ystyried y prosesau o feddwl a dysgu, un gair a ddefnyddir yn aml yw 'deallusrwydd'. Fodd bynnag, mae cryn drafod ynglŷn â'n dealltwriaeth ni o ddeallusrwydd, ac felly y bu ers canrifoedd. Dadleua Gardner (1999) y dylem ddehongli deallusrwydd yn eang yn hytrach nag fel endid sefydlog. Awgryma fod pob cymdeithas yn gwerthfawrogi rhinweddau penodol. Amser maith, maith yn ôl, er enghraifft, gallai'r rhinweddau hyn fod wedi cynnwys dewrder neu sgiliau hela. Byddai'r rhain yn rhinweddau a fyddai'n cyfrannu rhywbeth o werth megis diogelwch neu fwyd i'w cymunedau. Byddai'r bobl a feddai ar y rhinweddau hyn yn arddangos deallusrwydd a sgiliau gwerthfawr a pherthnasol i'w diwylliant a'u cyfnod.

Yn draddodiadol mae cymdeithas y gorllewin wedi parchu 'deallusrwydd' a'i ddiffinio fel rhywbeth sy'n ymwneud yn fras â llwyddiant academaidd – er efallai bod enwogrwydd yn ymddangos yn bwysicach erbyn hyn! Yn 1905, cyhoeddwyd Prawf Deallusrwydd Stanford-Binet (Becker, 2003), gan ddarparu dull o fesur 'Cyniferydd Deallusrwydd' – *'Intelligence Quotient'* (IQ). Prif bwrpas y prawf hwn oedd penderfynu pa mor dda y byddai plentyn yn ymdopi mewn ysgolion prif ffrwd ym Mharis, a chefnogi plant na allai ymdopi trwy lunio cyfundrefn addysg fwy addas ar eu cyfer. Awgrymai'r cysyniad hwn o brofi 'deallusrwydd' fod modd diffinio deallusrwydd, a bod modd ei fesur trwy gyfrifiad yn seiliedig ar oed a pherfformiad mewn prawf.

Fodd bynnag, dros y blynyddoedd a fu ers hynny, mae'r defnydd o'r mesur hwn wedi cael ei gamddehongli. Awgryma Howe (1997) fod y farn boblogaidd am ddeallusrwydd yn y gorffennol yn ei ystyried yn rhywbeth sefydlog a digyfnewid oedd yn cael ei benderfynu'n aml yn ôl geneteg rhywun ac, o bosibl, eu dosbarth cymdeithasol. Petai hyn yn wir, ni fyddai fawr o bwrpas ceisio gwella ffyrdd rhai plant o feddwl a dysgu oherwydd ni fyddent yn medru perfformio y tu hwnt i ryw derfyn. Petai pobl sy'n gweithio gyda phlant yn coleddu'r farn hon, byddai hyn yn golygu bod y disgwyliadau yn achos rhai plant yn gyfyngedig.

Fodd bynnag, gallai astudiaethau ar blant a fabwysiadwyd fwrw amheuaeth ar gywirdeb y farn hon ynghylch deallusrwydd sefydlog a rhagbenodedig, oherwydd ceir sefyllfaoedd lle mae'n ymddangos bod ffactorau heblaw geneteg yn dylanwadu ar ddatblygiad gwybyddol plant. Awgryma Howe (1997) nad yw plant y daw eu rhieni biolegol o gefndiroedd difreintiedig, a chanddynt IQ cymharol isel, o reidrwydd wedi'u rhagdynghedu i fod ag IQ yr un mor isel. Mae gan y rhai sy'n cael eu mabwysiadu i deuluoedd lle daw'r rhieni o gefndiroedd mwy breintiedig IQ uwch na'u rhieni biolegol ac, yn arwyddocaol, IQ uwch na'u brodyr a'u chwiorydd unfath yn enetig sydd wedi aros gyda'u teuluoedd biolegol. Gall nifer o ffactorau ddylanwadu ar hyn, gan gynnwys y ffaith y gallai'r plentyn mabwysiedig fod yn rhan o amgylchedd dysgu mwy cyfoethog yn gymdeithasol a diwylliannol. Er mwyn llwyddo a gwella, nid oes raid i blant difreintiedig gael eu symud oddi wrth eu teuluoedd. Awgryma canlyniadau rhaglenni ymyrraeth megis rhaglen High/Scope Perry Pre-School fod plant, wrth ddysgu, yn cael llwyddiant y tu hwnt i'r hyn sy'n ddisgwyliedig ohonynt ar sail eu cefndir. Fe ymddengys fod canlyniadau nifer o astudiaethau megis y rhain yn awgrymu bod deallusrwydd yn rhywbeth hyblyg y gellir ei wella trwy ymyriadau gofalus a phriodol.

Er y gall prawf deallusrwydd ddarparu gwybodaeth ddefnyddiol, mae'n bwysig cofio mai ciplun o'r plentyn a geir, yn seiliedig ar ymatebion y plentyn ar un adeg benodol i un prawf penodol. Er enghraifft, mae'n debygol mai ychydig iawn o Saesneg fyddai gan blentyn sydd wedi symud i Gymru'n ddiweddar o Wlad Pwyl. Byddai'n anodd os nad yn amhosibl cael darlun dibynadwy o brosesau meddwl y plentyn hwnnw yn enwedig os yw'r plentyn yn gweithredu mewn iaith nad yw'n gyfforddus ynddi. Byddai'r plentyn hwnnw mwy na thebyg yn gwneud llawer yn well petai'r cwestiynau yn ei famiaith, neu petai'r cwestiynau a'r atebion yn rhai di-eiriau.

Mathemateg i bwrpas

Cyfres o astudiaethau a fu'n edrych ar alluoedd mathemategol plant ym Mrasil. Mae'n gyffredin i blant, o oedran ifanc, helpu eu rhieni a'u busnesau trwy werthu ffrwythau mewn marchnadoedd stryd. Mewn astudiaethau gwelwyd bod y plant hyn yn gallu datrys problemau mathemategol yn gyflym ac yn gywir yn eu gwaith beunyddiol, fodd bynnag ni allent wneud cyfrifiadau tebyg wrth dderbyn cwestiynau ffurfiol yn yr ysgol. Er enghraifft:

Manuela 9 oed:

Prawf anffurfiol:

Cwsmer: Iawn. Gymera i dair cneuen goco (am bris o Cr$40 yr un). Faint fydd hynny?

Manuela: (Heb ystumiau, mae'n cyfrifo'n uchel) 40, 80, 120.

Prawf ffurfiol:

Gofynnir i Manuela ddatrys y broblem 40 x 3 ac mae'n cael yr ateb 70. Mae wedyn yn egluro'r drefn: 'Rhoi 0 i lawr, mae 4 a 3 yn gwneud 7'.

(Nunes Carreha et al, 2000: 246).

Awgryma hyn a nifer o astudiaethau eraill, nad yw profion gallu efallai'n rhoi darlun cywir o broses meddwl plentyn. Yr hyn sydd orau wrth i blant ifainc ddysgu yw darparu cyd-destunau ystyrlon, go iawn dysgu ar gyfer.

Mae'n bosibl na fydd labelu plant yn adlewyrchu sbectrwm eu galluoedd. Gall plentyn sy'n ysgrifennwr gwan fod yn ddawnsiwr neu'n ganwr ardderchog – a thrwy gymryd golwg gul ar ddeallusrwydd mae'n bosibl na chaiff eu galluoedd eu gwerthfawrogi. Gall labelu plant effeithio ar y modd y gwelant eu hunain fel darpar ddysgwyr. Awgryma Dweck (2000) fod dysgwyr yn ystyried eu deallusrwydd fel rhywbeth sydd naill ai'n sefydlog neu'n hyblyg. Mae'r rhai sy'n credu bod eu deallusrwydd yn rhywbeth sefydlog yn ei weld fel endid o'u mewn, mae'n rhywbeth na all newid. Mae dysgwyr o'r fath yn aml yn bobl sy'n poeni am fethu, ac sy'n ymdrechu i oresgyn rhwystrau ar eu teithiau dysgu. I'r gwrthwyneb, mae'r rhai sydd ag agwedd meddwl agored i dwf – *'growth mindset'* (Dweck, 2000) yn credu bod deallusrwydd yn hyblyg neu'n gyfnewidiol, ac y gellir ei ddatblygu trwy ddysgu a chredu eu bod yn gallu gwella.

Mae Howard Gardner (2006) hefyd yn cymryd golwg ehangach wrth geisio diffinio deallusrwydd, gan ddadlau ei bod yn bwysig ystyried deallusrwydd fel rhywbeth ag iddo aml ffurf. Diffinnir aml-ddeallusrwydd yn nhermau gallu i ddatrys problemau mewn sefyllfaoedd gwahanol, yn hytrach na deallusrwydd mewn un dimensiwn megis y gallu i basio prawf mathemateg. Fel y cyfryw, gall unigolion feddu ar sawl deallusrwydd – mae'n bosibl eu bod yn gallu gwneud mwy nag un peth yn dda. Er bod y gwahanol fathau o ddeallusrwydd y cyfeiria Gardner atynt mewn gwirionedd yn cydberthyn, fel addysgwyr mae'n bwysig ein bod yn eang ein meddwl ynghylch sut y tybiwn y mae plentyn deallus yn edrych. Hefyd mae deallusrwydd yn cael ei ffurfio a'i werthfawrogi gan yr amgylchedd cymdeithasol-ddiwylliannol a gall newid dros amser. Mae gwahanol gymunedau'n gwerthfawrogi gwahanol setiau o sgiliau.

> Golyga deallusrwydd y gallu i ddatrys problemau neu greu cynnyrch sydd o bwys mewn lleoliad diwylliannol neu gymuned arbennig.
>
> *An intelligence entails the ability to solve problems or fashion products that are of consequence in a particular cultural setting or community.*
>
> (Gardner, 2006: 6)

Mae ymchwil ethnograffig yn trafod gwahanol safbwyntiau am blant a phlentyndod mewn gwahanol ddiwylliannau, ac yn amlygu pwysigrwydd ystyried cyd-destun cymdeithasol-ddiwylliannol y dysgwr. Nid oes y fath beth ag un 'plentyndod', mae'n rhywbeth sy'n cael ei lunio gan ddiwylliannau a chymdeithasau. Disgrifia Akarro (2008) y diwylliant Masai, gyda phlant mor ifanc â phedair a phump oed yn dechrau cymryd cyfrifoldeb am anifeiliaid, gan droi eu cefn ar addysg yn aml iawn er mwyn gwneud hynny.

Negeseuon allweddol
Mae angen i addysgwyr gymryd golwg eang ar natur deallusrwydd. Bydd darpariaeth addysgol effeithiol yn dynodi, cydnabod ac yn dathlu doniau plant yn ogystal â chefnogi datblygiad deallusrwydd. Daw plant o ystod o gefndiroedd cymdeithasol-ddiwylliannol a fydd yn dylanwadu ar eu datblygiad.

Syniadau'n deillio o ddysgu seiliedig ar yr ymennydd

Mae meddwl a dysgu wedi'u cydblethu ac yn greiddiol i'r prosesau gwybyddol uwch hyn y mae'r ymennydd. Mae datblygiadau diweddar mewn niwrowyddoniaeth wedi ein galluogi i gael gwell dirnadaeth o'r modd mae'r ymennydd dynol yn gweithio, gan gynnig i ni ddamcaniaethau ynglŷn â meddwl a dysgu. Mae technegau megis sganiau Delweddu Cyseiniant Magnetig (MRI) yn caniatáu i ymchwilwyr ddynodi'r rhannau o'r ymennydd sy'n dod yn weithredol wrth feddwl a dysgu. Pam y dylai niwrowyddoniaeth fod o ddiddordeb i'r sawl sy'n gweithio gyda phlant? Po fwyaf y bydd pobl yn ei ddeall am y broses o feddwl, y mwyaf effeithiol fydd addysgwyr wrth ddarparu profiadau i hyrwyddo a gwella'r broses hon – gyda'r canlyniad gobeithio fod plant ifainc yn meddwl yn effeithiol.

Beth sy'n wybyddus am ddatblygiad yr ymennydd?

Mewn amser a fu, ystyrid plant bach fel dalen wag, heb fawr ddim dealltwriaeth o'r byd, neu yn fodau bach diniwed oedd yn aros i gael gwybodaeth wedi'i throsglwyddo iddynt. Fodd bynnag, mae damcaniaethau cyfredol yn ystyried plant bach yn ddysgwyr a meddylwyr cymwys o oedran cynnar iawn, sy'n meddu ar ystod eang o sgiliau canfyddiadol a dealltwriaeth gysyniadol (Edwards *et al* 1998, Spelke a Newport,1998). Mae gan fabanod a phlant bach chwilfrydedd greddfol i ryngweithio â'u byd ac i ddarganfod sut a pham mae pethau'n gweithio. Gall plant yn aml fod yn greadigol a dychmygus wrth ddatrys problemau: plentyn pedair oed, er enghraifft, yn mynd â glud allan i'r eira er mwyn gludo at ei gilydd y belen eira orau y gallai ei gwneud. Hwyrach na wnaeth hynny lwyddo ond mae'n rhoi cip o'i dealltwriaeth hi o'r modd mae'r byd yn gweithio, gan ddangos hefyd annibyniaeth a blaengaredd.

Mae'r ymennydd dynol, ei adeiledd cymhleth a'i ffurf unigryw, yn esbonio nifer o'r rhesymau pam fod gan fodau dynol y gallu i fod yn feddylwyr datblygedig a galluog, ymhell uwchlaw lefelau ein hynafiaid a'n perthnasau mamalaidd agosaf. Mae dwy ran i'n hymennydd – yr isgortecs a'r cortecs. O fewn adeileddau'r isgortecs megis y thalamws, mae nifer o nodweddion sy'n debyg i rywogaethau eraill, ac mae prosesau ffisiolegol sylfaenol bywyd yn cael eu rheoli o fewn y rhan hon o'r ymennydd. Ond o gymharu â rhywogaethau eraill, mae gwahaniaethau mawr o fewn cortecs ymennydd bodau dynol. Mewn pobl, mae'r cortecs yn cynnwys adeiledd mawr o'r enw'r cortecs serebral. Mae hwn yn fwy datblygedig mewn bodau dynol nag mewn rhywogaethau eraill, ac mae'n caniatáu i brosesau meddwl o radd uwch ddigwydd (Siegler ac Alibali 2005). Mae'r cortecs serebral yn parhau i dyfu am ran helaeth bywyd bodau dynol, os yw'r amodau'n iawn i gynnal y twf hwn.

O fewn yr adeileddau hyn, mae'r ymennydd dynol yn cynnwys biliynau lawer o nerfgelloedd a elwir yn niwronau, gyda nifer ohonynt yn bresennol adeg genedigaeth. Mae'r niwronau hyn yn gyfrifol am anfon negeseuon trydanol ar hyd acsonau (neu ffibrau nerfol) sydd yn ffurfio cynffon hir y celloedd. Gall y niwronau hyn ddod i gysylltiad â'i gilydd trwy adeileddau mân iawn tebyg i flew, o'r enw dendridau, a hynny mewn synaps sef bwlch bychan iawn rhwng acson a dendrid, lle mae niwrodrosglwyddyddion yn llifo yn ôl ac ymlaen. Cemegau yw'r niwrodrosglwyddyddion, sy'n llifo ar draws y bwlch ac yn newid yn ôl i fod yn ysgogiadau trydanol wrth y dendrid.

Mae'r cysylltiadau rhwng niwronau'n creu llwybrau dysgu niwral sy'n cael eu cryfhau trwy eu hailadrodd, ac sy'n ffurfio sylfaen cof tymor hir. Wrth i blentyn ennill gwahanol brofiadau synhwyraidd ac emosiynol o'r byd, a'r cyfle i atgyfnerthu'r profiadau hyn, dyna sut y mae cysylltiadau'n ffurfio ac yn cryfhau. Dyma sylfaen dysgu. Po fwyaf y gall plentyn ymwneud yn weithredol â thasgau a phrofiadau, y cryfaf fydd y cysylltiadau, a'r hawsaf y bydd i'w cofio a'u cyrchu. Fodd bynnag, os na fydd y cysylltiadau'n cael eu defnyddio ddigon, byddant yn gwywo. Gellir ystyried y cof felly fel gallu'r ymennydd i amgodio, storio ac adalw meddyliau a phrofiad synhwyraidd – *'the brain's ability to encode, store and retrieve thoughts and sensory experience.'* (Gibb 2007:63). Fodd bynnag, mae hwn yn faes ymchwil cymhleth. Mae rhai sgiliau megis reidio beic yn aros gyda ni hyd yn oed os oes cyfnodau hir yn mynd heibio rhwng teithiau seiclo, tra bod pethau eraill, megis ffeithiau a ddysgwyd ar gyfer arholiadau, yn ymddangos fel pe baent yn diflannu yr eiliad y daw'r arholiad i ben.

Awgryma Siegler (2005), fod llu o synapsau'n cael eu creu yn ystod plentyndod cynnar, trwy gyfuniad o eneteg a phrofiad. Gelwir hyn yn blastigrwydd niwral – 'neural plasticity'. Mae gan blant ifainc iawn fwy o synapsau nag oedolion, ond yn raddol dros amser, bydd y rhai na chânt eu defnyddio'n aml trwy brofiadau yn gwywo. Cred rhai ymchwilwyr mai rhwng genedigaeth a 3 oed, sef pan mae'r ymennydd yn datblygu fwyaf, yw'r cyfnod allweddol ar gyfer dysgu. Er enghraifft, awgrymodd Lenneberg (1967) yn ei 'Ddamcaniaeth Cyfnod Allweddol' – *'Critical Period Hypothesis'* – fod plant yn caffael iaith yn haws yn ystod ychydig flynyddoedd cyntaf eu bywyd nag ar unrhyw adeg arall. Wedi'r cyfnod hwn, mae'n dadlau bod datblygu iaith yn dod yn fwyfwy anodd. Fodd bynnag, mae llawer o'r dystiolaeth ymchwil ynghylch datblygiad yr ymennydd yn deillio o astudiaethau ar brimatiaid, a thra eu bod nhw'n ymddangos fel pe baent yn gwneud y rhan fwyaf o'r cysylltiadau synaptig yn ystod y tair blynedd yma, mae'n hanfodol ein bod yn ystyried bod datblygiad ffisegol ac aeddfedrwydd mwncïod yn digwydd yn gynharach o lawer nag mewn bodau dynol. Mae niwrowyddoniaeth wedi dangos bod cyfnodau eraill o dwf sylweddol i'r ymennydd mewn bodau dynol, megis yn ystod llencyndod (Huttenlocher,1979). Felly, gall ein cyfnod allweddol ni ar gyfer creu cysylltiadau synaptig ddigwydd yn ddiweddarach neu barhau am gyfnodau hirach (Blakemore a Frith, 2005) os, yn wir, y ceir cyfnodau allweddol o ran datblygiad yr ymennydd mewn pobl. Ymadrodd a ddefnyddir yn amlach erbyn hyn yw cyfnodau sensitif yn hytrach na chyfnodau allweddol, gan nad yw'n ymddangos bod y cyfnodau hyn o ddatblygiad niwrolegol mawr yn rhai sefydlog ac anhyblyg (Howard-Jones, 2010). Mae hyn, wrth gwrs, yn hanfodol i'r cysyniad o ddysgu gydol oes sy'n bwysig mewn polisi addysgol. Mae Llywodraeth Cynulliad Cymru'n hyrwyddo'r ymrwymiad hwn o weld unigolion yn parhau ar daith ddysgu a phwysigrwydd 'gwlad sy'n dysgu' (LlCC, 2003).

Gall negeseuon o faes niwrowyddoniaeth gyfrannu hefyd at y ddadl barhaus ynghylch oed dechrau ysgol. Er yr ymddengys ei bod yn bosibl i ysgolion addysgu peth sgiliau a gwybodaeth yn ymwneud â'r cwricwlwm i blant ifainc, nid yw'n ymddangos bod unrhyw fudd parhaol i'r dysgu hwn. Os cânt eu hasesu'n ifanc iawn, mae plant sydd wedi cael hyfforddiant yn y sgiliau hyn yn debygol o wneud yn well na phlant o'r un oed sydd heb (Sharp 2002). Fodd bynnag, dengys y dystiolaeth yn gyson nad yw cychwyn o flaen plant eraill yn golygu eu bod yn parhau ar y blaen yn y tymor hir. Er enghraifft, ymddengys fod plant sy'n cael hyfforddiant yn y sgiliau hyn hyd at dair blynedd yn ddiweddarach yn eu caffael yn gyflym, ac yn gallu gwneud cystal neu'n well na phlant a ddechreuodd yn gynnar.

Mae Chilvers (2006) yn adeiladu ar waith Claxton gan awgrymu bod gan blant 'gronfa' o sgiliau i'w helpu i ddysgu. Mae rhai o'r sgiliau hyn yn bresennol adeg eu genedigaeth, megis gallu greddfol i gyfathrebu, tra bod angen datblygu rhai eraill, megis canolbwyntio, wrth i blentyn aeddfedu. Pwysleisia fod gan oedolyn rôl allweddol wrth gynorthwyo plant, er enghraifft trwy fodelu cysyniadau neu greu amgylchedd dysgu cyfoethog.

Mae gweithiau ymchwil eraill yn amlygu pwysigrwydd amgylchedd dysgu cyfoethog, o ansawdd uchel, sy'n ysgogi plant ac yn cynnig cyfle iddynt archwilio a rhyngweithio, gan adeiladu cysylltiadau niwral wrth wneud hynny. Darganfu O'Connor a Rutter (2000) fod plant o gartrefi plant amddifad yn Romania, oedd wedi derbyn maeth gwael a fawr ddim profiadau cymdeithasol a symbyliad synhwyraidd, yn fwy tebygol o fod yn arafach eu datblygiad na phlant a fagwyd mewn sefyllfaoedd 'arferol'. Fodd bynnag, unwaith iddynt adael yr amodau hyn a chael eu mabwysiadu gan deulu, gwellodd y rhan fwyaf ohonynt yn llwyr. Yn ogystal â phwysleisio pa mor bwysig yw maeth, cysylltiadau a phrofiad o ran dysgu a meddwl, mae hyn hefyd yn dynodi bod angen cyfleoedd dysgu ar blant o bob oed. Yn astudiaeth O'Connor, er bod tuedd i'r plant a amddifadwyd yn ddifrifol dros gyfnodau byrrach ddangos mwy o gynnydd gwybyddol, fe wnaeth pob plentyn yn yr astudiaeth ddatblygu o ran ei ddysgu a'i feddwl. Fe ymddengys fod hyn yn cefnogi'r farn, er ei bod yn bosibl bod cyfnodau sensitif yn natblygiad yr ymennydd, y gall cysylltiadau a dysgu ddigwydd drwy gydol plentyndod a'r tu hwnt i hynny (Blakemore a Frith, 2005).

Fodd bynnag, mae'n rhaid i addysgwyr fod yn ymwybodol o beryglon gorsymleiddio proses gymhleth. Rhybuddia Howard-Jones (2010) fod nifer o raglenni addysgol heb eu seilio ar dystiolaeth wyddonol drwyadl. Er enghraifft, mewn nifer o ysgolion defnyddir y ddamcaniaeth boblogaidd 'Hoff Arddull Dysgu', *'Learning Style Preference'.* Mae'r dysgwyr yn cael eu hadnabod fel dysgwyr Gweledol, Clywedol neu Ginesthetig, ac anogir athrawon i gyflwyno gwybodaeth yn hoff arddull dysgu plentyn. Fodd bynnag, er y byddai'n ymddangos yn synhwyrol cyflwyno gwybodaeth mewn dull amlsynhwyraidd, mewn amrywiaeth o ffurfiau a chyfryngau, ni chafwyd unrhyw dystiolaeth mewn ymchwil ddiweddar fod yna fanteision i gyflwyno gwybodaeth i ddisgyblion arbennig yn eu hoff arddull (Kratzig ac Arbuthnott, 2006). Felly fe ymddengys fod syniadau poblogaidd am yr ymennydd yn cael effaith ar ddysgu ac addysgu cyn bod digon o dystiolaeth ategol ar gael.

Diffinia Bayley ac Edgington ddysgu seiliedig ar yr ymennydd fel

> ...seilio dysgu ac addysgu ar yr holl wybodaeth sydd gennym ar hyn o bryd am y modd mae'r ymennydd yn tyfu ac yn datblygu a'r hyn sydd ei angen arno er mwyn i ddysgu effeithiol ddigwydd.'
>
> *...basing learning and teaching on all the knowledge we currently have about how the brain grows and develops and what it needs for effective learning to take place.'*
>
> (Bayley ac Edgington, 2008: 23)

Er mwyn i ddysgu fod ar ei fwyaf effeithiol, mae angen iddo fod yn gofiadwy ac yn ystyrlon i blant ac mae angen i addysgwyr gofio fod plant yn unigolion gyda nifer o ddoniau a nifer o ffyrdd o fynegi'u hunain. Mae hyn yn cysylltu â Gardner a gwaith Malaguzzi yn Reggio Emilia, sy'n pwysleisio bod gan blant nifer o ffyrdd o fynegi'u hunain – gan gyfeirio at y cant o ieithoedd sydd gan blant – *'hundred languages of children'* (Edwards et al, 1998).

Wrth roi sylw i anghenion dysgu plant, mae angen cael amgylchedd cynnes a sefydlog, ac mae rheswm ffisegol am hynny – unwaith eto'n ymwneud â dealltwriaeth o'r ymennydd. Pan fyddwn ni dan straen, mae'r ymennydd yn rhyddhau hormon o'r enw cortisol. Mae meintiau rhesymol o'r hormon yn ein helpu i ddelio â'r straen. Fodd bynnag, os yw'r corff dan straen gormodol, gall y lefel o gortisol godi i lefelau niweidiol. Awgryma Lindon (2008: 88) y gall lefelau uchel o gortisol rwystro galluoedd plant i ddysgu mewn ffyrdd cadarnhaol, sy'n gallu arwain at wneud plant yn gynhenid drafferthus, 'hard wired for trouble.' Awgryma Burman (2009) fod y dysgu gorau'n digwydd mewn cyd-destunau sy'n ddilys i'r plentyn. Wrth hyn mae'n golygu y bydd plant yn gallu gwneud mwy o synnwyr o'r byd, a gwneud y cysylltiadau gorau, pan fyddan nhw mewn sefyllfaoedd sy'n ystyrlon iddynt. Efallai, mewn cwricwla blaenorol, y bu pwyslais ar symud yn gyflym i gysyniadau haniaethol, pan fod angen i blant mewn gwirionedd brofi cyd-destunau bywyd go iawn. Ni ddylai addysgwyr ragdybio'r profiadau a'r ddealltwriaeth sydd gan blant pan fyddant yn dod i'n sefydliad.

Buwch go iawn?
Nodyn personol

Ar nodyn personol, rwy'n cofio mynd â phlant Blwyddyn 5 ar drip ysgol o ganol dinas Llundain i gefn gwlad Dorset, gyda nifer o'r plant heb fod ar draeth erioed a'r un ohonynt wedi cwrdd â buwch o'r blaen! Yn y Cyfnod Sylfaen, gellir cysylltu hyn â'r syniad o ddarparu profiadau uniongyrchol a chyfleoedd bywyd go iawn. Mae'n llawer mwy pwerus dysgu am fuwch os oes cyfle i weld, clywed, cyffwrdd (a hyd yn oed arogli!) gwartheg go iawn, yn hytrach na bod y cyfle'n gyfyngedig i liwio llun o fuwch. Y rheswm am hyn efallai yw am fod sawl rhan o'r ymennydd yn cael ei hysgogi wrth ddefnyddio dull amlsynhwyraidd. Ar ôl cwrdd â buwch, mae'n bosibl y bydd y diddordeb sydd wedi cael ei ennyn yn y plant mor gryf nes eu bod yn dymuno mynd ati i dynnu a lliwio lluniau o wartheg, ond y profiad uniongyrchol yw'r allwedd i wneud cysylltiadau pwerus. Yn sicr yn Dorset, roedd tipyn o syndod ynglŷn â maint y gwartheg, y stêm oedd yn codi o'u cefnau a'r ffaith mai'r cwbl roedden nhw'n ei wneud i bob golwg oedd cnoi! Ni all unrhyw werslyfr ddarparu cystal gwybodaeth ag arsylwi a phrofi go iawn.

Beth yw sgiliau meddwl?

Mae dogfennaeth y cwricwlwm yng Nghymru yn pwysleisio sgiliau meddwl fel un o'r pedwar sgil trosglwyddadwy allweddol y dylid eu datblygu trwy gydol addysg plentyn. Pwysleisia Estyn:

Bydd angen i ysgolion roi sylw i ddatblygu agweddau tuag at ddysgu – gan effeithio ar natur dysgwyr a datblygu eu medrau dysgu.

(Estyn 2002 yn fframwaith sgiliau LlCC, 2008: 2)

Beth yw sgiliau meddwl ac a yw'n bosibl addysgu plant i feddwl? Mae Hamers a Csapo yn gwahaniaethu rhwng deallusrwydd a meddwl. Dywedant mai deunydd crai gallu deallusol rhywun yw deallusrwydd ac mai proses y gellir ei datblygu yw meddwl, sy'n gwneud defnydd 'medrus' o'r gallu crai (yn Shayer ac Adey, 2002:36). Mae Siegler (2005) yn trafod prosesau meddwl uwch megis datrys problemau, cofio a rhesymu fel elfennau hanfodol o'r broses feddwl, ond mae hefyd yn ymestyn hyn ymhellach i gynnwys prosesau megis y defnydd o iaith a'r canfyddiad o wrthrychau. Dadleua Clarke (2007) fod sgiliau meddwl yn ymwneud â mwy na chaffael gwybodaeth yn unig. Mae agendâu cwricwlwm blaenorol yng Nghymru (ac yng ngweddill y Deyrnas Unedig) wedi rhoi pwyslais mawr ar gaffael gwybodaeth. Y broblem gyda'r ymagwedd hon yw ei bod yn arwain at gwestiynau anghysurus ynglŷn â sut rydym ni'n gwybod beth nad ydym yn ei wybod a sut mae dysgu am bethau os nad ydym yn eu gwybod yn y lle cyntaf? Mae nifer o agweddau pwysig eraill ar ddysgu megis chwilfrydedd, ymholiad, holi.

Mae Clarke, eto, yn awgrymu chwe sgil meddwl allweddol sydd eu hangen ar ddysgwr. Mae'r rhain yn cydberthyn ac mae'n bosibl iawn eu bod yn gweithio gyda'i gilydd yn ein bywydau bob dydd. Dyma nhw:

- sgiliau ymholi
- sgiliau prosesu gwybodaeth
- sgiliau rhesymu
- sgiliau gwerthuso
- sgiliau datrys problemau
- sgiliau creadigol.

Mae meddwl llwyddiannus hefyd yn galw ar ddysgwyr i adfyfyrio ar eu meddwl, a dod yn gynyddol annibynnol wrth feddwl. Mae hyn yn bwysig, oherwydd os yw dysgwyr yn gallu adfyfyrio ar eu meddwl eu hunain, gallant geisio gwella'r agweddau llai llwyddiannus neu ailadrodd yr agweddau sydd wedi gweithio'n dda. Mae hyn yn cysylltu â gwaith Claxton (2002), sy'n pwysleisio nodweddion allweddol dysgwyr effeithiol – ac ymhlith y prif rai mae'r gallu i fod yn adfyfyriol ac i fod yn ymwybodol o sut mae'r dysgu'n mynd. Nodwedd allweddol arall yw gwydnwch. Beth, er enghraifft, yw'r ymateb os nad yw pethau'n mynd cystal ag y byddai'r dysgwr wedi'i ddymuno? Bydd dysgwyr gwydn yn rhoi cynnig arall arni, neu'n addasu eu dull, gan ddangos dyfalbarhad. Mae'r nodwedd hon hefyd yn cysylltu â'r farn ynghylch agwedd meddwl agored i dwf a drafodwyd yn gynharach yn y bennod. Wrth wynebu sefyllfa newydd neu heriol mae'n bosibl eu bod yn rhoi'r gorau iddi am nad ydynt yn teimlo y gallant lwyddo. Ar y llaw arall, mae dysgwyr sy'n credu y gallant ddod yn ddysgwyr a meddylwyr gwell yn fwy tebygol o ddal ati i wneud gweithgaredd.

Metawybyddiaeth
Meddwl am feddwl

Un agwedd hanfodol ar feddwl yw gallu pobl i adfyfyrio ar eu sgiliau meddwl eu hunain a'u gwerthuso. Mae hyn yn cyfeirio at 'fetawybyddiaeth'. Diffinnir metawybyddiaeth mewn ffyrdd gwahanol gan ymchwilwyr gwahanol, ond ceir un diffiniad clir gan Georghiades (2004), sy'n ei ddisgrifio fel y sgìl o feddwl am feddwl. Mae bod yn fetawybyddol yn golygu bod unigolyn yn adfyfyrio ar ei feddwl ei hun, ac ystyrir ei fod yn hanfodol er mwyn i ddysgu ar lefel uwch ddigwydd. Mae rhywfaint o ddadl ynglŷn â phryd mae plant ifainc yn gallu adfyfyrio ar eu meddwl eu hunain – mae'n anodd, wedi'r cwbl, i oedolion weld proses fewnol. Dadleua Flavell (1999) fod plant 3 oed yn meddu ar ymwybyddiaeth o'u hunain, ac mae'n bosibl bod ymarferwyr wedi methu â llawn sylweddoli'r gallu hwn i feddwl. Efallai bod mathau gwahanol o ymwybyddiaeth fetawybyddol (Kuhn, 2000) neu efallai y byddai dulliau mwy sensitif yn datgelu galluoedd o'r fath mewn plant ifainc (Whitbread, et al 2007).

Pam mae sgiliau meddwl mor bwysig?

Mae sgiliau meddwl o ddiddordeb mawr ar hyn o bryd. Efallai mai un rheswm am hyn yw bod addysg a pholisi addysg yn drwm dan ddylanwad cymdeithas ac anghenion cydnabyddedig cymdeithas. Awgryma Newman (2008) y dylai addysgwyr edrych i'r dyfodol, ac ystyried pa brofiadau addysgol fydd yn ystyrlon i'r plant ac i'r gymdeithas. Un nod posibl yn y gymdeithas heddiw yw y dylem sicrhau bod pob myfyriwr yn meistroli sgiliau meddwl creadigol a beirniadol o radd uwch, gan anelu at ddatblygu talent ar y lefel uchaf sy'n ddynol bosibl – *'we must ensure that all students master higher order creative and critical thinking skills and aspire to the highest level of talent development humanly possible.'* (Newman, 2008: 34). Mae datblygiadau yn y cwricwlwm mewn nifer o wledydd wedi gweld y pwyslais yn symud oddi wrth gynnwys a gwybodaeth, a bellach ceir pwyslais cynyddol ar ddatblygu sgiliau trosglwyddadwy mewn plant (Trickey a Topping 2004), gyda meddwl yn un ohonynt. Mae plant sy'n datblygu sgiliau meddwl yn debygol o fod yn gynyddol annibynnol, yn ddysgwyr gweithredol sy'n gallu mynd i'r afael ag amrywiaeth o gyfleoedd dysgu – mae'r nodweddion hyn mewn dysgwyr yn hanfodol i athroniaeth y Cyfnod Sylfaen.

A fedrwn ni addysgu plant i ddod yn feddylwyr gwell?

> Er bod meddwl yn aml yn cael ei ystyried yn weithgaredd preifat, unigol, mae ymchwil ddiwylliannol wedi amlygu sawl enghraifft o'r modd y mae meddwl yn cynnwys prosesau rhyngbersonol a chymunedol yn ogystal â phrosesau unigol.
>
> *Although thinking is often regarded as a private, solo activity, cultural research has brought to light many ways that thinking involves interpersonal and community processes in addition to individual processes.*
>
> (Rogoff, 2003: 236)

Y broblem gydag addysgu meddwl yw nad yw bob amser yn bosibl gweld a yw plentyn wir yn meddwl gan mai proses fewnol yw meddwl yn bennaf. Mae rôl allweddol arsylwi yn hanfodol yma. Rhaid i addysgwyr wylio plant oherwydd weithiau caiff yr hyn maen nhw'n ei feddwl ei arddangos trwy eu gweithredoedd, eu rhyngweithiadau a'u cwestiynau. Yn wir disgrifiodd Venville (2002) nifer o ddangosyddion meddwl megis egluro ac arddangos. Awgryma Ferre Laevers (2004) hefyd y gall arsylwi ar y modd y mae plentyn yn ymwneud â gweithgaredd roi mewnwelediad i'r modd y mae plentyn yn dysgu.

Sgemâu

Mae sgemâu yn fodd i addysgwyr weld meddwl plentyn ar waith. Adeiladodd Chris Athey ar ddamcaniaethau Piaget a Vygotsky a hefyd arsylwodd ar ymddygiad plant ifainc mewn astudiaeth hydredol a gynhaliwyd yn y 1970au. O'r arsylwadau hyn nododd nifer o sgemâu neu batrymau ymddygiad a ailadroddir, gyda phrofiadau'n cael eu cymathu iddynt a'u cydgysylltu'n raddol – *'patterns of repeated behaviour into which experiences are assimilated and gradually co-ordinated'*. Mae deall sgemâu yn helpu ymarferwyr i ddarparu cyfle i blant gymryd rhan mewn gweithgareddau sydd o ddiddordeb iddynt, ac y maent yn barod i'w gwneud. Mae plant ifainc, ar adegau gwahanol, yn datblygu diddordebau mewn pethau gwahanol sy'n mynd â'u holl fryd – gallant dreulio llawer iawn o amser yn mwynhau gwacáu ac ail-lenwi cwpwrdd, neu'n cario hoff dedi yn ôl ac ymlaen o amgylch y tŷ. Mae'r ymddygiadau hyn yn cynrychioli sgemâu, ac mae cymryd rhan yn yr ymddygiadau hyn ac, yn bwysig iawn eu hailadrodd, yn helpu plant i ddeall eu byd. Er enghraifft, un sgema yw 'cludo' – 'transporting' – a ddiffinnir fel diddordeb mewn symud eu hunain o gwmpas a chludo gwrthrychau (Louis *et al*, 2008: 56). Mae'n bosibl y bydd plentyn sydd â diddordeb mewn cludo yn cael ei symbylu i chwarae mewn amryw rannau o'r ystafell ddosbarth dan do ac awyr agored, gydag adnoddau megis bygi, berfa neu whilber, pram, troli siopa ac amryw fagiau a bocsys i gludo amrywiaeth o wrthrychau o gwmpas ynddynt. Trwy gyfrwng darpariaeth ofalus, byddai ymarferwyr yn gallu cefnogi'r plentyn yn ei ymdrech i wneud synnwyr o'r byd, gan gydnabod y diddordebau sy'n mynd â holl fryd y plentyn ar yr eiliad honno mewn amser.

Ceir nifer o ymagweddau at addysgu sgiliau meddwl ac mae nifer o strategaethau a deunyddiau ar gael i ddewis ohonynt wrth ystyried sut i addysgu sgiliau meddwl, er enghraifft, 'Let's Think' (Adey *et al* 2001), deunyddiau Llywodraeth Cynulliad Cymru (LlCC, 2008), y rhaglen TASC (*Thinking Actively in a Social Context*) (Wallace, 2002), Philosophy for Children (Lipman *et al*, 1980) a llu o rai eraill.

O fewn yr holl raglenni hyn ceir nodweddion sylfaenol tebyg a gwahanol. Cyfeiria McGuinness at dair strategaeth allweddol sy'n fodd o hyrwyddo addysgu sgiliau meddwl:

> Gall ymyriadau anelu at wella sgiliau meddwl cyffredinol trwy raglenni strwythuredig sydd yn ychwanegol at y cwricwlwm arferol; gallant dargedu dysgu pwnc-benodol megis gwyddoniaeth, mathemateg, daearyddiaeth; neu gallant dreiddio ar draws y cwricwlwm trwy nodi cyfleoedd yn systematig o fewn y cwricwlwm arferol i ddatblygu sgiliau meddwl.
>
> *Interventions can be directed towards enhancing general thinking skills through structured programmes which are additional to the normal curriculum; they can target subject-specific learning such as science, mathematics, geography; or they can be infused across the curriculum by systematically identifying opportunities within the normal curriculum for thinking skills development.*
>
> (McGuinness, 1999: 1)

Mewn astudiaeth gwmpasu ar raddfa fach darganfuwyd bod rhai ysgolion cynradd yn defnyddio pecynnau masnachol wrth addysgu sgiliau meddwl, rhai yn creu eu pecynnau eu hunain ac eraill nad ydynt yn defnyddio unrhyw becynnau (Lewis, Tanner a Jones 2010). Tra bod consensws cyffredinol ymhlith yr ysgolion bod sgiliau meddwl yn bwysig ac yn cael eu haddysgu'n effeithiol, roedd llawer llai o gysondeb o ran y dull o addysgu'r sgiliau meddwl. Fe ymddengys nad pa adnodd a ddefnyddir i ddatblygu meddwl plant sy'n bwysig ond yn hytrach sut y defnyddir yr adnodd hwnnw. Trwy gael plant i ymwneud â phrofiadau cyfoethog a difyr, gellir annog meddwl a datblygiad prosesau llwyddiannus megis metawybyddiaeth. Cefnogir y farn hon gan waith Walsh a Gardner (2005), sy'n awgrymu y dylem ystyried meddwl yng nghyswllt triongl dysgu, gan ystyried gweithredoedd plant, strategaethau addysgu a'r amgylchedd dysgu. Nid pobl sy'n rhoi gwybodaeth i blant goddefol mo addysgwyr, yn hytrach maen nhw'n gweithio mewn partneriaeth â phlant ar eu taith ddysgu.

Yn allweddol i ddatblygiad meddwl y mae rhyngweithio o ansawdd uchel rhwng yr oedolyn a'r plentyn. Trafoda Tayler (2001) pa mor bwysig ydyw i addysgwyr fod yn rhagweithiol ac i ffurfio perthynas gynnes a chyfeillgar gyda phlant er mwyn meithrin y berthynas fwyaf effeithiol ar gyfer dysgu. Dywed ei bod yn rhaid i addysgwyr ddod i adnabod plant a'u teuluoedd os ydynt i ddatblygu meddwl plant. Ategir hyn yn Fframwaith y Cyfnod Sylfaen (APADGOS 2008a)), sy'n annog oedolion i gynllunio **gyda** phlant, yn hytrach nag **ar gyfer** plant. Mae rhieni'n gyfarwydd â diddordebau eu plant, ac i addysgwyr, sy'n aml yn gorfod dod i adnabod dros ugain o blant, gall y wybodaeth hon fod yn amhrisiadwy. Mae hyn hefyd yn hwb i hunan-barch y plant – os bydd yr oedolyn yn gofyn sut aeth y gêm bêl-droed neu'r parti pen-blwydd, bydd y plentyn yn teimlo ei fod yn cael ei barchu.

Mae Mercer a Littleton (2007) yn trafod sut mae agweddau cynnil ar ryngweithio rhwng oedolyn a phlentyn, megis y graddau mae'r oedolyn yn ennyn syniadau'r plentyn ei hun, yn allweddol i ddatblygiad meddwl plant. Pan fo oedolion yn dangos gwir ddiddordeb diffuant yn syniadau plant a'u mynegiant ohonynt, awgryma Katz, gall gwaith cyfoethog a chymhleth ddeillio o hyn, hyd yn oed ymhlith plant ifainc iawn (yn Edwards et al, 1998:38). Fodd bynnag, gall hyn fod yn dipyn o her, gyda Gross (1997:1) yn awgrymu mai prin y clywir lleisiau'r disgyblion ac maent yn aml yn gadael eu diddordebau y tu allan i'r ystafell ddosbarth. Mae'n bosibl bod addysgwyr, ac athrawon yn enwedig efallai, yn ei chael yn anodd symud o ddiwylliant o gynllunio ar gyfer plant i ddiwylliant o gynllunio gyda phlant, gan fod hyn yn newid eu rôl a'u cyfrifoldeb. Ymhellach, mae nifer o athrawon yn gweithio mewn diwylliant o gynllunio nifer o wythnosau ar y tro, ac felly gall fod yn anodd iddynt gynnig cyfle ystyrlon i'r plant gyfrannu at hyn. Mae hyn mewn cyferbyniad ag amcanion ac athroniaeth sylfaenol y Cyfnod Sylfaen, sy'n anelu at ddilyn diddordebau plant yn fwy hyblyg.

Mae Burman (2009) yn disgrifio dysgu grymus fel rhywbeth sy'n digwydd mewn cyd-destunau cymdeithasol. Gall plant wneud synnwyr o'u byd trwy siarad amdano a gwrando ar safbwyntiau pobl eraill. Weithiau bydd y bobl eraill yn fwy profiadol na nhw efallai, ar adegau eraill mae'n bosibl y byddant yn llai profiadol, neu gallant fod tua'r un lefel dealltwriaeth, ond yr hyn sy'n bwysig yw y bydd y broses o gymryd rhan mewn trafodaeth o fudd i'r dysgu a'r deall. Darganfu Fawcett a Garton (2005) hefyd fod cyfleoedd dysgu cydweithredol, lle gallai plant gyfnewid syniadau â'i gilydd yn bwysig i ddatblygu meddwl a dysgu. Mae'r syniad hwn o ddatblygu cymuned ymholi – '*community of enquiry*' (Lipman *et al* 1980) yn ymddangos yn yr ymagwedd Athroniaeth i Blant – *Philosophy for Children*. Anogir plant i drafod materion o ddiddordeb iddynt mewn grŵp, mewn awyrgylch cefnogol, lle ceir holi a thrafod.

Mae hyn yn cysylltu â dau o brif gysyniadau Vygotsky: sgaffaldio dysgu a'r parth datblygiad procsimol – *zone of proximal development* (ZPD) sef y pellter rhwng lefel datblygiad gwirioneddol y plentyn a'i lefel datblygiad potensial (Vygotsky 1978). Yn ei hanfod, mae dysgu'n digwydd mewn cyd-destun cymdeithasol pan fo unigolion yn medru trafod a rhannu syniadau gyda'i gilydd. Y bwriad yw eu bod yn adeiladu eu dealltwriaeth o sut mae'r byd yn gweithio, gan elwa o safbwyntiau a sylwadau ei gilydd. Felly mae'r rhyngweithio'n sgaffaldio'r dysgu. A dweud y gwir, pan fo gan unigolion syniadau gwahanol a drafodir mewn hinsawdd o wrthdaro (neu her) wybyddol gymdeithasol, gall dysgu grymus ddigwydd – mewn geiriau eraill, gall ceisio egluro pam y mae eich safbwynt chi yn un gwerthfawr helpu cryfhau eich dealltwriaeth. Mae hyn felly hefyd yn cyfrannu at ehangu parth datblygiad procsimol (ZPD) y plentyn yn ôl Vygotsky. Gyda chefnogaeth, gall plentyn gyflawni mwy wrth weithio gyda phlentyn arall nag y gall ei gyflawni ar ei ben ei hun.

Yn gysylltiedig yn hyn o beth â phwysigrwydd rhyngweithio mae canfyddiadau prosiect EPPE (*The Effective Pre-school and Primary Education Project 3–11*) (Sylva *et al*, 2004) sef astudiaeth hydredol a fu'n edrych ar ddylanwad addysg gynnar ar ddatblygiad gwybyddol a chymdeithasol disgyblion. Amlygodd EPPE rai nodweddion allweddol o arfer effeithiol ac esgorodd ar yr ymadrodd 'meddwl parhaus ar y cyd – *'sustained shared thinking'.* Dyma'r broses lle mae oedolyn a phlentyn (neu blentyn a phlentyn) yn gallu gweithio gyda'i gilydd mewn ffordd ddeallus er mwyn datrys problem, egluro cysyniad, gwerthuso gweithgareddau, ymestyn naratif ac ati (Sylva et al 2010:157). Mae'r pwyslais ar natur gymdeithasol y broses, a hefyd bod angen amser ar gyfer y math hwn o feddwl, amser i'r unigolion archwilio'r mater dan sylw.

Darganfu EPPE hefyd nad oedd meddwl parhaus ar y cyd yn digwydd yn aml iawn, a thueddai ddigwydd yn amlach o lawer yn y sefydliadau cyn ysgol a farnwyd yn ardderchog, yn hytrach na'r rhai a ystyriwyd yn dda. Gwelodd yr ymchwilwyr fod darparwyr addysg cyn ysgol effeithiol yn annog meddwl parhaus ar y cyd ac, yn bwysig iawn, mewn dros hanner y gweithgareddau a gychwynnwyd gan blant oedd yn cynnwys her ddeallusol, roedd oedolyn wedi ymyrryd mewn rhyw ffordd. Nid yw hyn yn awgrymu bod angen i oedolion reoli'r holl weithgareddau, yn hytrach mae ansawdd yr hyn a ddywedant ac a wnânt wrth ryngweithio â phlant yn allweddol. Felly, beth yw nodweddion rhyngweithio o'r fath, a pham eu bod mor bwysig?

Mae rhyngweithio effeithiol a hyrwyddo meddwl... yn rhoi i blant

- y cyfle a'r amser i feddwl
- rhywbeth i feddwl amdano
- elfen o her

Rhaid i her ganiatáu i blant fynd i'r afael â phroblem nad yw'n amhosibl iddynt.
Rhaid hefyd ganiatáu digon o amser i feddwl am y broblem a sut i'w datrys.
Petaech ar fin datrys problem oedd wedi mynd â'ch bryd yn llwyr, mae'n siŵr y byddech yn teimlo'n rhwystredig iawn petai rhywun yn eich atal er mwyn symud ymlaen i weithgaredd arall neu fynd allan i chwarae!

Iaith a meddwl

Mae angen i ymarferwyr ystyried y defnydd o iaith er mwyn hwyluso meddwl. Amlyga Mercer (2000) rôl iaith fel arf ar gyfer meddwl mewn sefyllfaoedd cymdeithasol. Mae siarad a gwrando ill dau yn elfennau pwysig o'r broses o feddwl. Awgryma Mercer, pan fo grwpiau o bobl yn dod at ei gilydd ac yn trafod materion, gall aelodau profiadol o'r grŵp weithredu fel arweinwyr disgwrs (2000: 170) sy'n cefnogi aelodau eraill llai profiadol yn ystod y drafodaeth a'r gweithgaredd. Mae cysylltiadau uniongyrchol rhwng hyn a sgaffaldio dysgu. Mae'n hanfodol, felly, fod ymarferwyr yn meithrin ac yn hybu cyfleoedd i drafod gan fod hyn yn darparu cyfleoedd i blant ddod at ei gilydd i ddatrys her. Trwy siarad am weithgaredd neu broblem, mae plant yn aml yn rhoi trefn ar eu meddyliau – weithiau mae hyn ar ffurf siarad allanol, naill ai â nhw'u hunain neu bobl eraill, ond weithiau gall y siarad hwn ddigwydd y tu mewn i'r pen – deialog fewnol. Mae'n ein helpu i drefnu ein meddyliau a gwneud ein meddwl yn glir. Nid oedolyn yw aelod mwyaf profiadol y grŵp o reidrwydd. Gall plant weithio gyda'i gilydd ar y cyd i ddatrys problemau a chefnogi datblygiad meddwl ei gilydd. Mae Whitebread et al (2007) hefyd yn amlygu pwysigrwydd dysgu cydweithredol a dysgu gyda chymorth cymheiriaid, gan awgrymu bod adegau o weithio mewn grŵp heb oedolyn o gwbl yn bresennol yn gallu rhoi cyfle i blant ddatblygu'n fetawybyddol.

'Pam rydych chi'n cadw gofyn cwestiynau i mi pan rydych chi eisoes yn gwybod yr atebion?'

'Why do you keep asking me questions when you already know the answers?'

(Cousins, 1999).

Mae oedolion yn aml yn gofyn cwestiynau ag iddynt ateb amlwg, ac efallai nad ydynt yn gwrando mewn difrif ar yr ymatebion mae plant yn eu rhoi. Mae'r math hwn o ryngweithio yn debygol o ddadysgogi plant yn hytrach na thanio eu chwilfrydedd. Efallai y dylai addysgwyr fod yn llai awyddus i neidio i mewn â chwestiynau sy'n gofyn am ymateb lefel isel yn unig, gan arsylwi a gwrando'n fwy gofalus ar blant.

Mae ymyrraeth fedrus gan oedolyn yn un strategaeth o ddarparu cyfle i feddwl dros gyfnod estynedig. Yn Reggio Emilia, gelwir hyn yn bryfociad – provocation. Yn Reggio, mae ymyriadau oedolion yn bwrpasol, ac wedi'u llunio i gefnogi meddwl y plant, neu i herio eu syniadau. Gall yr ymyriadau hyn geisio eu pryfocio a'u procio i fynd ymhellach wrth feddwl (Edwards *et al* 1998: 322). Mae her neu 'wrthdaro gwybyddol' (*cognitive conflict*) yn elfen o nifer o becynnau sgiliau meddwl megis Let's Think (Adey *et al*, 2001)

Prif negeseuon y bennod

- Mae meddwl yn broses ddiddorol tu hwnt. Awgryma tystiolaeth y gellir datblygu a gwella deallusrwydd a sgiliau meddwl.
- Mae nifer o ffactorau sy'n gallu dylanwadu ar hyn ac mae un o'r prif agweddau'n ymwneud â'r ffaith fod bodau dynol gan mwyaf yn greaduriaid cymdeithasol.
- Gallai addysgwyr ystyried y triongl rhwng gweithredoedd y plentyn, yr amgylchedd dysgu a'r oedolyn.
- Mae rhyngweithio o ansawdd uchel gyda chymheiriaid ac oedolion yn ffactor allweddol wrth hyrwyddo adegau o feddwl ar y cyd dros gyfnod estynedig, a gydnabyddir yn elfen o arfer ardderchog.

Pennod 5

Y Plentyn Creadigol

Pennod 5

Y Plentyn Creadigol

Ann-Marie Gealy ac Angela Rees

> Caiff plant eu geni gydag awydd mawr i archwilio'r byd o'u cwmpas ac o'r chwilfrydedd cynhenid hwn daw creadigedd.
>
> *Children are born with a strong desire to explore the world around them and from this innate curiosity creativity develops.*
>
> (Duffy, 2007: 188)

Mae 'creadigedd' yn gysyniad cymhleth iawn. Mae diffiniadau arbenigwyr, hyd yn oed, yn gwahaniaethu. Yn ôl Duffy mae'n anodd diffinio 'creadigedd' gan ei fod yn gysylltiedig â phroses, cynnyrch ac unigolion (*'part of the difficulty is that the term is applied to individuals, to a process and to products'*) (Duffy, 2007: 187). Mae Bruce o'r farn ei fod yn agwedd frau o ddatblygiad plant (...*a vulnerable aspect of children's development*) (Bruce, 2006: 170), sy'n awgrymu y dylai oedolion fod yn ofalus iawn sut y maen nhw'n trin a thrafod creadigedd plant bach a sut y maen nhw'n paratoi ar eu cyfer. Yn gyntaf mae angen ystyried beth yw bod yn greadigol ac yna mae angen ystyried beth yw creadigedd yng nghyd-destun plant bach.

Beth yn eich barn chi yw creadigedd?

Beth yn union yw bod yn greadigol?

Beth yw creadigedd yng nghyd-destun plant bach?

Ar y cyfan mae tueddiad i gysylltu creadigedd gyda'r 'newydd' ond yn ôl Isenberg a Jalongo (1993) bydd yr hyn y mae plant yn ei ddarganfod yn newydd iddyn nhw er ei fod wedi ei ddarganfod eisoes, a chanwaith, gan eraill.

Gwelir creadigedd plant mewn nifer o ffyrdd, pan fyddan nhw'n ymchwilio a chanolbwyntio ond hefyd wrth iddyn nhw ail-wneud rhywbeth dro ar ôl tro er mwyn dysgu rhywbeth newydd, atgyfnerthu gwybodaeth sydd ganddyn nhw ac wrth iddyn nhw ymarfer sgiliau. Mae'r cyfnodau o ail-wneud ac ymarfer yn hollbwysig oherwydd yn ystod y cyfnodau hyn bydd plant yn meddwl a chanolbwyntio'n astud, yn meddwl yn ddwfn, yn adfyfyrio a datrys problemau, ac yn creu mewn cyd-destun sy'n berthnasol iddyn nhw. Maen nhw'n **bod yn greadigol** trwy'r holl broses (Isenberg a Jalongo, 1993).

Mae Bruce (2004) o'r farn bod chwarae rhydd, penagored (*free-flow play)* a datblygu syniadau creadigol yn debyg iawn neu, hyd yn oed, yn union yr un peth. Dywed Moyles (2007) hefyd bod chwarae yn arwain yn naturiol at greadigedd. Dyma neges sy'n cael ei chadarnhau gan eraill:

> Mae plant yn darganfod pethau i chwarae gyda nhw yn ddigymell ac maen nhw'n creu sefyllfaoedd er mwyn bod yn chwareus... i greu senarios gwahanol, dychmygus sy'n medru eu difyrru am amser hir.
>
> *Children spontaneously find things to play with and create situations in which to be playful ...to create alternative, imaginary scenarios that can absorb them for considerable periods of time.*
>
> (Fisher, 2008: 127)

ac i'r gwrthwyneb, *"os yw chwarae yn 'strwythuredig', mae'n awgrymu mwy nag ymyriad oedolion ac mae'n ffinio ar ymyrraeth oedolion" (if play is 'structured', then it implies more than adult intervention and borders on adult interference*) (Fisher, 2008: 132). Awgrym cryf, felly, gan Fisher, bod oedolion yn medru amharu ar greadigedd plant.

Mae hyn yn codi nifer o gwestiynau megis:

- a yw hi'n bosib dysgu creadigedd i blant?
- ai dysgu creadigedd ynteu hwyluso creadigedd sy'n bwysig?
- a yw hi'n bosib ac yn addas cynllunio ar gyfer cyfnodau penodol i fod yn greadigol?

Mae yna duedd i ystyried y cwestiwn 'beth yw creadigedd?' mewn cyd-destun personol. Efallai bod gwneud hyn yn cymylu ein dealltwriaeth o greadigedd. Mewn ymchwil gyda myfyrwyr ar gwrs addysg blynyddoedd cynnar, pan ofynnwyd y cwestiwn 'beth yw creadigedd?' ystyriai canran uchel y cwestiwn yn y termau: ydw i'n greadigol a pha mor greadigol ydw i. Hefyd wrth ateb y cwestiwn roedd tueddiad gan nifer helaeth i raddio lefel eu creadigedd nhw eu hunain. Diddorol oedd gweld bod cymaint yn gweld yr angen i raddio: dynodai'r atebion bod hyn yn deillio o brofiadau plentyndod lle roeddent yn arfer a'u gwaith yn cael ei farcio a'i raddio, naill ai gyda marc, gradd neu sylwadau, ac yn aml gosodwyd tic – neu seren aur – ar eu gwaith. Awgrymai hyn bod oedolion yn effeithio ar anian a gallu plant i fod yn greadigol a hefyd yn dylanwadu ar deimladau a dehongliadau plant ac oedolion am eu creadigedd eu hunain. Awgryma'r ymchwil hefyd bod dylanwad barn eraill a phrofiadau'r gorffennol wedi arwain at ddiffyg hyder rhai myfyrwyr ifainc ac wedi amharu ar eu gallu, yn hyn o beth, i wneud penderfyniadau a dewisiadau pan ddoi cyfle i ddewis. Gwelwyd rhai yn mynd yn eithaf pryderus, gydag eraill yn methu â rhoi cychwyn ar eu gwaith. Consyrn y mwyafrif oedd nad oeddent o'r farn eu bod yn greadigol a'u bod yn methu â chreu rhywbeth o ansawdd. Ar ôl trafodaeth gyda'r myfyrwyr, cafwyd bod eu teimladau'n deillio o brofiadau plentyndod pan roedd y cynnyrch gorffenedig o bwys i'r oedolion – y gwrthrych terfynol oedd yn bwysig nid y broses o'i greu. Roedd y ffocws hwn ar y gorffenedig ac ansawdd y peth (paentiad, ran amlaf) wedi ei drosglwyddo i'r myfyrwyr pan yn blant. Yn aml disgwylir i gynnyrch y broses greadigol fod yn rhywbeth penodol, rhywbeth y gellir ei adnabod, ac yn gynrychiadol, oddi fewn i thema, a bod y cynnyrch yn cael ei asesu, yn aml yn gyhoeddus o flaen eraill. Pan oedd cyfle i adfyfyrio, gwella a datblygu gwaith, roedd hyn yn aml dan ymbarél dylunio a thechnoleg. Yn ddiddorol, ni ystyriai'r myfyrwyr oedd yn rhan o'r ymchwil fod hyn yn cynrychioli **bod yn greadigol.**

Dehongliad ac ymarfer

Mae athroniaeth Reggio Emilia yn ymwneud â phedagogi o berthnasau rhwng cyfoedion, oedolion, yr amgylchedd a diwylliant. Cyfeiria Rinaldi at bedagogi gwrando (2006:11) a chred hefyd mewn deialog a thrafodaeth rhwng cyfoedion, a rhwng plentyn ac oedolyn. Mae'r berthynas yn un cytbwys, cyfartal gyda pharch o'r naill ochr a'r llall. Dilynir a chefnogir diddordebau'r plant trwy roi digon o amser iddyn nhw ddilyn eu greddf naturiol i ymchwilio, arbrofi a phrofi eu damcaniaethau. Awgryma Smidt (2006) y dylid ychwanegu pedagogi gwylio gan fod dogfennaeth yn allweddol i athroniaeth Reggio Emilia. Trwy'r ddogfennaeth, gwelir y modd y mae plant yn greadigol wrth iddyn nhw uno syniadau a chreu dealltwriaeth newydd, hynny yw, cysylltu'r wybodaeth newydd gyda'u profiadau newydd. Nododd Loris Malaguzzi, sef sylfaenydd athroniaeth Reggio Emilia: 'ni ddylid ystyried creadigedd fel cynneddf feddyliol ar wahân ond, yn hytrach, nodwedd o'n ffordd o feddwl, o wybod, o benderfynu' (Gandini, 2005: 159).

Cred Steiner, yntau'n ddylanwad mawr ar arfer cyfoes, yn y cwricwlwm cyfannol i blant tair a hanner i ddeunaw oed. Ceir yn ymagwedd mudiad Steiner bwyslais ar integreiddio'r celfyddydau a gwyddoniaeth trwy ddynesiad creadigol. Gwelir yn y damcaniaethau hyn reidrwydd i ddatblygu'r hyn a elwir weithiau yn 'sgiliau meddal' (Allen, 2008). Dyma, meddai athroniaeth Steiner, yw datblygiad y dychymyg, y cof, meddwl hyblyg, sef creadigrwydd, sydd yr un mor bwysig â'r sgiliau mwy traddodiadol addysgol megis rhesymu, dadansoddi a meddwl rhesymegol (www.steinerweb.org.uk).

Mae'r byd yn newid yn gyflym ac nid yw byd gwaith bellach yr hyn yr oedd ychydig ddegawdau yn ôl. Bydd pobl ifainc heddiw yn byw yn hŷn na'r cenedlaethau o'u blaenau ac yn gweithio nes eu bod yn llawer hŷn nag oed ymddeol heddiw. Disgwylir y bydd pobl yn newid swyddi ac yn newid gyrfa yn amlach nag oedd yn arferol genhedlaeth neu ddwy yn ôl. Bydd angen pobl sy'n meddwl yn wahanol, yn gweld pethau mewn ffyrdd gwahanol ac sy'n medru bod yn hollol hyblyg. Nododd ymateb rhai cyflogwyr mewn adroddiad Arolwg Sgiliau Dyfodol Cymru fod yna '...fylchau sgiliau yn creu problemau...' gan eu gweithlu. Roedd y rhain yn cynnwys diffyg sgiliau cyfathrebu; prinder dangos menter a datrys problemau; diffyg gallu i ddysgu; a gwendid o ran sgiliau TG (LlCC, 2005: 63). Dyma'r sgiliau sy'n bwysig ar gyfer y farchnad fydeang sy'n prysur newid, er mwyn ymateb i fyd cystadleuol, technoleg gyfoes heriol, a disgwyliadau cwsmeriaid. I fedru ymateb i'r sialensau hyn mae angen meithrin ac annog meddwl creadigol o oed cynnar iawn. Dywed *Fframwaith Effeithiolrwydd Ysgolion: creu cymunedau dysgu effeithiol gyda'n gilydd* fel hyn:

> ...diben ysgolion yw... galluogi pob plentyn a pherson ifanc i ddatblygu'u potensial yn llawn drwy ennill sgiliau, gwybodaeth, dealltwriaeth ac agweddau ...i'w galluogi i ddod yn ddinasyddion sy'n weithredol yn economaidd, yn gymdeithasol, ac yn ddysgwyr gydol oes.
>
> (LlCC, 2008c: 8)

Wrth gwrs, bydd angen i blant ddatblygu sgiliau corfforol ond bydd angen datblygu 'sgiliau' eraill hefyd, rhai gyn pwysiced os nad pwysicach, sef annibyniaeth a hyder i ddilyn eu trywydd eu hunain a'u diddordebau eu hunain. Sgiliau personol ac emosiynol yw'r rhain ac maen nhw'n wahanol iawn i'r sgiliau sydd eu hangen i ddefnyddio offer. Mae a wnelo'r sgiliau hyn â'r unigolyn ei hun. Er mwyn datblygu'r math hyn o sgiliau mae angen amser a rhyddid ar blant i dreialu a phrofi pethau newydd a'r rhyddid i wneud penderfyniadau a dewisiadau. Nid yw cynnig rhyddid yn golygu y bydd plant bach yn torri rheolau a bod yn afreolus. Pan gaiff plant y rhyddid i fod yn greadigol cânt y cyfle i fod yn unigryw ac i ddweud wrth yr oedolion o'u cwmpas amdanyn nhw eu hunain, eu ffyrdd unigryw, eu dealltwriaeth a'u dehongliad nhw o'r byd o'u cwmpas. Gwelir yng ngwaith plant yr hyn y maen nhw'n teimlo sy'n bwysig yn hytrach na'r hyn mae oedolion yn ei ystyried yn bwysig.

Gwelir arfer dda o weithio gyda phlant lle mae'r plant yn gweithredu ar eu syniadau personol eu hunain. Mae hyn yn creu arddangosfeydd cyffrous gydag ymdeimlad o berchnogaeth yn hytrach na rhesi o gynnyrch sydd yr un fath. Dyma farn Bruce:

> Mae'n well ystyried cynnig profiadau a chyfleoedd dysgu i blant rhagor na gwneud gweithgareddau gyda nhw, fel petai plant yn wrthrychau ar gludfelt. Yn aml iawn gwelwn löynnod byw, cychod, ŵyn, Siôn Corn, i gyd yr un peth, wedi eu gwneud o bapur sidan wedi ei grinsian, gan lenwi amlinelliad, neu gennin Pedr wedi eu creu o sylindrau cardfwrdd, wedi eu torri yn yr un ffordd...
>
> *It is better to think of offering children learning experiences and opportunities, rather than doing activities with them as if children were objects on a conveyer belt. So often we see mass-produced identical butterflies, boats, lambs, Father Christmas etc made of screwed up tissue paper, filling in an outline, or daffodils made out of cardboard cylinders, cut in the same way...*
>
> (Bruce, 2007: 103)

Ac yn rhy aml, mewn arddangosfeydd fel hyn, nid yw plant yn gallu gwahaniaethu rhwng eu pili-pala nhw a phili-palod eraill.

Y broses yn hytrach na'r cynnyrch

Mae'r broses o greu yn ymwneud â meddwl ar lefelau gwahanol o ddyfnder a bwriad. Yn ôl Kamen

> Creadigedd yw defnyddio'r dychymyg... mae a wnelo â phroses yn hytrach na chynnyrch: nid oes modd ei fesur wrth ganlyniad y weithgaredd ond mae'n seiliedig ar sut roedd y plentyn yn gweithio a pham.
>
> *Creativity is the use of the imagination… [it] involves a process rather than an end product: it cannot be measured by the end result of an activity, but is based upon how the child worked and why.*
>
> (Kamen, 2000: 137)

Cyfeiria Bruce (2007: 30) at gynnwys y broses greadigol fel proses o ddeor syniadau. Awgrymodd Froebel, yn ôl Bruce, ein bod yn greadigol wrth i ni ymgorffori meddyliau ac wrth i ni wneud yr anweledol yn weledol. Mae Duffy (2000: 5) yn cyfeirio at yr ymdeimlad o bleser a boddhad sy'n deillio o'r broses ei hun a bod hyn yn rhan bwysig o'r profiad, p'un ai a ydyw'n datrys problemau neu adael marc ar rywbeth. A dyma Rinaldi eto:

> ...rydym yn ystyried fod y broses ddysgu yn broses greadigol. Wrth creadigedd, rwyn golygu y gallu i adeiladu cysylltiadau newydd rhwng meddyliau a gwrthrychau sy'n arwain at ddatblygiad newydd a newid, cymryd elfennau y gwyddys amdanynt a chreu cysylltiadau newydd.
>
> *...we consider the learning process to be a creative process. By creativity, I mean the ability to construct new connections between thoughts and objects that bring about innovation and change, taking known elements and creating new connections.*
>
> (Rinaldi, 2006: 117)

Mae'r Cyfnod Sylfaen yn nodi bod y broses greadigol 'yn fwy pwysig na'r canlyniad... yn ystod y camau datblygu cynnar' (LlCC, 2008e: 5). Mae hyn yn ddadleuol gan fod y dystiolaeth yn awgrymu bod plant yn dysgu drwy gydol y broses ac nad oes, wrth gwrs, gynnyrch ar y ddiwedd y broses bob tro (Bruce 2007).

Rôl yr oedolyn

Mae rôl yr oedolyn wrth annog a chaniatáu creadigedd yn un allweddol. Wrth drafod rôl yr oedolyn, cwyd cwestiynau astrus, er enghraifft:

- A yw hi'n bosib i oedolyn fygu ac atal creadigedd plentyn?
- Pryd, os o gwbl, y dylai oedolyn 'ymyrryd'?

Mae Fisher (1990:30) yn nodi'r niwed all ddigwydd wrth ddysgu plant '*around the age of three and four and lasts a lifetime. The child learns to stop guessing and inventing answers when his efforts are rejected.*' Cytuna Rinaldi:

> Mae plant yn deall yn fuan nad yw syniadau sy'n wahanol i syniadau eu hathrawon... a'u mynegi ar yr adeg anghywir yn beth cadarnhaol. Felly, pan fydd hyn yn digwydd, nid meddwl creadigol sy'n marw ond cadarnhau a chyfreithloni meddwl creadigol.
>
> *[Children] quickly understand that having ideas that diverge from those of their teachers...and expressing them at the wrong moment is not a positive thing. So when this happens, it is not creative thinking that dies but the legitimisation of the creativity of thinking.*
>
> (Rinaldi, 2006:118)

Bydd plant, dywed Fisher, yn rhwystredig pan fydd oedolion yn torri ar draws llif eu dysgu (*flow of learning*) hynny yw pan fyddan nhw wedi llwyr ymgolli yn eu diddordebau (Fisher, 2008: 152). Bydd yr ymyrraeth hyn yn arwain at blant yn ymwrthod neu gilio o'r weithgaredd (Fisher, 2008: 150). Adlewyrchir eu rhwystredigaeth trwy eu hymddygiad negyddol:

> ...gall 'creu ar lefel isel' megis lliwio, defnyddio templedau a phapur sidan wedi ei gywasgu, amharu ar greadigedd. Nid ydynt fawr mwy na gweithgareddau gwaith-gwneud i blant, o'u cyferbynnu â 'chreadigaethau ansawdd-uchel' sy'n esgor ar syniadau gan y plant eu hunain ac sy'n cael eu hystyried yn ddwys ac sy'n ffrwtian...
>
> *...'low-level production' such as the use of templates, colouring in and squashed up tissue paper, activities that simply occupy children, can prohibit creativity. As opposed to 'high-quality creations' where ideas that emerge from the children themselves are mulled over and simmered....*
>
> (Bruce, 2006: 170)

Bydd arfer dda yn sicrhau amser, gofod addas ac amgylchedd diogel i gymryd risg ac yn cynnig cyfleoedd i wneud penderfyniadau a phrofi methiant mewn amgylchedd diogel. Yn ôl Bruce (2007) gan mai'r saith mlynedd gyntaf yw'r amser mwyaf hanfodol i feithrin creadigedd plant, mae rôl yr oedolyn yn allweddol yn ei ddatblygiad. Felly mae angen oedolion sy'n wybyddys â'r cysyniad i sicrhau hyn. Awgryma Bruce hefyd bod oedolion gwybodus yn ymwybodol bod gan blentyn yr hawl i:

- hunanreolaeth, hynny yw ei fod yn medru dewis y deunyddiau y mae am eu defnyddio a gwneud penderfyniadau ynglŷn â sut i'w defnyddio a ble;
- ofod tu mewn neu du allan lle mae'n teimlo'n ddiogel gyda ffiniau clir. Wrth i blentyn deimlo'n ddiogel nid yn unig yn gorfforol ond hefyd yn emosiynol, bydd yn barod i gymryd risgiau;

- greu gyda phlant eraill ond mae ei greadigaethau yn bersonol iawn ac ni fydd eisiau eu rhannu bob amser. Serch hynny, bydd oedolyn yn gwerthfawrogi ei greadigaethau ac yn barod i'w trafod os dymunir;
- gael amser i feddwl am ei syniadau;
- oedolion sy'n gwrando ar ei lais ac sy'n ymyrryd i gynnig cymorth i ddatblygu ei syniadau a'i sgiliau, i osgoi rhwystredigaeth ond heb ei orlethu;
- brofi profiadau synhwyrol, amrywiol a heriol;

Ychwanega Bruce bod angen i oedolion gwybodus ddeall ei bod hi'n bosib datblygu creadigedd pob plentyn gan gynnwys plant â gwahaniaethau dysgu.

Cynllunio

Cwyd rhagor o gwestiynau difyr wrth drafod creadigedd:

- A yw hi'n bosib cynllunio ar gyfer creadigedd?
- Os yr oedolyn sy'n cynllunio, ai creadigedd ynteu gynhyrchu yw hyn?

Cyfrifoldeb oedolion yw sicrhau amgylchedd addas er mwyn sbarduno plant ond nid yw hyn yn golygu adnoddau di-ri. Weithiau, mae perygl o dlodi'r amgylchedd wrth ychwanegu gormodedd o adnoddau, rhagor a rhagor o stwff. Mae'r dywediad *'less is more'* yn aml yn addas gan fod gofod gwag yn gallu deffro dychymyg plentyn

Y genhinen Bedr binc

Rydych chi wedi gosod paent gwyrdd a melyn allan i'r plant gyda llond jwg o gennin Pedr iddyn nhw edrych, syllu, trafod...'Pinc yw lliw gorau fi' meddai Lois gan ychwanegu 'Fi moyn paent pinc i blodyn fi'.

Wrth ystyried tasg fel creu cenhinen Bedr, ble mae'r cyfleoedd i ddefnyddio'r dychymyg, ble mae'r cyfle i fod yn greadigol os mai deunydd melyn a gwyrdd sydd wedi'u gosod wrth law? Beth yw'r budd creadigol i'r plant? Oes ots os yw'r blodyn yn ddu gyda choes binc a dail glas?

Cwestiynau i annog trafodaeth a dadl!

- A fyddech chi'n hapus i blentyn greu'r genhinen Bedr binc?
- A fyddech chi'n hapus i blentyn greu cenhinen Bedr ddu?
- A fyddech chi'n hapus i gynnwys a gosod y cennin Pedr 'lliwgar' yn yr arddangosfa?
- Arddangosfa pwy yw hon?
- Arddangosfa ar gyfer pwy yw hon?
- Pam cael yr arddangosfa o gwbl?

Mae lle, wrth gwrs, i greadigedd ac i luniadau cynrychioliadol (*representational drawings*) ond mae'n bwysig deall a chydnabod y gwahaniaeth. Nid yw'r cynrychioliadol o reidrwydd yn cynnig cyfle i fod yn greadigol. O fewn y broses bydd creu'r blodyn anghyffredin wedi cyffwrdd â nifer o sgiliau creadigol. Pa wahaniaeth os nad yw hyd yn oed yn flodyn, ond yn rhywbeth arall? Dylid cwestiynu pwrpas y dasg o bersbectif y plant yn hytrach na phersbectif yr oedolyn neu ofynion a disgwyliadau cwricwlwm.

Oes modd dysgu ac addysgu creadigedd?

Yn ôl Duffy (2000) er y gellir addysgu sgiliau ni ellir addysgu agweddau a theimladau trwy gyfarwyddiadau. Rhaid i'r priodoleddau a'r nodweddion hyn gael amgylchedd sy'n eu hannog a'u hybu a phrofiadau sy'n cynnwys proses sy'n hyrwyddo gwneud penderfyniadau, brwdfrydedd, bod yn gyffrous, mwynhau, adfyfyrio, dim ataliad ac sy'n gynhwysol i bawb. Bydd hyn yn deillio o gael rhyddid i ddewis a gwneud penderfyniadau. I wneud hyn mae'n hanfodol bod deunyddiau gwahanol ar gael yn gyson ar gyfer y plant, ond, yn bwysicach, bod y plant yn arfer â mynd i'w hestyn ar eu pennau'u hunain yn annibynnol o'r oedolion. Pan na fydd cynnyrch penodol wedi ei gyflwyno, heb ddewis, i blant, byddant yn defnyddio deunyddiau o fewn eu gallu a'u datblygiad, ac yn creu yn ôl eu syniadau a'u teimladau. Ymhelaetha Duffy eto ar bwysigrwydd plant yn cael cyfleoedd i wneud camsyniadau, i fod yn hollol gyfforddus gyda'r cysyniad o wneud camsyniadau a chael yr hyder i geisio eu datrys. Mae'n bwysig eu bod yn ystyried y camsyniadau fel cyfleoedd i addasu yn hytrach na methiant.

> Trwy chwarae, mae plant yn wynebu realiti a'i dderbyn, yn datblygu meddwl creadigol ac yn dianc o realiti sydd yn aml yn ormesol. Yma bydd rhai o'n camgymeriadau mwyaf difrifol yn gwreiddio.
>
> *Through play children confront reality and accept it, develop creative thinking and escape from a reality that is to often oppressive. It is here that some of our most serious mistakes take root.*
>
> (Rinaldi, 2006: 118)

Pwysigrwydd iaith oedolion yn y broses greadigol

Dylai oedolion fod yn ofalus iawn i beidio â dileu syniadau plant gydag ymadroddion difeddwl.

Ystyriwch sut bydd plentyn yn teimlo wrth glywed oedolyn yn dweud:

- *Beth yw e?*
- *Beth yw e? (O bosib wrth ddal y peth wyneb i waered)*
- *Dyna bert (heb ddilyn gydag unrhyw sylw)*
- *Dyna neis(heb ddilyn gydag unrhyw sylw)*
- *Da iawn (heb ddilyn gydag unrhyw sylw)*

Nid yw pobl greadigol yn oddefol (*'creative people are not passive'*) meddai Duffy (2000: 76), felly gellid dathlu syniadau gwahanol: bydd hyn yn cynnwys gwrando ar syniadau plant. Mae hyn eto yn codi'r cwestiwn ynghylch y cynllunio ar gyfer creadigedd. Beth os yw syniad y plentyn yn wahanol i'r hyn y cynlluniodd yr oedolyn ar ei gyfer?

Mae'n anodd hybu ac annog annibyniaeth a syniadau gwahanol os yw oedolion yn ofni y bydd plant yn camymddwyn os nad ydyn nhw'n cael eu 'rheoli.' Mae'n anodd gweld sut y gall rheoli a chreadigedd gyd-fynd yn esmwyth. Mae rhai yn ei chael hi'n anodd peidio â rheoli – neu or-reoli – syniadau llafar neu gynnyrch ymarferol plant. Mae cynllunio gormodol a deilliannau dysgu haearnaidd yn ei gwneud yn anodd plethu'r ddau. Yn ôl Duffy (2000) os ydym yn gwerthfawrogi creadigedd, dychymyg a syniadau plant, rhaid sicrhau cyfleodd iddyn nhw wneud hyn yn rhydd ac yn gyfforddus.

Mae'r llenyddiaeth ymchwil a damcaniaethol, erbyn heddiw, yn lled gytûn bod creadigedd yn fwy na'r celfyddydau. *'Creativity is part of every area of the curriculum and all areas of learning have the potential to be creative experiences,'* (Duffy, 2006: 57). Hefyd ystyrir **bod yn greadigol** yn fwy na thynnu llun a chreu gwrthrych o glai. Gwelir creadigedd plant yn amlygu ei hun wrth iddynt chwarae tu allan ac ymgymryd mewn chwarae dychmygol. Er bod y Cyfnod Sylfaen yn gwahanu'r maes Datblygiad Creadigol (APADGOS 2008e) i dair rhan benodol sef Celf, crefft a dylunio, Cerddoriaeth, a Symud Creadigol, sy'n perthyn i'r **celfyddydau**, cyfeirir hefyd at greadigedd o fewn y meysydd eraill yn y ddogfen Fframwaith:

> Dylai plant ddatblygu eu dychymyg a'u creadigrwydd yn barhaus ar draws y cwricwlwm. Dylai eu chwilfrydedd a'u tuedd naturiol i ddysgu cael eu symbylu gan brofiadau synhwyraidd bob dydd, a hynny dan do ac yn yr awyr agored. Dylai plant gymryd rhan mewn gweithgareddau creadigol, dychmygus a mynegiannol ym maes celf, crefft, dylunio, cerddoriaeth, dawns a symud. Dylai plant archwilio ystod eang o symbyliadau, datblygu eu gallu i gyfleu a mynegi eu syniadau creadigol, a myfyrio ynghylch eu gwaith.
>
> (APADGOS, 2008a: 39)

Mae'r arfer dda o hyrwyddo creadigedd plant o fewn meysydd gwahanol i'w ganmol oherwydd nid rhywbeth sy'n sefyll ar ei ben ei hun yw creadigedd, yn annibynnol ar feysydd eraill. Mae bod yn greadigol yn ymwneud â meddwl, a bydd 'meddwl' yn digwydd o fewn cyd-destunau gwahanol.

Y Cyfnod Sylfaen

Mae yna dipyn o wrth-ddweud yn arweiniad y Cyfnod Sylfaen:

> Fodd bynnag, dydy creadigrwydd ddim yn gyfyngedig i'r celfyddydau gan fod meddwl yn greadigol yn hanfodol i feysydd eraill o fywyd bob dydd gan gynnwys mathemateg, gwyddoniaeth a thechnoleg.
>
> (APADGOS, 2008a: 5)

Mae'r llyfryn canllawiau ar gyfer y Maes Dysgu Datblygiad Creadigol yn argymell fod angen i oedolyn gyflwyno topig i'r plant ond mae'r arweiniad yn y Fframwaith (2008a) yn nodi y dylai oedolion ddilyn diddordebau'r plant:

> Dylai cwricwlwm y Cyfnod Sylfaen ganolbwyntio mwy ar ddiddordebau, datblygiad a dysgu plant yn hytrach na'r cwricwlwm a deilliannau rhagderfynedig.
>
> (APADGOS, 2008a: 39)

Dyma yw'r ymarfer gorau ym maes addysg blynyddoedd cynnar. Ond dengys sut mae'r celfyddydau yn cael eu cynnwys ar y thema Dydd a Nos ym mhob maes dysgu ar dudalen 24 (APADGOS, 2008e) sef syniadau am weithgareddau i'w harwain gan yr oedolyn. Mae'r llyfryn yn nodi'r angen am ardal greadigol benodol ond mewn gwirionedd ardal gelf ydyw, er enghraifft i baentio, ac mae creadigedd yn croesi ffiniau fel y soniwyd eisoes.

Gwelir oedolyn yn paentio murlun glan-môr mewn gofod di-liw tu allan i'w wneud yn ddeniadol i'r plant (APADGOS 2008e:12) ond nid oes gan y plant berchnogaeth o'r murlun ac mae'n cyfyngu ar greadigrwydd plant. Nid yw'n berthnasol i bob tymor o'r flwyddyn nac i ddiddordebau amrywiol plant sy'n medru newid yn ddyddiol – yn syml iawn, nid yw'r plant yn teimlo taw eu murlun nhw yw hwn. Ceir cyfeiriad at 'brynhawn celf' yn un astudiaeth achos (APADGOS 2008a: 16) yn dehongli cennin Pedr adeg Dydd Gŵyl Dewi. Mae hyn eto yn esiampl o weithgaredd sy'n medru cyfyngu ar brosesau creadigol plant gan ei fod o dan arweiniad yr oedolyn ac nid yw, o bosibl, wedi codi o wir ddiddordeb plant.

Creadigedd ymhob man

Gwelir sawl cyfeiriad at ddefnyddio'r dychymyg a chreadigedd plant yn Fframwaith y Cyfnod Sylfaen (LlCC, 2008) ar draws yr holl feysydd dysgu. Gwelir ymhob un o'r 'llyfrau gleision' sy'n amlinellu gofynion a disgwyliadau'r Cyfnod Sylfaen ddefnydd helaeth o iaith a geirfa sy'n berthnasol i greadigrwydd plant, er enghraifft: defnyddio'r dychymyg, gofyn cwestiynau, mynegi syniadau, datrys problemau, archwilio, dangos dychymyg, bod yn ddychmygus, bod yn annibynnol, cymryd risg… ac yn y blaen.

Tybed felly pam fod angen maes dysgu penodol ar gyfer Datblygiad Creadigol o gwbl?

Ymyrryd ai peidio?

Mae syniadau ynglŷn â mewnbwn oedolion yn amrywio (Bruce, 2007; Rinaldi, 2006; LlCC, 2008a). Cred rhai y gall ymyrryd ar gyfer sicrhau bod y cynnyrch yn tebygu ac yn gynrychioliadol i gynnyrch penodol effeithio'n niweidiol ar blant.

> Nid yw oedolion, bob tro, yn cydnabod ymdrechion plant...mae llawer o oedolion yn gaeth i syniadau ynghylch cynrychioliadau addas, hynny yw, y syniad bod yn rhaid i lun fod yn ffotograffaidd ac yn cynnig tebygrwydd graffig cywir o'r hyn sy'n cael ei gynrychioli.
>
> *Adults do not always recognize children's endeavours ... many adults get locked into ideas of appropriate representation, i.e. the notion that a picture should be photographic and present graphically exact likenesses of what they represent.*
>
> (Moyles, 2003: 72)

Yn ôl Bruce (2006) gellir mygu a chaethiwo creadigedd plant trwy nifer o ffyrdd gan gynnwys ymatebion negyddol, difeddwl oedolion. Mae angen ymateb yn gadarnhaol i'w hymdrechion gan fod hyn yn dylanwadu'n uniongyrchol ar eu hunan-fri. Cred Bruner (1977) bod rôl oedolion wrth sgaffaldu dysgu plant yn bwysig. Ar adegau nid yw darparu deunyddiau'n ddigonol, mae angen mewnbwn sensitif ac addas gan yr oedolyn er mwyn sicrhau bod y plentyn yn cael lle, amser a chyfleoedd i ddarganfod, a bod yr oedolion yn ymchwilwyr ochr yn ochr â'r plant. Mae athroniaeth Reggio Emilia, yr ardal yn yr Eidal sydd wedi cael cryn sylw oherwydd gwychder ei ddarpariaeth blynyddoedd cynnar, yn gosod pwysigrwydd mawr ar rôl yr oedolyn fel ymchwilydd. Dywed Rinaldi (2006):

> 'Gwrando' yw cynsail pob perthynas dysgu... gwrando yw'r trosiad ar gyfer bod yn agored i eraill, yn sensitif i wrando ac i eraill wrando arnoch chi, gyda'ch holl synhwyrau.
>
> *'Listening' is a premise of every learning relationship... listening is a metaphor for openness to others, sensitivity to listen and be listened to, with all your senses.*
>
> (Rinaldi, 2006: 114)

Ar adegau mae bod wrth law, wrth ymyl, neu gerbron yn ddigonol i sicrhau bod plant yn teimlo'n ddiogel. Ar brydiau eraill caiff yr oedolyn wahoddiad amlwg i ymuno.

Sylw annheg neu wirionedd heriol?
Mae angen amser ar blant i ddatblygu eu gallu i ganolbwyntio heb yr ymyrraeth gyson sy'n gallu nodweddu ymddygiad oedolion mewn rhai lleoliadau blynyddoedd cynnar
(Allen, 2008: 155)

Cyfeiria Gardner (1993), Duffy (2006), Craft (2004) a Craft et al (2001) at greadgrwydd ag c fach (*little c creativity*) a chreadigrwydd ag C fawr (*big C creativity).*

> ...mae creadigedd ag c fach...yn canolbwyntio ar ddyfeisgarwch...pobl gyffredin...yn hytrach na chyfraniadau eithriadol...yr ychydig. Mae'n ymwneud â gweld pethau mewn ffordd wahanol a dysgu oddi wrth brofiadau'r gorffennol.
>
> *... little c creativity ... focuses on the resourcefulness ... of ordinary people ... rather than the extraordinary contributions ... of the few. It involves seeing things in a different way and learning from past experiences.*
>
> (Craft, 2004: 56)

Ystyrir creadigedd plant fel creadigedd ag c fach gan eu bod yn defnyddio deunyddiau mewn ffyrdd newydd ac yn gwneud canfyddiadau sy'n newydd iddyn nhw. Nododd Craft eto bod angen deallusrwydd a dychymyg i fod yn greadigol:

> ...mae dychymyg a chreadigedd ill dau yn ymwneud ag agwedd tuag at fywyd sy'n cychwyn gyda 'efallai os' neu 'beth os', hynny yw, cwestiynu ffordd o weithredu y gellid ei alw'n feddwl am y posibiliadau.
>
> *... both imagination and creativity involve an approach to life which begins with: 'perhaps if' or 'what if,' that is to say, a questioning way of operating which could be described as possibility thinking.*
>
> (Craft, 2004: 91)

Mae'r term 'meddwl am y posibiliadau' *(possibility thinking)* yn berthnasol i greadigedd ag c fach ac C fawr. Mae'n ymwneud ag ystyried a meddwl am wahanol bosibiliadau, ar ôl adnabod a darganfod problem. Bydd y plant yn defnyddio'u dychymyg a'r wybodaeth flaenorol sydd ganddynt i feddwl am wahanol ffyrdd o ddatrys problem. Gan fod creu yn medru bod yn broses gylchol, yn ôl Craft (creative cycle approach) bydd y plentyn yn adfyfyrio ac yn cofio sut y bu iddo ddatrys problemau tebyg yn y gorffennol i fedru datrys problemau'r presennol. Bydd y cwestiynau sy'n cael eu codi yn dylanwadu ar ddiddordebau'r plentyn yn y dyfodol oherwydd bydd yn ceisio eu hateb.

Disgrifia Feldman et al. (1994: 1) sut y gall creadigedd ag C fawr ymwneud â llwyddo gyda rhywbeth nodedig, blaengar a newydd, rhwybeth sy'n trawsffurfio a newid maes ymdrech mewn ffordd arwyddocaol. Enghreifftiau o hyn fyddai'r ffôn symudol, y cyfrifiadur a'r awyren.

Yn ôl Craft (2004) nifer fechan o blant ac oedolion sy'n cyrraedd y lefel hon. Ystyrir Einstein, Picasso, Mozart, Freud (a beth am Robert Recorde, Gwen John, Kate Roberts, Waldo Williams?) a meddylwyr athrylithgar eraill ar begwn lefel uchaf creadigedd C fawr am eu bod yn rhagori yn eu meysydd. Un peth sy'n gyffredin rhyngddyn nhw i gyd yw eu bod wedi bod yn blant unwaith. Efallai bod Picasso bach neu Mozart bach yn ein lleoliadau Cyfnod Sylfaen ni heddiw – dylai disgwyliadau oedolion am bob plentyn felly fod yn uchel!

Awgryma Duffy (2006) mai'r ffordd orau i ystyried creadigedd yw fel continwwm, felly ar un pegwn mae creadigedd ag c fach a'r pegwn arall lle mae creadigedd ag C fawr. Yn ôl Duffy (2006) a Craft (2004) mae pawb rhywle ar y continwwm. Gwelir cysylltiadau rhwng syniadau Gardner (1993); Duffy (2006); a Craft (2004) am greadigedd ag c fach ac C fawr a syniadau Boden (2004) ynglŷn â chreadigedd seicolegol a chreadigedd hanesyddol. Yn ôl Boden mae creadigedd yn ymwneud â newydd-deb rhyfeddol, gwerthfawr a gwreiddiol. Cyfeiria Boden at greadigedd seicolegol (*'psychological' creativity neu P-creativity*) a chreadigedd hanesyddol (*'historical' creativity neu H- creativity)*. Mae creadigedd seicolegol yn golygu bod y syniad yn newydd, yn rhyfeddol ac o werth i'r unigolyn ond nid yw'r syniad yn newydd i eraill. Nid yw'n bosib rhagdybio creadigedd hanesyddol, hynny yw syniad hollol wreiddiol nad oes neb wedi ei feddwl yn flaenorol. Dyma ddealltwriaeth arferol o beth yw bod yn greadigol.

Mae nifer o ymarferwyr a damcaniaethwyr, megis Vecchi (2010) a Bruce (2006) yn awgrymu bod gweithgareddau creadigol yn cyfrannu at ddatblygiad cyfannol plentyn. Defnyddir yr ymadrodd 'buddiannau creadigedd' fel modd o edrych ar brosesau'r meddwl creadigol a'r ymwneud creadigol yn natblygiad y plentyn cyflawn.

Medrau, sgiliau, nodweddion cymeriad...	**Canlyniadau'r broses greadigol**
Datblygu hyder	magu hyder yn eu gweithgareddau a magu hyder yn gyffredinol
Sgiliau corfforol	dysgu sgiliau amrywiol, megis sgiliau man, o fewn gweithgareddau helaeth a gwahanol (dal brwshys, cerfio gydag offer)
Mynegiant	mynegi eu hemosiynau, teimladau, meddyliau a'u syniadau
Cyfathrebu	cyfathrebu emosiynau, teimladau, meddyliau, a syniadau i eraill
Arbrofi	arbrofi gyda thechnegau a deunyddiau gwahanol gan ddefnyddio'r wybodaeth a dealltwriaeth sydd ganddynt yn barod
Ymdeimlad o'r hunan	datblygu hunaniaeth ac unigoliaeth, syniad o'r hunan a dealltwriaeth o gwahaniaethau rhyngddynt a phlant eraill, oedolion, gofalwyr ac aelodau teulu
Cydweithrediad	cydweithio gydag eraill, cyfrannu at a chymryd rhan mewn grŵp
Dychymyg	lle i freuddwydio ac i ystyried gobeithion a dyheadau, dychmygu posibiliadau

Cyffro	cyffroi, mwynhau, ymuno mewn hwyl ac antur, cynhyrfu gyda phosibiliadau
Cwestiynau	holi a chwestiynu, defnyddio eu chwilfrydedd naturiol
Amser	cymryd amser i ddod i gasgliadau, amynedd cyn penderfynu, dyfalbarhad a dycnwch dros amser
Dathlu	dathlu yr hyn yn eu byd sy'n bwysig iddyn nhw
Hwyl	cael hwyl a mwynhad, joio wrth wneud
Annibyniaeth	rhyddid i ddewis, defnyddio a thrafod offer
Cyfrifoldeb	gydag annibyniaeth daw cyfrifoldeb, atebolrwydd

(addaswyd a chymhwyswyd o nifer o ffynonellau)

Mae'r gallu i feddwl yn chwarae rhan allweddol yng nghreadigedd plant. Yn ôl Heilman (2005) rhennir y gallu i feddwl gan seicolegwyr yn ddau fath: meddwl cydgyfeiriol *(convergent thinking)* a meddwl dargyfeiriol *(divergent thinking)*. Bydd profion Cyniferydd Deallusol (IQ) traddodiadol yn mesur gallu'r unigolyn mewn ffordd arbennig, sef y meddwl yn medru datrys her mewn un ffordd benodol, gydag un ateb cywir. Dyma fesur sgiliau meddwl cydgyfeiriol gyda'r pwyslais ar y cynnyrch yn hytrach na'r broses (Gardner, 1999; Heilman, 2005). Dyfeisiwyd profion creadigedd yn y 1950au gan Guilford (1950) er mwyn profi a mesur meddwl dargyfeiriol, hynny yw mesur y gallu i ddatrys problem mewn nifer o ffyrdd. Yn ôl y profion, prif nodweddion creadigedd oedd y gallu i adnabod patrymau, i wneud cysylltiadau, i gymryd risg, i gwestiynu, i weld cyfleoedd ac i fanteisio ar posibilidau. Hynny yw, i weld pethau mewn ffyrdd newydd (Barron 1988: 77). Bydd y meddwl dargyfeiriol, felly, yn chwilio am gwestiynau agored oherwydd bod nifer o atebion posib ac nad oes pryder o fod yn anghywir. Trwy hwyluso creadigedd plant fel hyn nid oes peryg i danseilio eu lles a'u hunan-fri – nac ychwaith eu parodrwydd i gymryd risg ac ofni bod yn anghywir.

Ystyriwch sylw Carla Rinaldi

Ein gobaith yw dysgu creadigol ac athrawon creadigol, nid 'awr greadigol' yn unig.

What we hope for is creative learning and creative teachers, not simply a 'creativity hour'.

(Rinaldi, 2006: 120)

Mae'r Cyfnod Sylfaen (LICC, 2008) hefyd yn cyfeirio at bwysigrwydd annatod y meddwl wrth greu. Yn ôl yr arweiniad yn Fframwaith y Cyfnod Sylfaen wrth ddatblygu'r meddwl,

> Bydd y plant yn datblygu eu meddwl ar draws y cwricwlwm trwy'r prosesau cynllunio, datblygu a myfyrio, sydd yn eu helpu cael gafael ar ddealltwriaeth well ac yn eu galluogi i archwilio a gwneud synnwyr o'u byd eu hunain... Mae'r prosesau hyn yn galluogi plant i feddwl mewn modd creadigol a beirniadol, cynllunio eu gwaith, cyflawni tasgau, dadansoddi, a gwerthuso eu casgliadau, a myfyrio ar eu dysgu gan wneud cysylltiadau o fewn a'r tu allan i'r lleoliad/ysgol.
>
> (LlCC, 2008a: 10)

Cynrychioliad *(Representation)*

Mae'r synhwyrau yn chwarae rhan bwysig iawn ym mhrosesau dysgu plant ifainc. Mae damcaniaethau Piaget (1960) yn dehongli arfer cyffredin plant o roi gwrthrychau o bob math yn eu cegau, o roi eu dwylo mewn iogwrt, paent, dŵr, sebon siafio... pob math o bethau, fel ffordd plant o ddeall y byd. Nododd Rodger (2003) yntau bwysigrwydd profiadau synhwyraidd. Dyma, meddai, yw'r modd y mae plant yn dechrau adeiladu eu delweddau neu eu cynrychioliadau meddyliol o'r byd. Wrth daenu paent gyda'u dwylo, daw plant i sefydlu syniadau deallusol mewn perthynas â maint, trwch, pwysau, gwasgedd ac yn blaen – cysyniadau mathemategol a gwyddonol. Drwy gerfio gyda chlai a bodio'r clai, byddant yn sefydlu cysyniadau am siâp, hanfod, persbectif ac yn y blaen. Dylid cynnig, felly, ystod eang o brofiadau synhwyraidd er mwyn i blant gael ymestyn eu meddyliau deallusol – ac i ddilyn eu trywydd creadigol eu hunain. Yn y broses hon, bydd plant yn creu cynrychioliadau penodol a rhai llawer mwy haniaethol. Ond mae meddwl yn gynrychioliadol (*representational thinking*) yn allweddol yn y broses greadigol gan ei fod yn meithrin egin arlunwyr, actorion, ysgrifenwyr, cerddorion, dawnswyr a gwyddonwyr. Mae'r gallu i ffurfio symbolau meddyliol yn galluogi plant ifainc i gyfathrebu eu canfyddiadau a phrofiadau trwy iaith, celf, meim, chwarae rôl a cherdd (Hohmann a Weikhart, 2002: 312).

Awgryma Bruner (1982, 1990) y gellir ystyried y broses o gynrychioliad mewn tair ffordd. Y modd cyntaf yw'r modd ymweithredol, sydd wedi ei seilio ar weithred, felly mae plant yn dysgu trwy wneud trwy symudiadau'r corff. Cytuna Bruce (2004a) bod plant yn cynrychioli eu profiadau trwy wneud. Datganodd Bruner eto a Moyles (2003) y dylai plant hŷn gael cyfleoedd yn y modd ymweithredol gan fod y dull hwn yn hyrwyddo dealltwriaeth ddyfnach a chanfyddiadau newydd. Yn ail mae'r modd eiconig wedi ei seilio ar luniadu, sef creu delwedd trwy ddefnyddio marciau ac arwyddion. Mae'r marciau yn medru cynrychioli person, digwyddiad, gwrthrych neu gysyniad. Gall y plant ddefnyddio marciau ac arwyddion unigryw a ddyfeisiwyd ganddynt hwy. Yn drydydd cyfeiriodd Bruner at y modd symbolaidd, sef cynrychioli rhywbeth gyda chôd, hynny yw gwneud rhywbeth i gynrychioli rhywbeth nad yw yno. Mae hyn yn cynnwys defnyddio symbolau traddodiadol fel ysgrifennu a rhif.

Anogir y plant i ddatblygu codau symbolaidd trwy luniadu, paentio, dawnsio, chwarae dychmygus, modelu, llythrennedd a mathemateg, er enghraifft mae'r gair 'ci' yn symbol am gi, nid y peth go iawn mo'r gair, symbol am gi ydyw – mae'n cynrychioli'r ci.

> Mae plant yn dysgu defnyddio symbolau, o arwyddion llaw neu symudiadau'r corff cyfan, i luniau, ffigyrau clai, rhif, cerddoriaeth ac ati. Ac, erbyn 5 neu 6 oed, bydd plant nid yn unig yn deall y symbolau amrywiol hyn ond yn aml byddant yn medru eu cyfuno mewn ffyrdd y bydd oedolion yn ei ystyried yn drawiadol.
>
> *Children learn to use symbols, ranging from gestures of the hand or movements of the whole body, to pictures, figures of clay, number, music, and the like. And, by the age of 5 or 6, children not only can understand these various symbols but can often combine them in ways adults find striking.*
>
> (Gardner, 1982: 87)

Mae cynrychioliadau yn ymwneud â diwylliant. Yn Reggio Emilia mae'r plant yn dewis defnyddio offeryn diwylliannol, sef lluniadu a gwneud modelau, fel cynrychioliadau o'u dealltwriaeth (Smidt, 2006). Yn Lloegr mae'n ddisgwyliedig i blant gynrychioli eu dealltwriaeth yn ysgrifenedig gan mai hwn yw'r offeryn diwylliannol sy'n tra-arglwyddiaethu yn niwylliant yr ysgol. Gwelir adlewyrchiad o hyn hefyd yng Nghymru. Mae'n angenrheidiol fod plant yn cael cyfleoedd i gynrychioli eu teimladau yn ogystal â'u syniadau. Dyma un modd y gall plant bach rannu pryderon a theimladau gydag eraill.

> Daw cynrychioli ein prosesau dysgu a medru eu rhannu ag eraill yn hanfodol ar gyfer yr ymatblygedd sy'n cynhyrchu gwybodaeth. Yn y modd hwn, caiff delweddau a bwriadau eu hadnabod gan y gwrthrych: maent yn cael eu llunio a'u hesblygu drwy weithredoedd, emosiwn, mynegolrwydd, a chynrychioliadau eiconaidd a symbolaidd. Dyma sail genhedlol iaith, dysgu a chreadigedd.
>
> *Representing our learning process and being able to share with others becomes indispensable for that reflexiveness which generates knowledge. In this way, images and intentions are recognised by the subject: they take shape and evolve through action, emotion, expressiveness and iconic and symbolic representatons. This is the generative basis of languages, learning and creativity.*
>
> (Rinaldi, 2006: 114)

Adnoddau

Gall adnoddau hybu neu gyfyngu creadigedd, felly mae'n bwysig bod oedolion yn deall gwerth a photensial yr adnoddau sydd ar gael i blant eu defnyddio. Bydd deunydd 'agored' yn cynnig digon o gyfleoedd i blant arbrofi heb brofi methiant, tra bod deunydd 'caeedig' yn arwain blant i geisio am yr un ateb cywir neu'r cynnyrch penodol sydd i'w ddisgwyl.

Math o chwarae	Adnoddau sy'n gallu hybu creadigedd	Adnoddau sy'n gallu cyfyngu creadigedd
Chwarae adeiladwaith	Blociau pren – deunydd naturiol sy'n hybu datblygiad, y dychymyg, creadigol a holl feysydd y Cyfnod Sylfaen	Deunydd adeiladu lle mae'n angenrheidiol i ddilyn cyfarwyddyd penodol.
Chwarae rôl	Darnau o ddefnyddiau, er enghraifft sgarffiau. Gall defnydd gwyrdd fod yn lindysyn i un plentyn, cae i un arall a chuddliw i un arall. Mae potensial i ddillad gwisgo niwtral fod yn sawl peth pan ddefnyddir y dychymyg.	Gwisgoedd parod er enghraifft cymeriadau fel Spiderman. Wrth wisgo gwisg 'Spiderman' bydd plant yn dringo muriau o bosib, felly rhaid rhoi lle a rhyddid iddynt a pheidio rhoi stŵr am ymgorffori'r cymeriad ...ond mae dipyn o hwyl i'w gael o het Sam Tan!
Gwagle	Mae lle gwag heb gelfi yn rhyddhau dychymyg plant. Gall y gwagle fod yn unrhyw beth.	Gwagle gyda chelfi fel byrddau a chadeiriau. Un neu ddau gornel wedi eu gosod fel gofod penodedig, er enghraifft caffi neu gastell. Disgwylir i chwarae'r plant adlewyrchu'r amgylchedd.
Tu allan	Adnoddau rhad a rhai sydd wedi eu hailgylchu, er enghraifft cratiau llaeth, estyll pren, barilau a theiars. Rhydd rhain gyfleodd i newid a symud deunyddiau yn y ffyrdd y mae'r plant am eu defnyddio, er enghraifft plant yn creu cwrs rhwystrau gan ddefnyddio adnoddau naturiol/adnoddau parod. Bydd y cynnyrch yn eithaf gwahanol a bydd y plant wedi elwa o'r broses o greu, treialu, gwerthuso, gwella a bod yn greadigol.	Adnoddau parod er enghraifft llithren, siglen. Nid oes cyfle i lawer o newid.

Prif negeseuon y bennod

- Mae plant ifainc yn naturiol greadigol.
- Mae angen gofod ac amser, rhyddid a llonydd ar blant er mwyn i'w creadigrwydd naturiol ffynnu.
- Mae creadigrwydd yn ymwneud â phroses yn fwy na gyda chynnyrch ac mae creadigrwydd yn llawer mwy na chelf a chrefft.
- Yn Fframwaith y Cyfnod Sylfaen ceir ddehongliad cul o greadigol wrth gyfeirio at un maes Datblygiad Creadigol yn unig a hynny'n pwysleisio'r celfyddydau traddodiadol.
- Mae rôl oedolion yn hynod bwysig. Gall oedolion hybu neu gyfyngu ar greadigrwydd plant.

Pennod 6

Yr Awyr Agored: Fforest, Maes, Iard Goncrit

Pennod 6

Yr Awyr Agored: Fforest, Maes, Iard Goncrit

Angela Rees ac Eileen Merriman

Mae gan bob plentyn yr hawl i brofi a mwynhau'r hyn sy'n hanfodol ac arbennig am fod yn yr awyr agored. Mae plant ifainc yn llwyddo, a'u meddyliau a'u cyrff yn datblygu orau, pan fo ganddynt y rhyddid i fwynhau amgylcheddau awyr agored ysgogol er mwyn dysgu drwy chwarae a phrofiadau dilys.

All children have the right to experience and enjoy the essential and special nature of being outdoors. Young children thrive and their minds and bodies develop best when they have free access to stimulating outdoor environments for learning through play and real experiences.

(Learning Through Landscapes Cymru: www.ltl-cymru.org.uk. Mynediad Medi 2009)

Pwysigrwydd dysgu yn yr awyr agored

Yn 2004, lansiodd Llywodraeth Denmarc ei chynllun addysgol ar gyfer dysgu, yn cynnwys 6 thema, sef 'twf cyffredinol y plentyn, cymwyseddau cymdeithasol, iaith, y corff a symud, natur a ffenomenau naturiol, mynegiannau a gwerthoedd diwylliannol' – *'all-round growth of the child, social competences, language, body and movement, nature and natural phenomenon, cultural expressions and values'.* (Eskesen 2007) Mae hyn, yn ôl Eskesen, yn atgyfnerthu'r gred yn Nenmarc fod iechyd pawb yn elwa o dreulio amser yn yr awyr iach.

Bywyd llawn

Nodyn personol

Yn ystod taith astudio i Ddenmarc, ymwelwyd â sefydliadau plentyndod cynnar oedd â digonedd o leoedd yn yr awyr agored, gyda nifer ohonynt yn cadw anifeiliaid megis ieir a chwningod. Mewn un lleoliad, mae'r gath yn cyfarch pawb wrth iddynt gyrraedd yn y bore a'r plant yn bwydo crafion llysiau i'r afr a'r defaid allan yn yr ardd. Cefnogir yr amgylchedd cartrefol hwn gan oedolion sy'n gwrando'n ofalus ar blant, a phlant nad ydynt yn gorfod cystadlu am sylw. Mae'r oedolion yn chwilio am ddiddordebau'r plant trwy arsylwi arnynt yn fanwl ac yn ymestyn meddyliau'r plant trwy sgwrs a thrafodaeth. Mae'r oedolion yn caniatáu cryn dipyn o ryddid i'r plant a hwythau yn eu tro yn parchu hyn trwy gadw at reolau syml, megis peidio â mynd heibio'r goeden â'r marc coch arni yn yr ysgol goedwig tan fod oedolyn gyda nhw. Canlyniad yr ymagwedd hon yw plant cryf, iach, hapus, cadarn ac annibynnol.

Gall gweithgareddau yn yr awyr agored helpu plant i werthfawrogi harddwch ac amrywiaeth natur; dysgant sgiliau ymarferol all eu helpu drwy gydol gweddill eu bywydau – yn wir â nifer o'r plant rhagddynt i rannu eu gwybodaeth am natur gyda'u rhieni, a hynny yn ei dro yn creu diddordeb newydd y gall y teulu cyfan ei rannu.

> Datblygodd damcaniaeth bioffilia... sy'n awgrymu bod gennym berthynas reddfol â natur, ac sy'n canolbwyntio ar y cysylltiadau a geisiwn â gweddill bywyd.
>
> *The biophilia hypothesis developed...suggests that we have an innate affinity with nature and focuses on the connections we seek with the rest of life.*
>
> (O'Brien a Murray, 2007: 251)

Beth bynnag yw'r ardal naturiol, boed yn goedwig, un goeden neu'n ddarn bychan o borfa (neu hyd yn oed ogof fel y cafwyd ym 'Mhrosiect Antur Natur' Mortari a Zerbato (2007) yn ysgolion meithrin Verona, lle'r oedd gan y plant antur ddringo, gyda rhaffau), gellir ei ddefnyddio i annog y plant i archwilio a darganfod yn annibynnol.

> Mae'n well gan nifer o blant weithgareddau awyr agored, a chymerant ran mewn chwarae a gweithgareddau mwy archwiliadol eu natur pan fyddant mewn mannau naturiol, y gallant eu haddasu a'u newid i ateb eu gofynion eu hunain.
>
> *Many children prefer outdoor activities, and they engage in more explorative play and activities when in natural spaces that they can adapt and modify to meet their own needs.*
>
> (O'Brien a Murray, 2007: 250)

Yn ôl White (2009), mae'r awyr agored yn amgylchedd mwy democrataidd lle mae gan blant berthynas fwy cyfartal â staff, maent yn fwy siaradus, yn fwy parod i fynegi eu safbwyntiau ac yn teimlo'n fwy pwerus. Yn hyn o beth, mae'n faes pwysig i ddatblygu sgiliau iaith plant gan ei fod yn fan sy'n hybu cyfathrebu (*a communication friendly space*) (Jarman 2008). Mae'n fan lle bydd plant efallai'n teimlo'n fwy hyderus i leisio'u barn. Mae'r amgylchedd awyr agored hefyd yn caniatáu i'n synhwyrau fod yn llawer mwy effro nag mewn lle dan do difywyd a gall y symbyliad synhwyraidd hwn arwain at ysgogiad creadigol:

> Darganfu ymchwil yn America fod plant sy'n chwarae mewn amgylcheddau naturiol yn cymryd rhan mewn chwarae mwy creadigol, amrywiol a dychmygus...
>
> *Research in America has found that children who play in natural environments undertake more creative, diverse and imaginative play...*
>
> (Fjortoft, 2004 dyfynnwyd yn O'Brien a Murray, 2007: 250)

Hanes dysgu yn yr awyr agored

Mae rôl yr awyr agored ym mhrosesau dysgu'r plentyn ifanc wedi ei gydnabod yn y gorffennol gan athronwyr fel Froebel, McMillan, Isaacs ac eraill (Bailey *et al.*, 2007). Agorodd Froebel y *kindergarten* cyntaf, sef gardd i blant neu ardd o blant, ym 1837 lle gwelodd ryngweithiad y plant â natur yn hanfodol i'w datblygiad. Cafodd y plant erddi i ofalu amdanynt ac wrth wneud hyn byddent yn dysgu am dyfiant a hefyd yn datblygu cyfrifoldeb dros fyd natur ac o ganlyniad yn gweld eu lle ynddo (Brosterman, 1997; McMillan, 1930). Credai Froebel (Leibschner, 1992) bod plant yn dysgu orau trwy chwarae ac roedd hyn yn wir am yr amgylchedd tu mewn a thu allan. Nid oedd dysgu wedi ei rannu i wahanol adrannau ond roedd yn brofiad cyfannol (LICC, 2008; Bruce, 2004; Bilton, 2003). Gwelai Froebel werth i chwarae gemau, storïau a chwarae symbolaidd (Bruner, 1977, 1990) yn yr awyr agored. Yn ôl Frost:

> Natur ei hun oedd lleoedd chwarae Froebel yn yr awyr agored. Adeiladai'r plant gamlesi, argaeau, pontydd a melinau yn y nentydd; byddent yn meithrin gerddi a choed ffrwythau; gofalent am blanhigion a blodau, sylwent ar chwilod, ieir bach yr haf ac adar; archwilient hen waliau ac adfeilion cromgelloedd; a gofalent am anifeiliaid anwes. Darparwyd meysydd agored ar gyfer rhedeg, ymaflyd codwm, gemau pêl, a gemau rhyfel.
>
> *Froebel's outdoor playgrounds were nature itself. Children built canals, dams, bridges and mills in the streams; cultivated gardens and fruit trees; tended plants and flowers, observed beetles, butterfles and birds; explored old walls and ruined vaults; and cared for pets. Open areas were provided for running, wrestling, ball games, and games of war.*
>
> (Frost, 1992: 115)

Mae'n amlwg bod Froebel wedi deall angen greddfol plant i ymchwilio'r awyr agored a'r angen am ryddid i fedru gwneud hynny.

Roedd Margaret McMillan (1860–1921), un o sylfaenwyr addysg feithrin, yn wraig wleidyddol ei gweledigaeth ac roedd am ddarparu ar gyfer plant oedd yn byw mewn tlodi. Sylweddolai pa mor bwysig oedd yr amgylchedd awyr agored i iechyd a lles plant (Maxim, 1993; Puckett a Diffily, 1999; Bilton, 2003). Sefydlodd, gyda'i chwaer Rachel McMillan, Feithrinfa Awyr Agored yn Llundain yn 1917, *'gan ymwrthod â chynlluniau pensaernïaeth ysgolion y cyfnod. Cafwyd cynllun a oedd yn golygu bod drysau'r dosbarthiadau i gyd yn agor allan ar yr ardd'* (Siencyn, 2008;166). Ehanga Maxim (1993):

> Roedd un ochr yr adeilad yn agor allan i ardd neu le chwarae; anogwyd y plant i chwarae yn yr ardal awyr agored honno am y rhan fwyaf o'r dydd. Chwaraeent mewn gerddi perlysiau, llysiau neu flodau yn ogystal â lleoedd chwarae anhraddodiadol, megis pentyrrau o sbwriel yn

> cynnwys tomenni o ludw neu nytiau a bolltau. Gwelai McMillan werth i'r gweithgareddau hyn, nid yn unig fel gweithgareddau chwarae, ond hefyd oherwydd eu bod yn helpu plant i reoli eu cyhyrau a datblygu delweddau synhwyraidd (blas, cyffwrdd, arogli, clywed a gweld) yn ogystal â chaffael sgiliau deallusol sylfaenol.
>
> *The building had one side that opened into a garden or play area; children were encouraged to play in that outdoor area for most of the day. They romped in herb, vegetable, or flower gardens as well as in non-traditional play areas, such as junk piles containing mounds of ashes or nuts and bolts. McMillan valued these play activities but also because she saw them helping children to control their muscles and develop sensory images (taste, touch, smell, hearing and sight), as well as to acquire basic intellectual skills.*
>
> (Maxim, 1993: 38-39)

Yr enw ar y dosbarthiadau hyd heddiw yw 'lloches' a dyma sut y cyfeiriwyd atynt yn Ysgol McMillan yn Llundain. Yn ystod ein hymweliad ni â'r ysgol, gwelwyd y plant yn yr ardd fawr â feranda tu allan i bob dosbarth. Felly, roedd y plant yn medru bod allan yn yr awyr agored ym mhob tywydd fel maent yn dal i ymarfer heddiw.

Plant yn dysgu yn yr awyr agored

Mae angen ystyried 'sut' mae plant yn dysgu fel bod pob oedolyn yn dangos diddordeb yn y modd mae plant yn meddwl, ac yn gofyn cwestiynau dwfn megis 'sut oeddet ti'n meddwl wrth ddatrys y broblem honno?' Mae'n bosibl bod angen cymorth ar rai oedolion i ddysgu sut i gynnal y math hwn o ddeialog a thrafodaeth, sydd yn bwysig wrth gefnogi sgiliau meddwl a sgiliau datrys problemau plant. Nid yw llunio cwestiynau / gosodiadau penagored sy'n gwneud i blant ailfeddwl ac adfyfyrio yn dod yn hawdd i bob oedolyn, ond mae'n rhywbeth y gellir ei ymarfer.

Defnyddiodd Lev Vygotsky y term 'parth datblygiad procsimol' (*zone of proximal development*) i'n galluogi i sylweddoli y gall plant, gyda chefnogaeth briodol (naill ai gan oedolion neu gyfoedion) gyrraedd lefelau dysgu uwch nag y gallant ar hyn o bryd. Gellir anelu gweithgareddau strwythuredig yn yr awyr agored at barau neu grwpiau o blant – gyda thasg yn cael ei gosod sydd angen ei datrys trwy ddod i farn gytûn. Mae hyn yn fodd o hyrwyddo dysgu gan gyfoedion, gyda'r oedolyn yn gwneud cyfraniad ystyriol, pan, ac os, bydd angen. Yn yr un modd â'r syniad o gefnogaeth gan oedolyn yn Reggio Emilia, gellir tybio bod y cyfraniad hwn yn annog meddwl ar y cyd ac yn adfyfyriol, lle gellir gwneud sylw ar lafar allai wneud i'r plentyn ailfeddwl strategaeth nad yw, efallai ar hyn o bryd, yn llwyddo.

> Datblygiad y damcaniaethau lluniadaeth gymdeithasol hyn, mewn gwirionedd, yw sylfaen cryn dipyn o'r gwaith cwricwlwm sydd wedi digwydd mewn ysgolion dros y 50 mlynedd ddiwethaf gyda'r pwyslais ar ddysgu yn hytrach nag addysgu.
>
> *The development of these social constructivism theories are really the foundation of much of the curriculum work that has happened in schools over the last 50 years with the emphasis on learning rather than teaching.*
>
> (Bignold a Gayton, 2009: 36).

Felly, nid yr oedolion sy'n pennu'r wybodaeth sydd i'w dysgu ac nid ydynt ychwaith yn rhoi gwybodaeth ar blât i'r plant, yn hytrach maent yn caniatáu iddynt fynd trwy broses o hunanddarganfod sy'n hybu dealltwriaeth gysyniadol ddyfnach.

> Ymddengys fod y ddamcaniaeth ddysgu luniadaethol yn gweddu'n arbennig o dda i ymagwedd Ysgol Goedwig wrth i blant greu ystyr o'u profiadau uniongyrchol.
>
> *The constructivist theory of learning seems to be particularly suited to the Forest School approach as children make meaning from their direct experiences.*
>
> (O'Brien a Murray, 2007: 249)

Dadleua Piaget (1952) fod dysgu plentyn yn cynnwys rhyngweithiad y plentyn unigol â'i amgylchedd. Ychwanega bod y plentyn yn ffurfio rhagdybiaethau ac yna'n ceisio eu profi. Dywed Lindon bod Piaget yn 'parhau i ganfod plant fel gwyddonwyr unig' (*...persisted in viewing children as lone scientists*) (Lindon, 2001: 29). Yn ôl Piaget (1952) hefyd mae dysgu plentyn yn dibynnu ar ei gyfnod datblygiadol a honnodd fod pedwar cyfnod i ddatblygiad gwybyddol. Y ddau gyntaf sy'n berthnasol i'r blynyddoedd cynnar sef y synhwyraidd-gysylltiol (hyd at ddwy flwydd oed) lle mae plant yn dysgu trwy symud a'u synhwyrau, a'r cyfnod cynweithredol (2 i 7 mlwydd oed) lle datblygir y gallu i feddwl yn symbolaidd. Rhoddai Vygotsky (1986) fwy o bwyslais ar y cyd-destun cymdeithasol lle'r oedd plant yn ymchwilio a dysgu a chredai ef bod gan oedolion a chyfoedion mwy abl rôl hanfodol i gynorthwyo dysgu plant.

Gwelir pwyslais yn Fframwaith y Cyfnod Sylfaen (APADGOS, 2008a) ar ddefnyddio'r amgylchedd tu allan. Datblygwyd y pwyslais hwn yn y Cyfnod Sylfaen o'r ddogfen ymgynghorol Y Wlad sy'n Dysgu (LlCC, 2003). Yn y ddogfen hon nodwyd bod y Cynulliad wedi ymchwilio i arfer dda mewn gwledydd tramor a nodwyd bod pedagogeg a ystyrir yn arfer dda yng ngwledydd Sgandinafia, Seland Newydd ac yn ardal Reggio Emilia yng Ngogledd yr Eidal. Mae Waller *et al* (2005) yn cadarnhau bod yr amgylchedd tu allan yn rhan annatod o gwricwlwm gwledydd Sgandinafia.

Wrth ddefnyddio'r awyr agored ar gyfer dysgu yng Nghymru cynigir cyfleoedd nid yn unig i blant ddysgu trwy brofiadau ond hefyd trwy ddatrys problemau. Trwy eu rhyngweithiad â'r amgylchedd naturiol tu allan y daw plant i'w barchu ac i ofalu amdano. Gydag amser datblygir eu dealltwriaeth am gadwraeth a chynaliadwyedd sy'n '*ganolog i'w dyfodol*' (LlCC, 2003: 17). Nodir hefyd bwysigrwydd defnyddio deunydd naturiol fel tywod a chlai ond gellid cynnig cyfle i chwarae â thalpau mawr o glai go iawn fel yr arfer yn Reggio Emilia (Malaguzzi, 1996). Gellir cynnwys adnoddau fel mwd, cerrig, dail a mes sy'n adnoddau rhad ac am ddim yn yr amgylchedd naturiol. Maent yn dysgu drwy gyffwrdd ac yn datblygu eu synhwyrau ac yn '*datblygu gwybodaeth o'r gwahanol amgylcheddau sy'n y byd*' (LlCC, 2008f: 21).

Dadleua Bilton (2003) a Lasenby (1990) y dylid sicrhau bod mynediad i'r awyr agored ar gael yn rhydd ac yn rhwydd i blant, drwy'r dydd. Nid lle nawr ac yn y man ddylai'r awyr agored fod ac nid gweithgaredd wedi ei or-reoli gan oedolion ddylai chwarae awyr agored fod ychwaith. Dyma weld gwrthdaro, braidd, rhwng y cysyniad o hygyrchedd rhydd (*free access*) a'r ymarfer sy'n cael ei nodi yn yr astudiaeth achos (LlCC, 2008f: 40) gyda'i ganllawiau ar sut i reoli nifer y plant sydd tu allan. Ond, cydnabu hefyd:

> Os yw'r chwarae wedi'i strwythuro / gyfyngu yn y fath fodd fel na chaiff plant unrhyw gyfle i ddewis defnyddiau, cyfeillion, nac i ddatblygu eu syniadau eu hunain, byddant yn rhoi'r gorau i chwarae.
>
> (LlCC, 2008f: 43)

Profi'r tywydd go iawn

Mae'n dal yn gyffredin i weld darpariaeth blynyddoedd cynnar yn defnyddio siart tywydd gyda lluniau neu gartwnau o haul, cymylau, glaw ac yn y blaen a hwnnw wedi ei lamineiddio'n daclus.

Ystyriwch y gwahaniaeth rhwng profi tywydd go iawn, tu allan yn y gwynt, y glaw, y niwl, yr haul ac edrych ar luniau o dywydd. Mae'r cyfleoedd ar gyfer sgwrs yn llawer mwy cyfoethog, uniongyrchol, disgrifiadol tu allan gydag iaith yn cael ei dyfnhau.

Dosbarth oedran cymysg: plant 5–7 oed mewn ysgol fabanod:

Bachgen 6 oed bywiog yw Tomos oedd yn ei chael hi'n anodd canolbwyntio mewn gweithgareddau wrth ddesg yn y dosbarth. Tueddai darfu ar y disgyblion eraill, cystadlu yn eu herbyn am sylw, ac yn aml crwydrai i wahanol rannau o'r dosbarth gan ddangos rhwystredigaeth trwy strancio pan fyddai staff yn mynnu ei fod yn dychwelyd i'w sedd. Pan gymerodd yr ysgol ran mewn cyfres beilot o chwe sesiwn mewn ysgol goedwig, penderfynodd y staff a rhieni Tomos y byddai ef yn un o'r 15 o blant i fynychu.

Dangosai dipyn mwy o ddiddordeb mewn gweithgareddau yn yr awyr agored, lle'r oedd i'w weld yn hapusach, yn dawelach, ac yn barotach i helpu a chydweithredu. Roedd Tomos nawr eisiau cydweithredu gyda'i gyfoedion, gan ymddangos wedi'i gyffroi a'i ysgogi gan yr hyn a welai a'r gweithgareddau oedd ar gael. Wrth weithio ar brosiectau ar y cyd / yn ystod trafodaethau, gwrandawai ar safbwyntiau, syniadau ac awgrymiadau plant eraill gan ymateb iddynt. Roedd Tomos yn gefnogol, gwnaeth hyd yn oed ganmol plentyn arall ar ei lwyddiant, gyda Miss Evans yn cydnabod ei garedigrwydd a'i rinweddau fel ffrind da. Gwenodd Tomos.

Rhoddwyd amser iddo archwilio, amser i fyfyrio'n dawel wrth eistedd yn y 'ffau' a adeiladodd ef ei hun, heb yr holl fwrlwm a'r sŵn a geir mewn dosbarth gorlawn lle mae cymaint o bethau i dynnu sylw. Datblygodd perthynas wahanol rhwng y staff a Tomos – gan ei fod ef yn fwy hamddenol, roedden *nhw* hefyd yn gallu ymlacio mwy – ni theimlent fod angen iddynt gadw llygad arno drwy'r amser rhag ofn iddo anelu ergyd at rywun yn ei rwystredigaeth wrth ymaflyd am ddigon o le i chwarae. Gallai'r staff gymryd eu hamser i arsylwi ar ei ddiddordebau, ei sgiliau cymdeithasol, ei lefelau canolbwyntio, a'i sgiliau cyfathrebu. Dysgwyd cryn dipyn am Tomos: cafodd y staff gyfle i weld darlun mwy cyflawn ohono a sylwi fod ganddo lawer mwy o ddiddordeb mewn gweithgareddau dosbarth o ganlyniad i'r peilot hwn. Cynlluniwyd rhagor o weithgareddau Ysgol Goedwig yn y dyfodol.

Wrth i blant chwarae, maent yn aml yn cynllunio, yn trefnu a chyd-drafod ac o ganlyniad bydd geiriau'n llifo. Byddant yn defnyddio iaith i ddisgrifio a rhagfynegi, i drafod a chytuno neu anghytuno. Wrth i blant chwarae, mae cryn dipyn o iaith i'w chlywed a honno'n iaith amrywiol. Gallai eu hiaith ddatblygu ymhellach i gynnwys eitemau a ddefnyddir i wneud modelau, megis moch coed neu gonau pinwydd, dail derwen, cen, cwpanau mes a ddefnyddir fel rhannau o greaduriaid a grëir o wrthrychau hapgael. Trwy drin a thrafod eitemau go iawn, megis rhisgl garw, brigau llyfn, cerrig caled a mwsogl meddal, mae plant nid yn unig yn enwi'r eitemau ond hefyd yn darganfod yr amrywiaeth o weadau sydd i'w cael ym myd natur. Onid yw potensial hyn o ran dysgu yn well o lawer na theganau modern plastig? Ceir llu o siapiau a phosibiliadau mathemategol yn yr amgylchedd awyr agored a thrwy ddefnyddio defnyddiau naturiol.

Ysgol Llanbrynteg

Ysgol wledig, fechan yw Llanbrynteg yng nghanolbarth Cymru lle mae'r rhan fwyaf o'r plant yn hanu o'r ardal leol, gyda chenedlaethau o'u teuluoedd wedi'u magu yng nghefn gwlad. Roedd Katy, oedd yn bedair oed, wedi symud i'r ardal yn ddiweddar gyda'i theulu o Milton Keynes. Roedd ei chydbwysedd dros y tir anwastad ar gae'r ysgol yn ansicr iawn – cyn dod i Gymru dim ond ar balmentydd roedd hi wedi cerdded. Dywedodd Karen, y cynorthwyydd addysgu, iddi hi orfod ymdopi â'r un her ddwy flynedd yn ôl pan symudodd hithau o Gaerdydd. Bu'n cefnogi Katy trwy ganmol ei dyfalbarhad wrth geisio mynd i'r afael â rhywbeth heriol. Hefyd roedd angen hybu sgiliau echddygol manwl Katy – nodwyd nad oedd eto wedi penderfynu'n iawn pa un ai defnyddio ei llaw dde ynteu'i llaw chwith ar gyfer tasgau pensil gan ei bod yn newid o'r naill i'r llall yn barhaus. Trwy gynllunio tasgau echddygol manwl ymarferol eu natur yn yr awyr agored, megis gwehyddu gweoedd pry cop gyda gwifren, cryfhawyd y cyhyrau yn ei dwylo a fyddai maes o law yn cefnogi eu sgiliau pensil. Helpodd Karen hi i allu gwneud y dasg yn hyderus ac i lunio ei gwe ei hun gan ddatblygu, drwy hynny, ymdeimlad o orchest a chynyddu'i hunan-barch. Dechreuodd ddangos diddordeb yn y modd roedd plant hŷn yn dysgu sut i glymu clymau a gofynnodd a allai ymuno yn y dasg. Gyda chymorth a hyfforddiant Ieuan, gwnaethant gêm OXO allan o bren a roddodd ddifyrrwch diddiwedd iddynt a chyfle i ddefnyddio tactegau fyddai'n galluogi Katy i ennill yn achlysurol yn erbyn plentyn 6 oed.

Roedd ofn pob math o greaduriaid ar Katy, a byddai'n colli arni'i hun pan fyddai pryfyn yn glanio ar ei braich. Roedd Karen wedi dysgu na ddylid byth gymryd yn ganiataol y bydd dysgwyr yn teimlo'n gysurus neu'n dawel eu meddwl mewn amgylcheddau naturiol, oherwydd gallai fod ganddynt ofnau gwirioneddol. Nid oedd Karen yn or-hoff o wlithod a chorynnod ei hun ond gwyddai fod angen iddi helpu Katy i oresgyn yr ofn hwn felly aeth ati i chwilio am greaduriaid bach gyda Katy, gan eu gwylio o bell. Ar ôl deufis, sylwodd Karen y gallai Katy bellach archwilio gardd yr ysgol yn hyderus ar ei phen ei hun neu gyda'i ffrind. Roedd ei sgiliau corfforol wedi gwella ac nid oedd angen ei phwmp asthma arni mor aml. Sylwodd Karen hefyd ar gynnydd yng ngeirfa Gymraeg Katy gan ei bod bellach yn rhestru enwau creaduriaid yn Gymraeg.

Mudiad Ysgolion y Goedwig (YG)

Ffordd o ddefnyddio coetiroedd ar gyfer dysgu yw YG trwy ymweld â'r coetir yn rheolaidd dan arweiniad ymarferwyr YG cymwys. Gan fod y ffordd hon o ddysgu yn addas i bob oedran a phob gallu mae'n lle i ymlacio a rhyngweithio yn yr amgylchedd naturiol heb wahaniaethu rhwng plant. Rhydd hyn gyfleoedd i blant chwarae'n annibynnol a gellir gwneud hyn os yw'r plant yn teimlo'n ddiogel a chyfforddus. Ychwanega Gill (2007) ei bod hi'n anodd cysylltu â byd natur os nad yw'r profiadau yn rhan o blentyndod. Wrth ymweld ag YG gellir hybu dealltwriaeth a gwerthfawrogiad plant ac oedolion o'r byd naturiol.

> Mae rhyw hud ychwanegol unigryw yn perthyn i goed, a gallant greu mannau sy'n ysgogi'r dychymyg. Mae'r awyrgylch hwn yn hwyluso creadigedd ac yn rhyddhau'r plentyn i archwilio'n gorfforol ac yn feddyliol. Gall mordeithiau gael eu hwylio, storïau eu hadrodd a'r synhwyrau eu hysgogi mewn llawer o ffyrdd.
>
> *Trees have an additional magic of their own, and can create spaces which stimulate the imagination. This atmosphere enables creativity and frees the child to explore physically and mentally. Voyages can be travelled, stories spun, and the senses can be stimulated in many ways.*
>
> (Knight, 2009: 94)

Mewn ysgol goedwig, mae staff yn cynllunio tasgau'n ofalus fel y gall plant gyflawni pethau a theimlo eu bod yn gymwys a galluog. Mae hyn yn allweddol i ymdeimlad y plentyn o'r hunan a hunan-barch y plentyn. (Pollard a Filer 1996), Ymhellach, yn ôl Mygind (2001), mae ysgol goedwig yn meithrin calonnau iach trwy ymarfer aerobig. Yn ei astudiaeth ef, a gynhaliwyd yn Nenmarc, roedd y plant yn gwisgo mesurydd cyflymu (*accelerometer*) ar y glun, i gasglu gwybodaeth ynghylch eu symudiad wrth iddynt gymryd rhan mewn gweithgareddau ysgol goedwig. Gwelodd i'r cyfraddau ymarfer fwy na dyblu o'i gymharu â diwrnod ysgol arferol, yn cynnwys diwrnodau pan gafwyd dwy sesiwn o Addysg Gorfforol.

Ysgol y dolydd

Ceir cyfoeth o adnoddau naturiol yng nghefn gwlad Cymru y gellid eu defnyddio yn lle coetir a fyddai'n ysbrydoli'r un diddordeb mewn natur. Un o'r adnoddau hyn a anghofiwyd yw caeau. A yw'r gair 'cae' neu 'dôl' yn fwy dealladwy i blant ac yn fwy 'cartrefol' na'r gair 'safle' sy'n teimlo braidd yn ddiwydiannol? Hefyd gall y gair 'ysgol' mewn ysgol goedwig awgrymu man 'addysgu' a strwythurau oedolion yn hytrach na hwyl, dysgu a chwarae rhydd.

Creu lle chwarae mewn dôl

Mae Meithrinfa Ling-di-long yn ffodus iawn o fod wedi cael cynnig cae i'w addasu at ei defnydd ei hun. Cysylltwyd â BTCV Cymru a Chomisiwn Coedwigaeth Cymru am gymorth o ran darparu glasbrennau ac i gael gwirfoddolwyr i roi hyfforddiant ar sut i blannu'r coed a gosod llwybr (yn rhad ac am ddim). Bydd y plant yn helpu penderfynu ble i blannu coed ynn, cyll, deri a gwern (a ddewiswyd oherwydd bod y rhywogaethau yn gynhenid i Gymru) i ffurfio cysgod rhag y gwynt pan fyddant yn eistedd yn y cylch boncyffion, a hefyd ble i blannu'r gromen helyg i gael preifatrwydd.

Bwriedir darganfod enw traddodiadol y cae trwy edrych ar fap gwreiddiol fel cyswllt i'r Cwricwlwm Cymreig, gan egluro i'r plant fod gan bob cae yng Nghymru enw. Mae'r perthi, y llethrau a'r coed sydd wedi cwympo yn y cae yn cynnig cyfleoedd i greu 'ffau' neu chwarae gemau traddodiadol.

Un o'r gemau hynny yw chwarae cuddio, neu fersiwn yr ysgol goedwig o hynny sef '1,2,3 ble wyt ti?' gyda'r plant yn ateb '1, 2, 3 dyma fi'. Mae hyn yn caniatáu i'r staff cymorth ddod o hyd i'r anturiaethwyr bach sydd wedi crwydro o fewn cyfyngiadau'r safle, a hefyd yn rhoi modd i unigolion agored i niwed gyrraedd diogelwch, gan wybod i ba gyfeiriad i ddod o hyd i'w gweithwyr allweddol / y cylch boncyffion).

Bydd llethr naturiol mewn un rhan o'r cae yn datblygu sgiliau cydsymud a chydbwysedd plant; defnyddir y pant cysgodol, clyd ar waelod y llethr i adrodd storïau, gan ymgynnull o amgylch y goeden sydd wedi cwympo, allan o olwg gweddill y byd, gyda golygfeydd o'r afon a'r wlad o amgylch. Dylai hwn ddod yn fan llawn awyrgylch lle gall storïau ddod yn fyw.

Mae defnyddio'r ddôl yn gallu cynnig heriau'n ogystal, yn enwedig yr angen i goesau byrion ddysgu cerdded mewn glaswellt uchel. Er y byddwn yn creu rhai llwybrau, penderfynwyd cadw nifer o ardaloedd gwyllt, megis darnau o dir lle mae danadl er mwyn denu creaduriaid. Rôl yr oedolyn fydd addysgu'r plant i adnabod y planhigion hyn (trwy drafod eu golwg, eu henwau a'r effaith a gânt ar groen noeth). Bydd hyn yn galluogi'r plant i ddysgu parchu'r ffaith, er bod danadl, mieri ac ysgall yn gallu rhoi dolur, bod gwenyn, ieir bach yr haf, a chreaduriaid eraill yn cael eu denu at y planhigion hyn a bod eu hangen arnynt er mwyn cael bwyd. Felly er lles y creaduriaid hyn, bydd darn penodol o dir yn cael ei gadw. Dylai hysbysu plant o sut i ddiogelu fflora a ffawna fod yn rhan o rôl yr oedolyn wrth ystyried Addysg ar gyfer Datblygu Cynaliadwy a Dinasyddiaeth Fydeang. Trwy gynnal helfeydd am fwystfilod bach, gall plant ddysgu am hoff gynefinoedd creaduriaid, megis pentyrrau o bren / o dan risgl ar gyfer llyffantod a chwilod, a thrwy hynny ddysgu parchu'r amgylchedd i ddiogelu'r anheddau hyn. Ychydig iawn o bobl fydd yn ddigon ffodus o gael cae i'w ddefnyddio, felly beth ellir ei gyflawni mewn meysydd awyr agored mwy nodweddiadol sy'n gysylltiedig â lleoliadau Cyfnod Sylfaen?

Cylch meithrin Maes-y-dref

Dim porfa, dim cae, dim coeden...

Nid oes gan gylch meithrin Maes-y-Dref unrhyw faes glaswelltog na choed ond mae ganddynt berth a darn bychan o darmac ynghyd â pharc gerllaw. Pan sylweddolwyd am y tro cyntaf fod angen iddynt ddarparu rhagor o gyfleoedd yn yr awyr agored i'r plant, dyma nhw'n gwahodd y rhieni i weithdy i egluro eu hamcanion. Cefnogwyd y rhieni i ddeall pam bod y plant yn treulio mwy o amser yn yr awyr agored: y potensial ar gyfer dysgu; y manteision iechyd, megis sut y gallai systemau imiwnedd y plant wella; y rhagofalon iechyd a diogelwch y byddent yn eu cymryd a'r ystyriaethau ymarferol megis yr angen am ddillad tywydd gwlyb. Sylweddolodd y staff mai ychydig iawn o adnoddau ychwanegol oedd eu hangen, yn hytrach defnyddiwyd adnoddau'n fyrfyfyr, megis blychau powdwr golchi mawr fel blociau adeiladu, a hambyrddau plastig adeiladwyr ar y tarmac i ddal pridd. Defnyddiwyd darnau o bren i wneud marciau yn y pridd sych, a gymysgwyd yn annibynnol wedyn â dŵr i wneud paent mwd.

Roedd y plant wrth eu bodd yn paentio'r tarmac, gan sylwi wrth i'r pridd sychu ei fod yn newid lliw, gyda hyn yn fodd o ysgogi llawer o iaith achlysurol. Crëwyd lloches rhag y glaw gan ddefnyddio tarpolin (a ddefnyddiwyd hefyd fel cysgod ar ddiwrnodau heulog) trwy ei glymu i'r berth ar un ochr a'r adeilad ar y llall.

Casglwyd rhaffau a defnyddiau penagored eraill a'u storio mewn trolïau ag olwynion fel y gellid mynd â nhw i'r parc yn ôl yr angen. Wrth gerdded i'r parc, byddent yn enwi'r blodau gwyllt a'r pryfed a welent ar y ffordd. Yn y parc, defnyddiai'r plant yr hyn y byddent yn ei ddarganfod yno ar gyfer eu chwarae dychmygus: daethai mwsogl, cerrig, brigau yn eitemau mewn siop ddychmygol, a moch y coed/conau pinwydd yn arian. Ffurfiwyd lluniau, er enghraifft o gartrefi'r plant, ar y ddaear gan ddefnyddio brigau. Golygai hyn dipyn o drafodaeth fathemategol yn ymwneud â hyd, siapiau a rhifo mewn cyd-destun ystyrlon oedd yn hawdd i'r plant ei ddeall.

Iechyd a diogelwch: rheoli risg, annog rhieni, dillad...

Pan ddaw plant wyneb yn wyneb â heriau, hyrwyddir datblygiad holistig wrth iddynt greu strategaethau i ddatrys problemau, tra gall diffyg her arwain at raglen addysg ddi-fflach allai arwain at blant digymhelliad. Pan fydd strategaethau plant yn methu mae ganddynt gyfle i ddysgu oddi wrth eu camgymeriadau – maent wedyn yn ailfeddwl ffyrdd o wneud pethau er mwyn gwella. Y nod yw hybu her tra'n *lleihau gymaint â phosibl* ar y risg (ni ellir byth ei ddileu'n llwyr) – dylai oedolion ragweld unrhyw niwed posibl, gan greu strategaethau i alluogi'r plant i sylweddoli peryglon posibl, a'u galluogi i feddwl am ddulliau o gadw'u hunain ac eraill yn ddiogel. 'Mae creu'r amgylchedd priodol (darpariaeth barhaus) yn hanfodol i ganiatáu cyfleoedd i blant archwilio, atgyfnerthu a chymryd risgiau' (LlCC, 2009c: 38). Mae angen sefyllfaoedd heriol ar blant i allu dysgu – mae angen iddynt allu darganfod drostyn nhw'u hunain sut i asesu beth sy'n weithgaredd peryglus. Mae'r angen am chwarae heriol yn cael ei ystyried nawr ar gyfer plant ifainc ym mhob math o leoliadau blynyddoedd cynnar. Gwelir, er enghraifft, fwriad Llywodraeth y Cynulliad yn i diwygio'r rheoliadau ar gyfer gwarchodwyr plant a gofal dydd fel bod gofyniad i asesu risgiau yn hytrach nag osgoi pob math o risg. (LlCC, 2006: 14).

Dylai'r newidiadau uchod roi hyder i oedolion allu darparu'r her angenrheidiol.

Ystyriwch

Yn dilyn cyflwyno'r Cyfnod Sylfaen, a ddylai lleoliadau ailystyried cynlluniau cynnal a chadw'u tir? Er enghraifft, a ddylai ysgolion ystyried cysylltu ag awdurdodau lleol i ofyn ar i rai meysydd glaswelltog gael eu gadael i dyfu'n hirach a rhai darnau i gael eu cadw fel cynefinoedd pryfed?

Wrth ddysgu ffyrdd o barchu natur, mae hyn yn helpu plant i sylweddoli ei bod yn rhaid osgoi unrhyw eitemau allai eu niweidio. Tynnir eu sylw at y pigynnau miniog ar fieri, at y ffaith y gall rhai creaduriaid hefyd eu niweidio, megis gwenyn a chacwn, ac felly na ddylid eu cyffwrdd na'u tarfu. Dysga plant na ddylent roi unrhyw beth yn eu cegau – bod rhai pethau'n wenwynig megis caws llyffant ac aeron, ac felly gall adnabod y pethau hyn osgoi salwch. Mae'n ddigon posibl y byddant yn cofio'r wybodaeth hon weddill eu hoes. Tra bod angen set o reolau sylfaenol, mae hefyd yn hanfodol osgoi gor-greu rheolau. Mae hefyd yn fuddiol i blant gael dylanwad wrth greu'r rheolau – pan fydd plant yn cyfrannu at wneud y rheolau eu hunain, maent yn eu deall yn well ac yn eu parchu'n fwy.

Dillad addas

Ystyriwch bwysigrwydd dillad addas – i oedolion ac i blant – ar gyfer anturio a chwarae yn yr awyr agored. Pa mor addas, erbyn heddiw, yw'r sgertiau bach pletiog a throwsus gwlanen llwyd traddodiadol? Beth yw'r wisg fwyaf priodol i oedolion?

Cyfleoedd i arsylwi: gwylio a gwrando ar blant

Mae oedolion yn cynorthwyo plant trwy ofyn cwestiynau penagored, trwy eu hannog i ddatrys eu problemau eu hunain, trwy ganiatáu iddynt ddilyn eu diddordebau'u hunain i ddyfnhau'u dysg. Mae dull Ysgolion Coedwig hefyd yn annog yr agweddau meddwl hyn ac yn canolbwyntio ar gael y 'plentyn cyfan' i ddatblygu'n gyfannol ochr yn ochr ag oedolion parchus. Mewn lleoliadau Cyfnod Sylfaen, dylai arsylwi fod yn rhan fawr o rôl yr oedolyn, gan gofio bod angen nodi cyraeddiadau yn yr *awyr agored* yn ogystal â'r tu mewn.

> ...bydd ymarferydd adfyfyriol yn cymryd amser i sylwi beth mae'r plant yn ei wneud, lle maent yn teimlo'n fwyaf cartrefol a sut y maent yn defnyddio'r ardal o fewn yr amgylchedd dysgu, y tu mewn a'r tu allan.
>
> (LlCC, 2009a: 12)

Gall plentyn sydd fel arfer yn swnllyd fynd i'w gragen mewn lleoliad anghyfarwydd. Gall plentyn nad yw'n dangos unrhyw ddiddordeb ddod yn fyw i gyd o weld yr holl amrywiaeth a geir mewn coetir. Ar y llaw arall, os sylwir bod yna wrthdaro, mae'n ddyletswydd ar yr oedolyn i gamu i mewn yn gyflym i atal sylwadau angharedig neu deimlad o fethiant rhag effeithio ar hunan-barch yr unigolion dan sylw. Efallai y sylwir bod plentyn yn gyson feirniadol o eraill, ac os felly, mae angen datblygu strategaethau i oresgyn hyn – fel arfer trwy weithio mewn partneriaeth gyda'r rhieni. Mae'r dull llai strwythuredig a'r gymhareb uwch o oedolion i blant a geir yn y Cyfnod Sylfaen yn rhoi mwy o gyfle i gefnogi anghenion plant.

Daw dysgu o'r tu mewn, o gymhelliad cynhenid, yn hytrach nag yn sgil cyfarwyddyd allanol gan oedolyn. Caiff hyn ei ddisgrifio gan Mortari a Zerbato mewn perthynas â gweithgareddau awyr agored fel 'addysg fyw: addysg sy'n mabwysiadu natur yn werslyfr' (2008, 110). Mae staff ymatebol yn effro i'r dysgu digymell gan blant – y byddai Mortari a Zerbato yn ei alw'n '*croesawu'r annisgwyl*'. Os tynnir eu sylw oddi ar y dasg a gynlluniwyd ganddynt o flaen llaw at rywbeth cyffrous a welir yn yr amgylchedd, yna bydd yr oedolion yn cymryd mantais o'r cymhelliad hwn i ddysgu, gan ddangos i'r plant bod yr hyn a ddywedant ac a wnânt yn wirioneddol bwysig – ac yn eu tro, eu bod nhw'n wirioneddol bwysig – eu bod yn cael eu gwerthfawrogi. '...gall y modd y mae athrawon yn rhyngweithio â phlant ddylanwadu ar y modd mae plant yn gweld eu hunain, gan effeithio felly ar eu hunaniaeth eu hunain' (Pollard a Filer, 1996 dyfynnwyd yn Dunlop a Fabian, 2007: 48).

Mae plant fel arfer yn parchu'r sylw hwn, gan ddangos eu bod yn gwerthfawrogi'r ffaith fod yr oedolyn yn trin a thrafod yr hyn y mae ganddynt ddiddordeb ynddo, ac yn gwrando pan fyddant eisiau siarad. Trwy fodelu'r ymddygiad priodol hwn, gobeithir maes o law y bydd y plentyn yn arddangos yr un diddordeb, yr un parch a'r un sylw at bobl eraill felly gallai hyn wella deallusrwydd emosiynol.

Bu Damhorst (2001) yn archwilio sut y caiff teimlad o'r 'hunan' a 'hunaniaeth' ei lunio. 'Y cynsail cyntaf yw bod yr hunan yn cael ei ddiffinio trwy ryngweithiadau ag eraill' (*The first premise is that the self is defined through interactions with others*) (Damhorst, dyfynnir yn Dunlop a Fabian 2007: 48). Os archwiliwn y dyfyniad hwn mewn perthynas â threulio amser yn yr awyr agored yn y Cyfnod Sylfaen, mae'r oedolion mewn sefyllfa bwerus i allu llunio deallusrwydd emosiynol a hunan-barch uchel ymhlith y plant dan eu gofal. Trwy weithgareddau mewn grwpiau bach a mawr neu mewn parau mae'n bosibl arsylwi sut mae plant yn ymwneud â'i gilydd – ydyn nhw'n gefnogol; ydyn nhw'n cydnabod pan fydd un o'u cyfoedion wedi llunio ateb defnyddiol i broblem?; ydyn nhw'n hapus i weithio yn y parau a bennwyd ynteu a oes gwrthdaro o ran personoliaeth?; ydyn nhw'n feirniadol o ymdrechion un o'u cyfoedion i wneud model neu adeiladu cysgod?

Mae potensial aruthrol i *oedolion* ddysgu yma'n ogystal o ganlyniad i dreulio amser yn yr awyr agored; wrth i'r oedolion weithredu fel 'cyfeillion dysgu' i'r plant, byddant heb os yn cael eu holi ynghylch enwau fflora a ffawna sy'n anghyfarwydd iddynt, felly bydd angen iddynt fynd ati i ddarganfod yr ateb *gyda'r* plentyn trwy'r rhyngrwyd neu werslyfrau.

Mae nifer o leoliadau wedi manteisio ar ymweliadau â choetiroedd lleol a gynigir gan dîm Coetiroedd ar gyfer Dysgu Comisiwn Coedwigaeth Cymru, lle cynigir ymweliad diwrnod cyfan yn rhad ac am ddim i leoliadau addysgol yng Nghymru, gyda'r holl weithgareddau wedi'u hasesu ar gyfer risg a defnyddiau ar gael cyn ac ar ôl yr ymweliad (**www.forestry.gov.uk/wales).** Gallai hyn fod yn gymorth cychwynnol, ar ffurf hybu hyder staff sy'n newydd i'r math hwn o weithgarwch, gan fod yn symbyliad o bosibl i gynnal rhagor o ymweliadau ag ardaloedd naturiol yn y dyfodol.

I gloi, mae'r potensial i ddysgu yn sgil galluogi plant i gael digonedd o amser mewn ardaloedd naturiol, lle gallant ddilyn eu diddordebau, yn aruthrol. Nid oes raid i'r ardaloedd naturiol hyn fod yn rhai eang oherwydd gellir profi cryn dipyn mewn darn bychan o dir neu drwy ymweliad â pharc. Da o beth fyddai cymryd gofal wrth ystyried beth i'w ddarparu ar gyfer plant mewn llecyn awyr agored sy'n gysylltiedig â lleoliad i blant ifanc. Argymhellir osgoi gor-strwythuro ardal ag offer sefydlog, parhaol; yn hytrach gall y defnydd o adnoddau symudol, byrfyfyr arwain at gyfleoedd dysgu cynyddol a gofod amlbwrpas y gellir ei addasu ar gyfer prosiectau chwarae rôl newydd a gemau corfforol ar raddfa fawr. Mae hyn yn cydweddu'n dda â gofynion cynllunio'r Cyfnod Sylfaen i ystyried ffyrdd o gyfoethogi'r amgylchedd i wella symbyliad plant a chynyddu'u cymhelliad i ddysgu. Un nod allweddol i lwyddiant yw agweddau cadarnhaol, brwdfrydig tuag at yr awyr agored gan yr holl oedolion sy'n gysylltiedig â'r plant. Dylai hyn gefnogi hamdden a mwynhad y plant; gan roi cyfleoedd i brofi parchedig ofn a rhyfeddod, megis at harddwch natur, gan wneud dysgu'n broses hwyliog a naturiol.

Prif negeseuon y bennod

- Mae chwarae yn yr awyr agored yn rhan allweddol o gwricwlwm y Cyfnod Sylfaen ac wedi'i wreiddio mewn egwyddorion arfer da.
- Arweinia profiadau plant yn yr awyr agored at gyfleoedd i ddyfnhau dysg ac iaith.
- Mae llawer mwy i ddysgu yn yr awyr agored na beiciau a thywydd braf!
- Bydd angen i nifer o leoliadau fod yn ddychmygus a dyfeisgar i sicrhau dysgu o ansawdd da yn yr awyr agored i blant.

Pennod 7

Arsylwi ac adfyfyrio: oedolion a phlant yn dogfennu dysgu

Pennod 7

Arsylwi ac adfyfyrio: oedolion a phlant yn dogfennu dysgu

Sally Thomas ac Anne Loughran

Cyflwyniad

Drwy'r Cyfnod Sylfaen ceir cyfleoedd i ddatblygu ffyrdd newydd o edrych ar ddysgu ac o gofnodi cynnydd y plentyn neu hanes y dysgu gan y plentyn. Dysgu drwy brofiad yw canolbwynt ac egwyddor greiddiol y Cyfnod Sylfaen, hynny yw, dysgu drwy wneud, ac felly ni fydd plant bellach yn darparu tystiolaeth o'u dysgu mewn llyfrau ysgrifennu neu drwy, er enghraifft, daflenni gwaith. Fodd bynnag, nid yw hyn yn golygu na all plant gofnodi'u cynnydd, ac nid yw'n golygu chwaith na ellir cofnodi'u cynnydd mewn ffyrdd eraill. Mae'r Cyfnod Sylfaen yn gosod y cyfrifoldeb am ddarparu tystiolaeth o ddysgu gan blant ar yr oedolion, gan amlygu pwysigrwydd arsylwi yn y broses hon.

Tuedd yr arfer cyfredol gyda'r blynyddoedd cynnar yw gweld y plentyn fel rhywun pwerus a hyfedrus yn hytrach na'r cysyniad mwy traddodiadol o'r gydberthynas anghyfartal rhwng yr oedolyn a'r plentyn, lle mae'r oedolyn yn bwerus ac yn meddu ar wybodaeth a'r plentyn yn rhywun sydd angen ei addysgu. Fel y pwysleisiai Malaguzzi 'rhaid inni roi cydnabyddiaeth aruthrol i'r potensial a'r pŵer sydd gan blant' ('*we must give enormous credit to the potential and the power that children possess*') (Malaguzzi dyfynnwyd yn Rinaldi, 2006: 55). Gwelir y plentyn fel rhywun a chanddo hawl i ddylanwadu ar ei ddysgu ei hun, a'r gallu i wneud dewisiadau a phenderfyniadau am yr hyn y mae'n ei wneud a'r amser a gymer hynny iddo. Mae'r farn hon yn cyd-fynd â Chonfensiwn y Cenhedloedd Unedig ar Hawliau'r Plentyn, sy'n sail i holl bolisïau Llywodraeth Cynulliad Cymru ar blant, ac Erthygl 12 y Confensiwn yn benodol, sy'n canolbwyntio ar hawl plant i'w lleisiau gael eu clywed a'u barn gael ei pharchu.

Mae dogfen y Cyfnod Sylfaen *Addysgeg Dysgu ac Addysgu* yn pwysleisio pa mor bwysig yw cydberthnasau i ddysgu, cydberthnasau â chyfoedion ac oedolion, er mwyn hyrwyddo 'awydd cadarnhaol i ddysgu' ac mae'r plentyn yn ganolog i hyn.

> Ystyrir bod grymuso yn gysyniad canolog fel bod plant mewn sefyllfa well i reoli eu bywydau yn well er mwyn gwella eu hunanhyder, medrusrwydd a hunan-barch.
>
> (APADGOS, 2008b: 5)

Darpara'r Cyfnod Sylfaen hefyd y cyfle i feddwl am ddysgu fel partneriaeth go iawn rhwng y plentyn a'r oedolion, gyda'r naill a'r llall yn ddysgwyr ac yn addysgwyr. Mae hyn yn cyd-fynd â syniadau Reggio Emilia y bu Malaguzzi yn arloesi, sef dull sy'n gweld dysgu gan blant ifainc fel proses ddwyffordd. Yn ei ddealltwriaeth o addysgeg Reggio Emilia, esbonia Moss y broses ddysgu fel 'gwybodaeth (a) lunnir ar y cyd, mewn cydberthynas ag eraill, plant ac oedolion ill dau, ac yn y broses hon mae gwrando'n hanfodol – gwrando ar eraill a gwrando arnom ein hunain' ('knowledge (that) is co-constructed, in relationship with others, both children and adults, and in this process listening is critical – listening both to others and ourselves') (Moss, 2001: 128).

Pam cofnodi dysgu?

Cyn rhoi ystyriaeth i beth yw cofnodi neu sut i'w wneud, rhaid ystyried pam y dylid cofnodi dysgu gan blant neu ei asesu hyd yn oed. Mae cyfrifoldeb gan oedolion sy'n gweithio gyda phlant ifainc dros yr amgylchedd dysgu a'r cyfleoedd a gyflwynant i'r plant. Bydd arolygiadau a gynhelir gan Estyn (Swyddfa Arolygiaeth ei Mawrhydi dros Addysg a Hyfforddiant yng Nghymru) yn gofyn am dystiolaeth o sut y trefnir a rheolir lleoliad a sut y gweithredir y cwricwlwm, yn ogystal â pha mor llwyddiannus yw'r lleoliad wrth hyrwyddo dysgu gan blant. Felly mae gofyniad deddfwriaethol i gadw cofnodion o sut y dehonglir ac y cyflwynir y cwricwlwm yn ogystal â thystiolaeth o gynnydd y plant.

> Gellid dadlau mai atodol yw gofynion Estyn i anghenion a hawliau'r plentyn i gael mynediad i *'gwricwlwm eang, cytbwys, perthnasol a gwahaniaethol sy'n diwallu ei anghenion datblygiadol'* (APADGOS, 2008a: 5). Er mwyn darparu gweithgareddau sy'n briodol yn ddatblygiadol, mae angen i'r oedolyn feddu ar adnabyddiaeth drylwyr o'r plentyn – o alluoedd, diddordebau, arddulliau dysgu ac anghenion y plentyn.

Yn y rhagarweiniad, dywedir yn y *Fframwaith ar gyfer Dysgu Plant 3 i 7 oed yng Nghymru*:

> Mae'r Cyfnod Sylfaen yn cwmpasu anghenion datblygiadol plant. Wrth wraidd fframwaith y cwricwlwm statudol y mae datblygiad cyfannol plant a'u sgiliau ar draws y cwricwlwm, gan adeiladu ar eu profiadau dysgu, gwybodaeth a sgiliau blaenorol.
>
> (APADGOS, 2008a: 4)

Felly mae angen i'r oedolion sy'n darparu'r amgylchedd dysgu ddeall beth y gall plant ei wneud, eu gwybodaeth a'u sgiliau, er mwyn hwyluso dysgu gan blant drwy ddarparu gweithgareddau, cymhorthion ac ymyriadau sy'n briodol yn ddatblygiadol. Er mwyn gwneud hyn yn effeithiol mae angen i'r oedolyn feddu ar ddealltwriaeth drylwyr o ddatblygiad plant a gwybodaeth fanwl o sut mae plant ifainc yn dysgu. Ar ddatblygiad cyfannol y plentyn mae'r pwyslais, ac mae hyn yn cynnwys lles y plentyn, ei ddelwedd o'i hun a theimladau o hunan-barch.

> Oherwydd yr amrywiaeth o wahaniaethau unigol mewn datblygiad mae'n bwysig bod arsylwi'n llywio gwaith cynllunio er mwyn diwallu anghenion pob plentyn yn briodol. Bydd ymarferwyr sylwgar yn sensitif i unrhyw anawsterau corfforol, synhwyraidd, emosiynol, cymdeithasol neu wybyddol sy'n awgrymu y gallai fod gan blentyn anghenion ychwanegol y gall fod angen cymorth arbennig ar eu cyfer.
>
> (APADGOS, 2008e: 11)

Mae hyn yn cyflwyno arwyddocâd arsylwi wrth gefnogi dysgu gan blant ifainc, yn ogystal â'i bwysigrwydd wrth ddarparu cwricwlwm a phrofiadau sy'n briodol i'r holl blant. Felly gellir ystyried bod cofnodi'r arsylwadau hyn yn rhywbeth sydd â rôl o ran cefnogi ac ymestyn dysgu gan blant. Mae hwn yn newid o'r syniad o asesu crynodol ac ysgrifennu adroddiadau: cofnodi i'r dyfodol yn hytrach na chofnodi'r gorffennol. Diben a gwerth arsylwi yw i'r broses ddarparu golwg ar y plentyn nawr, golwg ar alluoedd a diddordebau cyfredol y plentyn er mwyn gallu diwallu anghenion ar unwaith, a hwyluso cynnydd yn y dysgu, drwy ymyrryd yn briodol a darparu cyfarpar, gweithgareddau, lle ffisegol, iaith, cefnogaeth ac ati. Fel y nodir yng nghyfarwyddyd y Cyfnod Sylfaen ar arsylwi:

> Mae'n hanfodol bod gan ymarferwyr sy'n gweithio gyda phlant ddealltwriaeth o ddatblygiad plant ac anghenion plant. Drwy arsylwi ar blant yn ofalus er mwyn nodi eu cynnydd, y rhan y maen nhw'n ei chwarae a'u mwynhad, yn ogystal â chanolbwyntio ar gyrraedd canlyniadau sydd wedi'u pennu ymlaen llaw, dylai'r ymarferwyr allu cynllunio cwricwlwm mwy priodol sy'n ategu datblygiad plant yn ôl anghenion yr unigolyn.
>
> (APADGOS, 2008c: 4)

Hefyd yn y *Fframwaith ar gyfer Dysgu Plant* nodir gofynion ar gyfer asesiadau athrawon yn ystod ac wrth drosglwyddo o'r Cyfnod Sylfaen:

> Mae'r asesiadau athrawon yn ymdrin â holl ystod a chwmpas continwwm dysgu'r Cyfnod Sylfaen. Dylai'r asesiad hwnnw roi ystyriaeth i dystiolaeth o gyrhaeddiad… a ddaeth i law wrth drafod ac arsylwi trwy gydol y Cyfnod Sylfaen. Ar ddiwedd y Cyfnod Sylfaen, mae'n rhaid i athrawon asesu'r deilliannau y mae pob plentyn wedi'u cyflawni yn y meysydd isod ac adrodd arnynt mewn asesiadau athrawon:
>
> - Datblygiad Personol a Chymdeithasol, Lles ac Amrywiaeth Ddiwylliannol
> - Sgiliau Iaith, Llythrennedd a Chyfathrebu yn y Gymraeg neu'r Saesneg
> - Datblygiad Mathemategol.
>
> (APADGOS, 2008a: 43)

Dangosir gwerth cofnodi dysgu yng ngwaith Katz a Chard (1996). Yn ôl eu damcaniaeth hwythau, drwy gofnodi dysgu gan blant a'i wneud yn weladwy mae oedolion yn dangos eu bod yn cymryd gwaith y plant o ddifrif. Bydd hefyd yn annog rhieni i werthfawrogi addysg eu plentyn a chymryd rhan ynddi, bydd yn gymorth i gynllunio a gwerthuso gan yr athro, ac yn cyfoethogi'r dysgu gan y plant.

Felly mae pwrpas arsylwi a chofnodi yn amlochrog a gall fod yn gymhleth. Mae'n darparu tystiolaeth o ddealltwriaeth yr oedolion o'r plentyn ac o'u gallu i ymateb i anghenion y plentyn drwy ddarparu amgylchedd sy'n briodol ar gyfer dysgu ac sy'n ei feithrin. Hefyd gall arsylwi ddangos pa rwystrau i chwarae a dysgu sydd i'r plant – holl blant y lleoliad, grwpiau bach o blant, neu blant unigol – a gall cofnodi fanylu ar y camau a gymerwyd er mwyn goresgyn y rhwystrau hyn. Mae'r dull hwn yn gosod achos cryf o blaid lleihau cynllunio gweithgareddau ymlaen llaw gan ddisodli hwnnw â chynllunio'r amgylchedd, ymateb i angen a chynllunio ôl-weithredol. Bydd hyn yn caniatáu cofnodi'r dysgu sydd wedi digwydd yn hytrach na'r hyn y gobeithir a allai ddigwydd. Yn wir nodir yn *Addysgeg Dysgu ac Addysgu*:

> Dylai cynlluniau ysgrifenedig fod ar ffurf dogfennau gweithio **hyblyg**... dylid cael hyblygrwydd i fod yn ymatebol i ddiddordebau plant, y gweithgareddau y byddan nhw'n eu dewis, eu hanghenion o ran cymorth wrth i weithgareddau fynd rhagddyn nhw ac amser i'r plant barhau â gweithgareddau sydd heb eu gorffen.
>
> (APADGOS, 2008b: 16)

Dylai'r arsylwi a'r cofnodi hefyd ddynodi'r camau nesaf posibl y gellir darparu ar eu cyfer.

Beth ddylid ei gofnodi?

Unwaith y bydd swyddogaeth cofnodi wedi'i sefydlu'n eglur, mae angen ystyried beth ddylid ei gofnodi, yn ogystal â sut y bydd y dystiolaeth hon yn cael ei defnyddio, â phwy y bydd yn cael ei rhannu a sut y rhoddir mynediad i'r wybodaeth a'i chyflwyno.

Mae llawer o resymau dros gofnodi ac yn yr un modd gall y cofnodi fod ar lawer ffurf ac yn cael ei ddefnyddio at lawer diben. O feddwl amdano yn nhermau prawf neu ddyfarniad, gall defnyddio'r term 'asesu' fod yn rhwystr, ond o'i ddefnyddio yn ei ystyr ehangach o werthusiad neu adolygiad, gellir ei weld fel gweithred gadarnhaol er mwyn hysbysu a chyfoethogi dysgu.

Mae dysgu plant a'u chwarae yn brosesau cymhleth, ac felly mae penderfynu beth sy'n ddigon arwyddocaol i haeddu cael ei gofnodi hefyd yn heriol. Cynigiodd Drummond a Pollard (1993) fodel asesu â thair elfen: tystiolaeth, dyfarniad a deilliannau. Ond roeddynt hefyd yn hunanfeirniadol o ddefnyddio model sydd mor daclus a rhesymegol yng nghyswllt proses sydd mor gymhleth.

> Rwy'n defnyddio'r term [asesu] i ddisgrifio sut y byddwn, yn ein harfer pob dydd, yn arsylwi ar ddysgu gan blant, gan ymdrechu i'w ddeall ac wedyn ei roi at ddefnydd da.
>
> *I am using the term [assessment] to describe the ways in which, in our everyday practice, we observe children's learning, strive to understand it, and then put it to good use.*
>
> (Drummond a Pollard, 1993: 13)

Mae'n bwysig hefyd gosod model o'r fath yn ei gyd-destun hanesyddol; roedd y gwaith hwn yn cael ei wneud yn hinsawdd Deddf Diwygio Addysg 1988 a gyflwynodd y Cwricwlwm Cenedlaethol a thablau cynghrair perfformiad/ysgolion ac ati. Os oes deilliannau dysgu eglur, mae'r drafodaeth ynglŷn â beth sydd angen ei gofnodi'n fwy syml. Fodd bynnag nid yw hyn yn cwtogi ar y drafodaeth ar sut y bydd y dystiolaeth hon wedyn yn cael ei defnyddio.

Cydnabyddir gan y Cyfnod Sylfaen na ellir disgrifio dysgu gan blant yn nhermau syml a gall fod defnydd cyfyngedig i ddulliau cofnodi megis blychau ticio. Maent yn gallu bod yn offer amrwd i waith sydd mor gymhleth. Awgrymir ystod o ddulliau o gofnodi arsylwadau a thynnir sylw at yr angen i wneud y rhain yn ddefnyddiol ac nid *yn faich ar y staff* (APADGOS, 2008c:18). Mae'r dogfennau cyfarwyddyd yn annog defnyddio amrywiaeth o ddulliau addysgu ac yn cydnabod bod arddulliau neu ddewisiadau dysgu unigol gan blant. Efallai y collwyd cyfle yma i ddileu hefyd y syniad o ddeilliannau cronolegol syml y bydd pob plentyn yn mynd drwyddynt – er fod hynny ar gyflymder ac oedran amrywiol. Am fod y *Fframwaith ar gyfer Dysgu Plant* (APADGOS, 2008a: 43-57) yn nodi 6 lefel o ddeilliannau yn gronolegol ar gyfer pob maes dysgu, mae perygl mai'r datganiadau hyn fydd yr unig bethau a gofnodir ar gofnod cyrhaeddiad plentyn. Yn ychwanegol at hyn mae pryder bod y gofyniad i asesu a chofnodi cyrhaeddiad plant (wrth gwblhau'r Cyfnod Sylfaen) yn berthnasol i dri maes dysgu'n unig: Datblygiad Personol a Chymdeithasol, Lles ac Amrywiaeth Ddiwylliannol; Sgiliau Iaith, Llythrennedd a Chyfathrebu yn y Gymraeg neu'r Saesneg; a Datblygiad Mathemategol, ac y bydd hyn yn arwain at gwtogi pellach ar yr angen tybiedig i gofnodi cynnydd mewn meysydd eraill (APADGOS, 2008a: 43). Mae hyn yn gwrthdaro â'r cysyniad o natur gyfannol datblygiad plant a amlygir gan LlCC ei hun a chyflwyna'r syniad o hierarchaeth ymysg y meysydd dysgu.

Yn y *Fframwaith ar gyfer Dysgu Plant* nodir y '*dylai athrawon farnu pa ddisgrifiad sy'n cyd-fynd orau â pherfformiad y plentyn*' (APADGOS, 2008a: 43). Gellid ystyried y dull 'cyd-fynd orau' hwn fel rhywbeth cyfyngol, ac mae'n mynd yn erbyn ethos y Cyfnod Sylfaen o ddatblygiad yr unigolyn a phob plentyn yn cyrraedd ei botensial. Perygl arall wrth bennu deilliannau penodol yw'r dryswch y gall ei achosi ar draws Meysydd Dysgu. Gall problemau o ran nodi deilliant i blentyn ar lefel benodol godi hefyd pan na fydd sgiliau llafar a sgiliau echddygol manwl yn cyd-fynd. Dangosir hyn gan y disgrifwyr lefel i Sgiliau Iaith, Llythrennedd a Chyfathrebu. Mae'n bosib y bydd plentyn yn gallu 'ailadrodd storïau cyfarwydd' ond na fydd yn gallu 'dal offer ysgrifennu'n briodol… neu… dechrau ysgrifennu mewn modd confensiynol' (oll o fewn deilliant 3) (APADGOS, 2008a: 46).

Mae *Cyfnod Sylfaen Proffil Datblygiad Plentyn: Canllawiau* yn ail-bwysleisio'r angen i arsylwi ar blant yn fanwl ac yn aml, a phwysigrwydd deall a chydnabod y dysgu sy'n digwydd yn y cyfnod hwn o ddatblygu cyflym (APADGOS, 2009a: 2-5). Fodd bynnag, ar ôl cydnabod bod dysgu gan blant a'u datblygiad yn broses gymhleth ac unigol, yn y proffil troir datblygiad y plentyn (yn y tri maes a ddewisir) yn rhestr o gamau sy'n gysylltiedig ag oedran. Ymddengys fod hyn yn mynd yn erbyn llif ymchwil ac arfer cyfredol ym maes addysg blynyddoedd cynnar.

Dewisir iaith dogfennau'r Cyfnod Sylfaen yn ofalus ac mae pwyslais eglur ar ddarparu ystod o brofiadau a gynllunnir ar gyfer plant er mwyn hyrwyddo sgiliau, gwybodaeth a dealltwriaeth.

- Dylid rhoi cyfleoedd i blant…
- ...alluogi plant i wneud cynnydd o safbwynt eu gallu i...
- Dylid meithrin a hybu sgiliau (llafaredd) plant trwy gyfrwng profiadau synhwyraidd uniongyrchol.

(APADGOS, 2008a: 16-41)

Felly mae angen i'r hyn a gofnodir adlewyrchu amrywiaeth ac ystod **yr hyn** a ddarperir **a'r hyn** a ddysgir ond hefyd, yn arwyddocaol, **sut** y'i dysgir. Drwy arsylwi, gall oedolyn ennill dealltwriaeth o sut y bydd plentyn yn dysgu, ei hoff arddull ddysgu, sut mae'n hoffi gweithio a gyda phwy. Canolbwyntia adran sgiliau'r ddogfen Fframwaith (APADGOS, 2008a:16-41) nid ar gyrraedd safon neu lefel benodol ond ar y broses ddysgu ei hun, cynnydd y plentyn a'i allu i gyflawni'i botensial. Fodd bynnag, tanseilir hyn i raddau yn adran ddilynol y cyfarwyddyd sy'n manylu ar y deilliannau disgwyliedig (APADGOS, 2008a:43-57).

Pwnc Trafod

Meddyliwch am yr hyn rydych wedi'i ddysgu am ddysgu gan blant ifainc:

- A oes arddulliau dysgu gwahanol gan blant neu hoffter at ddysgu mewn dulliau penodol?
- A fydd pob plentyn yn cyflawni'r deilliannau dymunol a nodir yn y *Fframwaith ar gyfer Dysgu Plant* tudalennau 44-57 (APADGOS, 2008a)?
- A oes unrhyw un maes dysgu'n fwy pwysig na'r lleill, ac os felly, beth yw eich rhesymau dros gredu hyn?

Dulliau Cofnodi

Nid oes dull cywir neu anghywir o gofnodi, ac felly dyma gyfle (wrth gyflwyno'r Cyfnod Sylfaen) i ddatblygu dulliau newydd ac arloesol o gofnodi dysgu gan blant a'u cynnydd. Yn wir dyma gyfle i wneud hynny wrth ochr ac wrth ymgynghori â'r plant eu hunain.

Sut a beth i'w cofnodi?

Ystyriwch yr holl ddulliau o gofnodi dysgu gan blant rydych chi wedi'u gweld. Gwnewch nodiadau ar y rhestr hon gan fanylu ar y math o wybodaeth y maent yn ddefnyddiol ar ei chyfer, beth yw'r diffygion a sut y gellir gwneud y wybodaeth ynddynt yn fwy defnyddiol neu'n fwy buddiol, er enghraifft:

- Y plant yn gwneud marciau
- Recordiadau tapiau sain a fideo
- Nodiadau arsylwi ar ffurf naratif
- Rhestrau ticio
- Samplau amser a gweithgarwch

Mae adnabyddiaeth fanwl o blant unigol, eu hanghenion, eu galluoedd a'u potensial yn angenrheidiol os bwriedir darparu amgylcheddau a gweithgareddau dysgu priodol ar eu cyfer. Arsylwi yw'r allwedd i'r adnabyddiaeth a'r ddealltwriaeth hon. Mae cyd-destun yr arsylwi hefyd yn bwysig – ni ellir bob tro (neu fel arfer hyd yn oed) gynllunio arsylwi ar ddiwrnod ac amser penodol; o reidrwydd dylai'r broses arsylwi fod yn un barhaus ac mae angen i oedolion ddatblygu sgiliau gwylio a gwrando ar blant. Nid yw hyn yn golygu na fydd amser penodol yn cael ei neilltuo i arsylwi, nac ychwaith na fydd canolbwynt penodol yn ystod sesiwn arsylwi benodol. Rhaid i oedolion fod yn effro i anghenion y plentyn yn barhaus, gan weld cyfleoedd i ymestyn dysgu'r plentyn drwy ddarparu cymhorthion ychwanegol, gwybodaeth neu annog meddwl pellach drwy gwestiynu gofalus. Nid proses newydd mo'r broses hon o arsylwi ar blant yn fanwl; seiliai Montessori hithau ei dulliau, ei gweithgareddau a'i deunyddiau dysgu ar ddealltwriaeth o brosesau dysgu ynghyd â gwybod pryd i gyflwyno gweithgareddau a phrofiadau newydd pan fyddai'r plant yn barod.

Drwy symud i ffwrdd o addysgu ffurfiol, rhydd y Cyfnod Sylfaen amser i oedolion arsylwi. O'i wneud yn rheolaidd ac yn aml, daw arsylwi'n rhan naturiol o'r diwrnod ac ni ddylai dorri ar draws nac amharu ar chwarae'r plant na'u canolbwyntio. Yn wir wrth i ymarferwyr arsylwi'n fwy byddant yn ennill dealltwriaeth fwy trylwyr o'r plentyn a'i anghenion a byddant yn *meithrin y sgìl o wybod pryd i ymyrryd a phryd i beidio ag ymyrryd* (APADGOS, 2008c: 14).

Mae pwysigrwydd gwrando ar blant yn ogystal â'u gwylio yn hanfodol. Yn aml mae'r iaith a ddefnyddir gan blant yn allweddol i'w gallu i chwarae a thraethu a mewnoli'u dysgu. Mae gofyniad i oedolion sy'n gysylltiedig â'r Cyfnod Sylfaen annog plant i weithio ar lafar mewn mathemateg, i adfyfyrio ar eu gwaith eu hunain ac eraill ac i'w werthuso. Gall oedolion ddefnyddio'r trafodaethau hyn i ddarparu tystiolaeth o gynnydd plant, efallai trwy ddefnyddio tapiau sain, recordiadau digidol neu drawsgrifiadau. Fodd bynnag rhaid ystyried y materion moesegol sy'n gysylltiedig â chofnodi plant ifainc a mynd i'r afael â nhw.

Goblygiadau moesegol cofnodi

Mae materion moesegol pwysig yn gysylltiedig â pha wybodaeth y byddwn yn ei chofnodi am blant a sut. Er enghraifft, ni ellir rhagdybio ynghylch parodrwydd plant i gael eu hynganiadau a'u delweddau wedi'u cofnodi neu'u gwaith wedi'i archifo. Fel gydag unrhyw fath o ymchwil gyda phlant, dylent fod yn gyfranogwyr parod wrth gofnodi'u dysgu'u hunain. Yn wir dyma beth sy'n digwydd yn Reggio Emilia lle mae'r plant yn cyfranogi'n weithredol wrth gofnodi'u profiadau dysgu. Mewn gwirionedd gwaith plant sydd ar flaen yr hyn a gyflwynir. Defnyddir eu lluniau, eu synfyfyrion a'u sgyrsiau i gynhyrchu'r ddogfennaeth a rennir â'r gymuned ehangach. Gosodir gwerth mawr ar eu cyfraniadau a dangosir hyn drwy ddefnyddio'r arteffactau hyn mewn cyhoeddiadau. Gwelir enghreifftiau o gyhoeddiadau a gynhyrchwyd gan ddefnyddio gwaith plant yn y rhestr o ddarllen pellach.

Ystyriwch

Sut gall plant gymryd rhan wrth gofnodi'u dysgu'u hunain. Sut gall oedolion sicrhau eu bod wedi cael cydsyniad plant i gofnodi ac adrodd ar eu dysgu?

Rhaid ystyried hefyd y mater o bwy fydd yn cael mynediad i'r ddogfennaeth. Yn amlwg mae nifer o grwpiau sydd â diddordeb yn y gwaith, sef y plant eu hunain, a'r oedolion sy'n gweithio gyda nhw ac yn gofalu amdanynt – gan gynnwys rhieni, gofalwyr a hefyd, efallai, y gymuned ehangach. Adlewyrchir y cysyniad bod gan y gymuned gyfran yn y dysgu gan y plentyn yng nghwricwlwm Seland Newydd – *Te Whāriki* (Seland Newydd, Y Weinyddiaeth Addysg, 1996). Mae llinynnau dysgu gan y cwricwlwm sydd wedi datblygu yno: lles, perthyn, cyfathrebu, cyfrannu ac archwilio, a phwysleisir bod *y cwricwlwm yn ymwneud â chydberthnasau dwyffordd ac ymatebol â phobl, lleoedd a phethau* (Carr, 2001:ix). Awgryma Carr y bydd 'asesu sy'n cynnwys cynllunio ar gyfer cynnydd yn cydnabod na wyddwn bob amser gyfeiriad datblygiad a dysgu... Gall storïau a naratifau ddal munudau o'r datblygiad hwnnw sy'n dod i'r wyneb, ond bydd yn anodd rhagweld y cyfeiriad' (Carr, 2003).

Y Stori Ddysgu

Datblygodd Margaret Carr – un o sylfaenwyr Te Whāriki – ei syniadau am storïau dysgu (*learning stories*) o'r traddodiad naratif sy'n ddull ymchwil a seilir ar gyd-destun: a'r *pwy, beth, ble* yn arwain ymlaen at ddehongli'r *pam*. Mae stori ddysgu'n werthusiad o brofiadau plant, o'u siarad a'u gweithrediadau, eu rhyngweithio â phobl eraill, eu canolbwyntio a dyfalbarhad, eu natur. Naratif a ysgrifennir gan oedolion yw'r stori ddysgu, yn aml wedi'i hategu gan dystiolaeth a gynhyrchir yn ffotograffig neu drwy dechnolegau eraill, naratif sy'n disgrifio'r hyn mae'r oedolion yn gweld ac yn clywed y plant yn ei wneud. Bydd hyn yn arwain yr oedolion i drafod y dystiolaeth a gwneud penderfyniadau ynghylch sut i hyrwyddo dysgu pellach gan y plentyn. Wedyn gellir cyflwyno taith ddysgu'r plentyn, er enghraifft, mewn llyfr lloffion o luniau, darluniau, disgrifiadau ysgrifenedig a ysgrifennwyd gan ymarferwyr, athrawon, rhieni a'r plentyn. Erbyn heddiw mae'n gyffredin i stori ddysgu'r plentyn gael ei chyflwyno i'r teulu fel CD Rom – dathliad go iawn o ddysgu.

Hefyd mae materion diogelu data i'w hystyried, ble bydd cofnodion yn cael eu cadw a sut i fonitro mynediad iddynt. Er enghraifft, a fydd mynediad agored gan blant i'w gwaith a archifwyd ac, ar lefel fwy chwyldroadol efallai, a fydd mewnbwn ganddynt ynglŷn â beth sy'n cael ei gadw; pa luniau neu ffotograffau o'u gwaith a ddewisir a phwy all eu gweld?

Ystyriwch
Plant yn cofnodi dysgu
Pa gyfleoedd sydd i blant amlygu'u dysgu'u hunain? Hefyd ystyriwch pa anawsterau all godi o syniad mor radical.

Y Dull Mosaig

Mae llawer o ddulliau o gofnodi dysgu gan blant ac nid yw cyfarwyddyd y Cyfnod Sylfaen yn rhagnodol yn hyn o beth. Mae'r Dull Mosaig yn enghraifft o fodel cyfranogol o ymchwil a chofnodi. Mae'r dull hwn yn fframwaith ar gyfer gwrando ar blant a ddatblygwyd gan Clark a Moss (2001) mewn ymgais i gynnwys llais y plentyn mewn ymchwil gyda phlant ifainc. Un o'r nodau oedd y dylai feddu ar 'y potensial i gael ei ddefnyddio fel offeryn gwerthuso yn ogystal â chael ei ymgorffori o fewn arfer y blynyddoedd cynnar'(*'the potential to be both used as an evaluative tool and to become embedded into early years practice'*) (Clark a Moss, 2001:5). Mae'r dull yn gyfranogol, sy'n golygu yn hytrach na gwneud ymchwil *ar* blant, mae'r ymchwil *gyda* nhw; mae plant yn cymryd rhan yn yr ymchwil. Mae'r dull hwn yn gweld plant fel arbenigwyr yn eu bywydau'u hunain (Clark a Moss, 2005: 6). Cafodd ei ysbrydoli gan y ddogfennaeth a ddatblygwyd yn lleoliadau cyn ysgol Reggio Emilia, a chan gwricwlwm blynyddoedd cynnar Seland Newydd, Te Whāriki, cwricwlwm sy'n grymuso ac yn canolbwyntio ar y plentyn, yn ogystal â'r ymrwymiad i Erthygl 12 Confensiwn y Cenhedloedd Unedig ar Hawliau'r Plentyn.

Mae mosaig yn cynnwys teils bach sy'n ffitio i'w gilydd i wneud patrwm sy'n eu huno. Defnyddia'r dull mosaig o arsylwi ar blant offerynnau amrywiol y gellir meddwl amdanynt fel darnau o'r mosaig, a thrwy roi'r darnau hyn at ei gilydd caiff yr oedolion ddealltwriaeth o safbwyntiau'r plant tuag at y byd o'u cwmpas. Mae'r offerynnau yn y dull ymchwil amlochrog hwn yn cynnwys arsylwi, cyfweld plentyn *(child conferencing)*, defnyddio camerâu, teithiau, creu mapiau, 'y carped hud' a chyfweliadau ag oedolion. Mae'r diagram isod yn darlunio darnau gwahanol y dull mosaig sy'n ffitio i'w gilydd fel jig-so i roi darlun amlochrog o berspectif y plentyn pedair oed hwn o'i amgylchedd.

Y DULL MOSAIG

Mae strategaethau gwahanol i wrando ar leisiau plant yn dod at ei gilydd i greu darlun mwy cyflawn. Yn yr achos hwn gwnaed defnydd o bump o strategaethau i gasglu syniadau Siôn am y ddarpariaeth barhaus.

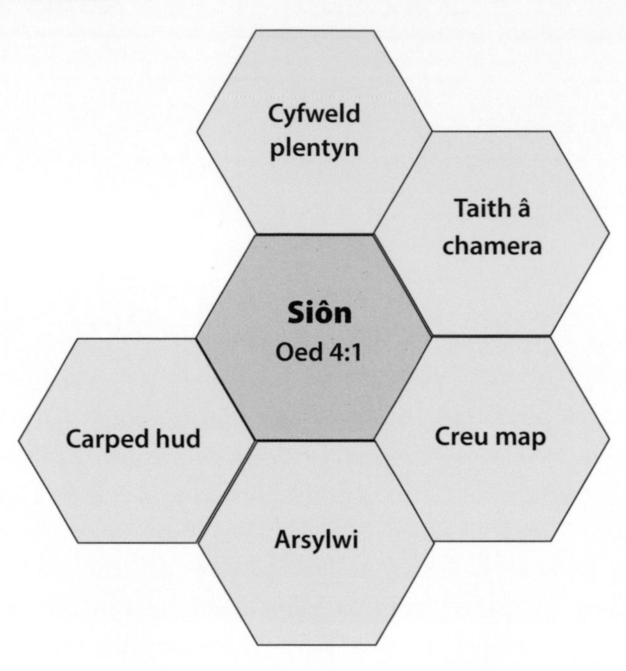

Darnau'r Mosaig

Arsylwi	Mae gwrando ar blentyn a'i wylio dros gyfnod estynedig o amser yn galluogi'r un sy'n arsylwi i ennill mwy o ddealltwriaeth o'r plentyn hwnnw. Fodd bynnag cyflwyna safbwynt oedolyn yn unig ac mae angen ei 'ddarllen' ar y cyd â darnau eraill y mosaig.
Cyfweld plentyn	Mae siarad â phlant a defnydd yr oedolyn o gwestiynu yn rhoi cyfle i blant fynegi'u barn.
Defnyddio camerâu	Mae'r defnydd o gamerâu llonydd a fideo gan blant yn caniatáu iddynt fynegi'u diddordebau, barn a safbwyntiau i'r oedolyn, efallai ar ddull di-eiriau, ac i arwain. Rhoddir llais i blant di-eiriau drwy'r defnydd o gamerâu a chaiff yr oedolyn ffordd arall o wrando arnynt.
Teithiau	Y plentyn/plant sy'n arwain y rhain a gall y plentyn eu recordio ar gamera neu recordydd sain. Eto, y plentyn sy'n rheoli gan wneud penderfyniadau ynglŷn â'r hyn sydd i'w recordio.
Creu mapiau	Gall hyn gynnwys ffotograffau a lluniau plant, wedi'u dewis gan y plant eu hunain.
'Y carped hud'	Dyma gyfle i adolygu 'taith' gan ddefnyddio sioe sleidiau efallai a chofnodi sylwadau plant.

Yn ôl Clark a Moss, mae dull Mosaig yn cynnwys dau gam penodol, sef

> Cam 1: Casglu darnau o ddogfennaeth gan blant ac oedolion.
> Cam 2: Rhoi'r darnau at ei gilydd, gan adfyfyrio ar y canlyniadau a'u dehongli.
>
> (Clark a Moss, 2001: 11)

Cyd-destun yr astudiaethau achos canlynol yw astudiaeth ymchwil ar raddfa fach a heb ei chyhoeddi o safbwyntiau plant ar eu hamgylchedd. Cynhaliwyd yr astudiaeth yn 2009 mewn dosbarth meithrin cyfrwng Cymraeg mawr mewn ysgol gynradd ddwyieithog a lled-wledig. Defnyddiwyd arsylwi, camerâu, teithiau, cyfweld plant ac adolygiadau o'r ffotograffau gyda'r plant, a lluniwyd astudiaethau achos o'r darnau. Drwy adfyfyrio ar yr astudiaethau achos ynghyd â'r cyfweliad â'r athro dosbarth, cafwyd dealltwriaeth o farn y plant ar y ddarpariaeth, a pha ddarnau o'r dull mosaig a oedd wedi profi i fod o gymorth. Drwy ddefnydd y plant o gamera digidol *ar daith*, a'r ymchwilydd yn defnyddio camera fideo ar yr un pryd, ynghyd ag arsylwi ar y plant yn ystod chwarae o'u dewis eu hunain, cafwyd dealltwriaeth o farn a dewisiadau'r plant. (Dyma'r tro cyntaf i'r plant hyn ddefnyddio camerâu digidol yn y dosbarth).

Stori Chloe

Roedd Chloe, 3 blwydd a 9 mis, wedi bod yn mynychu'r dosbarth meithrin am oddeutu 6 mis. Ymddangosai'n hyderus ac yn annibynnol, ac wrth ryngweithio ag oedolion a phlant roedd yn siaradus yn iaith ei chartref, sef Saesneg. Sylwyd ei bod yn mynd yn dawel am gyfnod byr wrth gael ei hatgoffa gan oedolion i siarad yn y Gymraeg. Pan holwyd Chloe yn y Gymraeg, cafodd yr ymchwilydd ei anwybyddu oni bai iddi ailadrodd y cwestiwn yn y Saesneg, neu byddai Chloe yn rhoi atebion un gair yn y Gymraeg, gan ddangos ei bod wedi deall y cwestiwn, neu atebion neu sylwadau mwy estynedig yn y Saesneg.

Cafodd Chloe ei dewis yn y lle cyntaf gan yr athro i ddod i weithio gyda'r camera. Yn amlwg roedd hi'n mawr obeithio y byddai'r ymchwilydd yn ymuno â'i hagenda hithau, a gwneud ychydig o liwio. Fodd bynnag roedd diddordeb gan Chloe yn Ffred (tegan meddal) a chytunodd ddod i dynnu llun ohono. Daeth o hyd i silindr coch, ei roi i eistedd ar ei 'fwrdd' a thynnu lluniau ohono dro ar ôl tro. Pan ofynnwyd iddi ble hoffai chwarae, atebodd, gyda'r 'clai'. Unwaith y cyrhaeddodd yno, rhoddwyd y camera yn ôl ac aeth Chloe ymlaen â'r busnes difrifol o chwarae! Yn fuan wedi hynny aeth yn ôl i'r bwrdd marcio ar ei phen ei hun gan ailgydio yn y lliwio. Parhaodd yr episod cyfan am 5 munud yn unig.

Ar ddiwrnod arall, arsylwyd arni'n chwarae'n hapus wrth ochr plant eraill wrth y bwrdd toes gan ganolbwyntio'n hapus ar rolio a thorri toes gyda thorrwr arbennig am 10 munud cyfan, yn rhyngweithio â phlant eraill a chymryd rhan mewn chwarae rôl yn achlysurol yn unig (yn galw ar 'Dadi' i ddod yn ôl i'r bwrdd).

Wythnos yn ddiweddarach, wrth adolygu'i ffotograffau gyda'r ymchwilydd, gwibiodd i ffwrdd a dychwelyd gyda'r un silindr coch o'r cornel Mathemateg a ddefnyddiwyd yr wythnos flaenorol, gan roi 'Ffred' i eistedd ar ei 'fwrdd' fel o'r blaen.

Ymchwilydd: Ac mae Ffred yn eistedd ar ei ... sil...

Chloe: Table.

Ymchwilydd: Ie , ei ford fach e. Ti'n iawn!

Ymddiddorai'n fawr yn yr holl luniau ar y gliniadur, gan sgrolio drwyddynt a dewis lluniau'n annibynnol. Roedd hi wrth ei bodd wrth weld ei ffrindiau yn symud ac yn siarad ar y clipiau fideo. Dywedodd Chloe ei bod yn hoffi chwarae 'doing hot dogs', 'doing felt pens', 'colouring', 'playdoh', 'babies', 'sand', 'rice sand' a 'tywod'. Er bod ei lluniadau'n swynol, ymddangosai eu bod heb gysylltiad â'r ddarpariaeth a'i bod wedi'u tynnu o'i dychymyg.

Trafodwch:
Pa ddarnau o'r dull mosaig defnyddiwyd yn yr achos hyn?

Stori Rhodri

Mae Rhodri (4 blwydd 1 mis) yn dod o gartref Cymraeg ei iaith ac ymddangosai yn fachgen bach tawel a difrifol. Gofynnwyd iddo ble mae'n hoffi chwarae a beth yr hoffai dynnu ffotograff ohono. Aeth ati'n feddylgar i gyflawni'r dasg gan ddewis tynnu un llun yn unig yn y rhan fwyaf o'r ardaloedd – 20 llun i gyd. Ychydig iawn a ddywedodd wrth arwain yr ymchwilydd ar daith. Roedd ei luniau i gyd yn lluniau o wrthrychau, dan do ac yn yr awyr agored, a nododd ychydig o hoff bethau penodol. Dangosodd ddiddordeb penodol mewn offer newydd wrth dynnu llun o'r ardal chwarae dŵr yn yr awyr agored. Ychydig o funudau wedyn, yn ôl dan do, meddai 'Wy di cael digon nawr' gan wneud ei ffordd yn ôl i'r awyr agored ac ymuno â'i ffrindiau wrth y 'twba dŵr'.

Mae Sam (4:1) hefyd yn dod o gartref Cymraeg ei iaith, ac mae ef yr un oed â'i ffrind Rhodri; ymddangosai yntau'n dawel ac yn ddifrifol yn yr un modd. Dewisodd ef hefyd dynnu ffotograffau o wrthrychau, ond siaradodd fwy am ei ddewisiadau yn ystod y daith gan wneud penderfyniadau eithaf pendant pan ofynnwyd iddo beth yr hoffai dynnu llun ohono. Ei ddewis cyntaf oedd yr ardal adnoddau mathemateg lle'r oedd am dynnu llun o 'y 'thing' un dau tri' (sgwâr 100). Pan ofynnwyd iddo a hoffai dynnu llun o rywbeth yn yr awyr agored, meddyliodd am funud ac wedyn ateb 'y goeden'. Wedyn arweiniodd y ffordd allan drwy'r drws blaen gan bwyntio at goeden fawr iawn. Gofynnwyd iddo pam roedd yn hoffi'r goeden honno ac meddai 'Mae dail yn cwmpo'. Yr unig beth arall yn yr awyr agored i gael tynnu'i lun oedd car coch ym maes parcio'r staff. Yn ôl dan do, yr ystafell gotiau a dynnai'i sylw a chafodd cotiau'i ffrindiau gorau'u henwi i gyd a'u lluniau wedi'u tynnu. Roedd y ffotograff olaf o sticer ar y llawr, oedd wedi bod yno am amser hir iawn, meddai. Wedyn dywedodd Sam ei fod wedi cael digon (ar ôl 9 munud) a rhoi'r camera yn ôl i'r ymchwilydd.

Wythnos yn ddiweddarach, gwyliwyd y ffotograffau fel sioe sleidiau ar y gliniadur; y plant a reolodd y sioe sleidiau'u hunain, gan ddewis eu hoff ffotograffau. Wrth adolygu'r ffotograffau a dynnwyd ganddynt gyda'r ddau fachgen yn unigol, siaradodd S fwy am y pethau roedd wedi dewis tynnu'u lluniau, gan nodi manylion, tra bod Rh yn syml yn enwi'r pethau, gan ddangos mwy o ddiddordeb pan fyddai'n adnabod ffrindiau yn y cefndir. Hefyd, ar ôl yr adolygiad, gwnaeth y ddau fachgen gofnodi 'ble roeddynt yn hoffi chwarae' gan ddefnyddio lluniadau.

Ar achlysur arall, arsylwodd yr ymchwilydd ar y ddau blentyn gyda'i gilydd, yn yr awyr agored, wedi'u hymgolli mewn chwarae rôl cymhleth gyda theganau sw Duplo am fwy na hanner awr. O dro i dro byddent yn defnyddio lleisiau 'anifeiliaid' â thraw uchel oedd yn annhebyg iawn i'w lleisiau'u hunain. Pan ddaeth trydydd plentyn i ymuno â nhw, fe wnaethant droi i'r Saesneg, er bod y trydydd plentyn yn deall Cymraeg. Recordiwyd yr episod hwn ar fideo gan yr ymchwilydd.

Trafodwch

- I ba raddau roedd y plant wedi cymryd rhan neu arwain yn y ddwy astudiaeth achos?
- Pa les oedd, os o gwbl, o ganiatáu i'r plant ifainc hyn ddefnyddio camerâu digidol?

Arsylwi i hyrwyddo dysgu pellach

Fel yr awgrymwyd eisoes, oherwydd pwyslais y Cyfnod Sylfaen ar y plentyn ceir cyfle i symud i ffwrdd o gynllunio manwl a rhagnodol ymlaen llaw, gan ddilyn diddordebau'r plentyn; cofnodir hyn ar ffurf cynllunio ôl-weithredol. Nid yw hyn yn meddwl na fydd unrhyw gynllunio ymlaen llaw gan fod angen i'r oedolyn gynllunio'r amgylchedd yn sgil adfyfyrio ar yr hyn a ddarperir i'r plant yn nhermau cyfleoedd a phrofiadau. Nid yw'r cysyniad o gylch o gynllunio, gweithredu, gwerthuso a chynllunio pellach yn newydd; yn wir mae model Cynllunio-Gweithredu-Adolygu, sef model High/Scope, yn adnabyddus ac yn cael ei ddefnyddio'n aml mewn ysgolion yng Nghymru heddiw. Mae dull High/Scope hefyd yn parchu safle'r plentyn yn y cylch hwn gan ei annog i gynllunio drosto'i hun ar sail ei adolygiad o brofiadau blaenorol.

Yn y model hwn mae'r oedolion yno i ddarparu offer, profiad, gwybodaeth ac iaith i gefnogi'r plentyn yn ei archwilio. Felly, mae dull High/Scope yn ffitio'n dda ag ethos a gweithrediad y Cyfnod Sylfaen a hefyd mae'n cefnogi'r cysyniad o gynllunio ôl-weithredol. Y canlyniad yw amgylchedd sydd wedi'i gynllunio ar gyfer dysgu yn hytrach na chynllunio gweithgareddau a allai, oherwydd eu natur, gyfyngu ar ddysgu. Mae cynllunio hyblyg yn derbyn na ellir, yn aml, neu'n wir fel arfer, ragweld dysgu gan blant. Nid yw'r llwybr dysgu bob tro fel rydym wedi'i gynllunio, ac anaml y bydd dysgu gan blant yn broses linol a thaclus.

Ymarfer adfyfyriol

Mae ymarfer adfyfyriol yn rhan allweddol o ymarfer dda yn y blynyddoedd cynnar. Mae'n siŵr fod unrhyw broffesiwn sydd a'i fryd ar ragoriaeth wedi ei wreiddio mewn ymarfer adfyfyriol.

Onid yw hyn yn hynod o bwysig felly i'r rhai sy'n ymwneud ag addysg, gofal a lles plant ifanc, ac sy'n ceisio sicrhau'r ddarpariaeth orau posibl ar eu cyfer? Beth yw ystyr ymarfer adfyfyriol felly? Ystyriwch yr hyn sy'n digwydd o gwmpas y twba dŵr yn yr astudiaeth achos sy'n dilyn.

Mae Gareth yn dair a hanner oed ac ymunodd â'r dosbarth meithrin ychydig wythnosau yn ôl. Nid yw wedi siarad braidd dim ers iddo gyrraedd. Heddiw, mae Gareth yn y twba dŵr ar ei ben ei hun, fel arfer, yn llenwi llestri o bob math gyda dŵr. Mae'n gwneud hyn yn ofalus ac yn drefnus iawn. Daw plentyn arall i ymuno â Gareth ond nid oes croeso iddo o gwbl. Mae Gareth yn ymateb yn ymosodol gan wneud synau blin ac annealladwy. Mae Sara, y gynorthwywraig dosbarth, yn dod drosodd i'r twba ar frys ac yn ymyrryd, gan ddweud yn gadarn 'Os wyt ti eisiau chwarae yn y dŵr mae'n rhaid i ti chwarae'n neis. Pam na ddoi di draw i chwarae gyda fi fan hyn?' Mae Sara yn tywys Gareth i ffwrdd ac yntau'n gweiddi a strancio.

Ystyriwch

Beth fyddai'n mynd trwy eich meddwl chi wrth arsylwi ar y digwyddiad hwn? Wrth adfyfyrio ar y digwyddiad ar ddiwedd y dydd, efallai y daw nifer o gwestiynau i feddwl Sara:

- Pam ddigwyddodd hyn?
- Pam oedd Gareth yn strancio?
- Beth ddylwn i wneud nesa?
- Beth alla i ei wneud i helpu Gareth rannu'r twba dŵr?
- A ddylwn i drafod y digwyddiad gyda rhywun?
- A fyddwn i wedi gallu ymateb yn wahanol?
- Beth oedd effaith fy ymateb ar y plentyn ac ar blant eraill ac oedolion eraill?
- A wnes i ddelio â hyn yn y ffordd orau bosibl?
- Beth ydw i wedi'i ddysgu amdanaf i fy hunan o'r profiad hwn?

Meddyliwch am gwestiynau eraill allai ddod i'ch meddwl?

Wrth ddadansoddi fel hyn mae'r oedolyn yn arddangos nodweddion ymarferydd adfyfyriol.

Yr Athro Adfyfyriol

Gall gwaith athro ymddangos yn syml i'r dibrofiad. Bydd yr hyfforddai dibrofiad wrth arsylwi ar athro profiadol wrth ei waith yn ystyried efallai nad oes angen dim mwy arno i addysgu'n llwyddiannus nag ystod o weithgareddau da a rhywfaint o wybodaeth am blant. Mae hyn yn bell iawn o'r gwirionedd, wrth gwrs. Mae'r darpar-athro yn dysgu gwerthuso'r hyn a gyflawnwyd yn ei wers neu sesiwn, gan adfyfyrio ar yr hyn a addysgodd a'r hyn y mae'r plant wedi ei ddysgu, ac yna ymateb trwy addasu ei gynlluniau fel bo angen.

Safonau Statws Athro Cymwysedig (SAC) *(LICC, 2009c)*

Mae myfyrwyr yng Nghymru sy'n hyfforddi i fod yn athrawon yn dilyn rhaglen astudio Hyfforddiant ac Addysg Gychwynnol i Athrawon (HAGA). Er mwyn ennill cymhwyster fel athro mae angen iddynt ddangos eu bod yn bodloni pob un o'r Safonau SAC, sy'n amlinellu'r disgwyliadau i ennill cymhwyster fel athro. Oddi fewn i gyrsiau HAGA, mae ymarfer adfyfyriol yn ganolog i sicrhau darpariaeth o ansawdd, gwella ymarfer proffesiynol a safonau'n gyffredinol. Yn ystod eu hastudiaethau, bydd gofyn i hyfforddeion adfyfyrio'n barhaus ar eu perfformiad ac ar ddatblygiad plant tra ar leoliad mewn ysgolion.

Wrth arsylwi ar blant ac wrth wrando ar eu sgyrsiau tra bod plant yn chwarae, byddwn hefyd yn dysgu am y plant ond hefyd yn dysgu am gyfraniad oedolion i'r gweithgareddau. Bydd effeithiolrwydd y ddarpariaeth yn dibynnu, i raddau helaeth, ar sgiliau adfyfyriol yr athro.

Mae Siôn yn fyfyriwr ar ei ymarfer dysgu cyntaf. Mae'n siarad am wneud crempog gyda grŵp o blant yn y dosbarth derbyn ac mae wedi paratoi'r cornel chwarae rôl er mwyn iddynt esgus coginio. Ond wedi mynd yno mae'r plant yn esgus fod tân yn y tŷ ac yn gwisgo hetiau dynion tân. Cawsant stori am y 'Crempog Anferthol' ar ddechrau'r sesiwn ond daeth yn amlwg nad oedd syniad ganddynt beth oedd crempog. Ar ddiwedd y sesiwn nid yw'r plant yn ymateb i gwestiynau Siôn am wneud crempog, ond mae'n sylwi eu bod yn dal yn gwisgo'r hetiau, a dywed Elen (4 oed) fod y 'tân wedi llosgi **popeth**'.

Ystyriwch

Beth fydd Siôn yn nodi wrth werthuso'r sesiwn? Yfory mae wedi meddwl gofyn i'r plant dynnu lluniau o grempog gyda chreonau a'u torri allan ar gyfer murlun am y 'Crempog Anferthol' gan fod y tiwtor o'r coleg yn disgwyl gweld rhywbeth ar y wal. A ddylai Siôn newid ei gynlluniau ar gyfer yfory?

Ciaran yn adfyfyrio ar ddysgu

Yn ystod ymarfer dysgu yn ei flwyddyn olaf ar gwrs gradd, mae Ciaran yn cael ei leoli mewn dosbarth cymysg o blant 3 – 5 oed. Mae'r ysgol yn dilyn dull High/Scope sy'n gweithredu dull weddol ffurfiol dan arweiniad oedolion yn y bore a'r trefniad cynllunio-gwneud-adolygu (*plan-do-review*) sy'n nodweddiadol o High/Scope yn y prynhawn. Mae'r ysgol wedi cychwyn gweithredu'r Cyfnod Sylfaen.

Penderfynodd Ciaran gadw cofnod asesu electronaidd o ddysgu'r plant er mwyn arddangos ei gyflawniadau a'i hyfedredd ei hun (mewn perthynas â safonau SAC) a rhai'r plant hwythau. Cafwyd samplau o ffotograffau o weithgareddau, trawsysgrifau o sgyrsiau plant, copïau o arsylwadau yn ogystal â sesiynau gwelwyd gan ei diwtor a'i fentor yn yr ysgol. Defnyddiodd Ciaran y rhain fel sail i adfyfyrio ac ar gyfer cynllunio. Roedd y deunydd hwn hefyd yn rhoi iddo gofnod cynhwysfawr o ddiddordebau, cyraeddiadau a datblygiad y plant.

Nid cofnod statig, disymud oedd hwn gan Ciaran. Roedd yn ddarlun byw oedd yn gyson newid a datblygu gan gynnig portread defnyddiol o daith addysgu Ciaran a'r plant yn ei ofal.

Prif negeseuon y bennod

- Mae arsylwi a dogfennu yn greiddiol i ymarfer dda ac yn rhan annatod o sicrhau profiadau dysgu effeithiol i blant.
- Mae cynnwys plant yn y broses o ddogfennu eu dysgu eu hunain yn allweddol.
- Mae'r broses o ddogfennu dysgu cyn pwysiced, os nad yn bwysicach, na'r ddogfennaeth ei hun.
- Mae ymarferwyr da yn adfyfyrio'n gyson ac yn barhaol ar eu hymarfer eu hunain.

Pennod 8

Y cysyniad o les y plentyn a gweithredu er lles plant

Pennod 8

Y cysyniad o les y plentyn a gweithredu er lles plant

Ann-Marie Gealy a Sioned Saer

> Gwir fesur safle cenedl yw'r modd mae'n trin ei phlant – eu hiechyd a'u diogelwch, eu sicrwydd materol, eu haddysg a'u cymdeithasu, a'r ymdeimlad o gael eu caru, eu gwerthfawrogi, eu cynnwys yn y teuluoedd a'r cymdeithasau y cawsant eu geni iddynt.
>
> (UNICEF, 2007)

Plentyn sy'n fodlon ei fyd, yn hapus gydag ef ei hun, yn meddu ar hunan-ddelwedd cadarn a hyder ynddo ef ei hun, sy'n medru lleisio barn a gwrando ar eraill... dyna'r nod. Bydd y gobaith o gyrraedd hyn yn fwy os yw'r plentyn hwnnw'n cael profiadau da yn y blynyddoedd cynnar. Mae'r Cyfnod Sylfaen, wrth osod lles yn ganolog i'w athroniaeth, yn adlewyrchu'r pwysigrwydd a roddir i ddatblygu'r plentyn cyflawn. Nid oes modd datblygu'r deallusol yn annibynnol ar ffactorau eraill sy'n dylanwadu ar ddatblygiad y plentyn. Lles y plentyn yw craidd a chalon datblygiad y plentyn ac mae'n effeithio ar bob agwedd o'r datblygiad hwnnw.

Beth yw lles?

Fel gyda chynifer o gysyniadau mawr a chymhleth, nid mater hawdd yw cytuno ar ystyr 'lles'. Mae Collins a Foley (2008:3) o'r farn bod y methiant i gytuno ar ddiffiniad cyffredinol yn adlewyrchu'r amwysedd sydd ynghylch deall plentyndod ei hun. Er ei bod hi'n anodd iawn diffinio cysyniad mor gymhleth â lles, nid yw hynny'n golygu na ddylid chwilio am ddiffiniad ac yn sicr ni ddylai'r cymhlethdod arwain at leihau'r ymrwymiad i les y plentyn bach. Ceir, erbyn hyn, gryn swmp o lenyddiaeth ymchwil a llenyddiaeth polisi yn ymwneud â lles. Er y defnyddir y term 'lles' yn gyffredinol ac yn aml, awgryma Pollard a Lee (2003:62) fod diffiniadau a dehongliadau rhyngwladol yn anghyson ac yn cynnwys amrywiaeth cyfnewidiol o ffactorau. Bydd hyn yn arwain at anawsterau wrth geisio cymharu un wlad ag un arall mewn modd dibynadwy. Mae Pollard a Lee yn mynd ymlaen i nodi bod modd defnyddio amrywiol ddiffiniadau, dangosyddion a mesuriadau o les (*multiple definitions, indicators and measures of well-being)* (2003: 60) a bod lles yn aml yn cynnwys: ansawdd bywyd, boddhad, ymdeimlad o fudd sy'n arwain at anhawster wrth geisio canolbwyntio ar les ei hun. (Un pwynt diddorol a gododd mewn trafodaethau mewn cynadleddau a chyfarfodydd wrth gynllunio'r Cyfnod Sylfaen yw'r gwahaniaeth rhwng 'lles' a *'wellbeing'*). Cred Pollard a Lee fod defnyddio model o ddiffygion plant (*child deficits*), hynny yw, diffinio yn ôl yr hyn nad oes gan blentyn neu nad yw'n medru ei gyflawni, yn broblem. Arweinia hyn, meddant, at ganolbwyntio ar ddiffygion ac ar raglenni ymyrriaethol (*interventionist*) yn hytrach na gweithredu ar sail cryfderau plant.

Yn namcaniaeth 'seicoleg gadarnhaol' (*positive psychology*) Seligman (dynnir o Cullingford, 2008: 158), mae cyfeillgarwch ag eraill yn allweddol i hapusrwydd. A yw hyn felly yn awgrymu y dylai ymwneud cymdeithasol ag eraill fod yn un o elfennau pwysicaf ym mywydau plant ifainc? Os felly, bydd goblygiadau i sut rydym yn paratoi'r amgylchedd ar gyfer y plant ifainc yn ein gofal. Mae Cullingford yn awgrymu bod plant ifainc yn gwerthfawrogi'r sicrwydd o deall yn hytrach na gorfod dyfalu'r hyn sy'n ddisgwyliedig (*'guess what is required of them, of not being wrong-footed or humiliated by inadvertantly doing the wrong thing'*) ac mae hyn, meddai, yn bwysig i'w hymdeimlad o les. (2008: 155)

Ystyriwch

A yw lles yr un peth â hapusrwydd?

Awgryma Seligman fod cyfeillgarwch ag eraill yn hanfodol i hapusrwydd a bod hapusrwydd yn bwysig i les yr unigolyn. Ydych chi'n cytuno? Ystyriwch beth a olygir wrth 'bod yn hapus'. Oes cysylltiad rhwng hapusrwydd a lles?

Mewn cyflwyniad o flaen grŵp seneddol traws-bleidiol ar ymchwil wyddonol i ddysgu ac addysgu *Well-being in the classroom* (2007), rhybuddiodd yr Athro Richard Layard bod unigolion sy'n tueddu i'w cymharu eu hunain ag eraill yn llai hapus. At hyn, nododd Layard bwysigrwydd osgoi hyn mewn ysgolion. Dylai ysgolion, meddai, ymgymryd â'r cyfrifoldeb o atal pryder ac iselder mewn plant. Dywed yr Athro Guy Claxton yntau (2007:24) y dylai plant, yn dilyn 11 mlynedd yn y system addysg, deimlo'n hyderus, yn frwd, ac yn barod i wynebu'r sialensau sydd o'u blaenau.

Un elfen bwysig iawn o les y plentyn yw iechyd. Byddai model Maslow yn gosod gofynion iechyd a lles mewn pyramid o bwysigrwydd gyda'r angen am fwyd a diod yn anghenion sylfaenol ar waelod y pyramid. Ni fydd plentyn sy'n llwgu yn ffynnu ac ni fydd plentyn sy'n cael ei esgeuluso yn hapus. Consýrn mwy diweddar yw'r un ynghylch lles plant a deiet. Dywed Palmer (2006: 21) yn *Toxic Childhood* – cyhoeddiad a arweiniodd at gryn drafodaeth gyhoeddus:

> Yn lle adeiladu cyrff iach, [rydym] yn syml iawn, yn gwneud plant yn dewach a mwy afiach bob blwyddyn.
>
> *Instead of building healthy bodies [we are] simply making children fatter and unhealthier by the year.*

Fframwaith Gwasanaeth Cenedlaethol ar gyfer Plant, Pobl Ifanc a Gwasanaethau Mamolaeth

Mae'r Fframwaith Gwasanaeth Cenedlaethol ar gyfer Plant, Pobl Ifanc a Gwasanaethau Mamolaeth yng Nghymru yn ddogfen gan Lywodraeth Cynulliad Cymru. Fe'i gelwir, ar lafar, yn Fframwaith Cenedlaethol Plant. Dyma ymrwymiad Llywodraeth y Cynulliad i sicrhau bod gwasanaethau o ansawdd uchel ar gael i gadw plant a phobl ifanc mor iach â phosibl ac i'w diogelu rhag niwed.

Er bod y FfGC Plant yn ymwneud â gofal iechyd a gwasanaethau cymdeithasol yn bennaf, mae hefyd yn cynnwys gwasanaethau eraill sy'n dylanwadu ar fywydau a lles plant, er enghraifft tai, addysg, trafnidiaeth a hamdden.

Ystyriwch

Pam fod Fframwaith Genedlaethol Plant yn cynnwys gwasanaethau mamolaeth? Pam fod darpariaeth i wragedd beichiog a gwasanaethau cyffredinol ar gyfer cyn-enedigaeth ac ôl-enedigaeth yn bwysig i les plant?

Ymchwiliwch

Beth yw'r manteision – lles ac iechyd cyffredinol – sydd i fronfwydo? Mae'r ystadegau'n awgrymu bod cyswllt rhwng lefel addysg y fam, tlodi a pharodrwydd i fronfwydo. Pam?

Er bod iechyd a lles corfforol yn rhan bwysig iawn o les y plentyn, mae lles yn llawer ehangach nag iechyd. Tanlinellwyd pwysigrwydd y cysylltiad rhwng lles a hyfedredd emosiynol (*emotional competence*) ers tro yng ngwaith Ferre Laevers (1994) a Goleman (1996). Gwelir hefyd yng ngwaith Katz (1999) a Katz a Chard (2000) bwyslais ar y berthynas rhwng dysgu effeithiol, lles a hunan-fri. Awgryma Pascal a Bertram (2002) na ddylid asesu dysgu plant ifainc oni wneir hynny oddi fewn i fframwaith sy'n cynnwys sgiliau a nodweddion sy'n sail i ddysgu effeithiol. Byddai'r nodweddion hyn, meddent, yn cynnwys anian i ddysgu, annibynniaeth, creadigedd, hunan-gymhelliant a gwytnwch (*resilience*), empathi, sefydlu perthnasau effeithiol ag eraill, cymryd cyfrifoldeb, hunan-ymwybyddiaeth, pendantrwydd *(assertiveness)*, dealltwriaeth emosiynol, lles emosiynol, ymbweru, lles emosiynol a hunan-fri cadarnhaol. Nid peth hawdd, felly, yw asesu dysgu plant ac ni fyddai'r dull traddodiadol o osod tic mewn bocs yn dderbyniol nac ychwaith yn effeithiol. Mae'n haws canolbwyntio ar y gweledol a'r clywedol, yn enwedig yr hyn y gellir ei fesur gyda phrofion, gan gynnwys datblygiad corfforol, ieithyddol, a deallusol. Ond mae adnabod a mesur anghenion emosiynol a meddyliol plentyn bach yn heriol iawn ac o'r herwydd efallai yn bwysicach nag unrhyw beth arall.

Mae Grigg (2008: 36), wrth gymharu plentyndod ganrif a mwy yn ôl a phlentyndod heddiw, yn dweud y gellid dadlau bod plentyndod modern mewn argyfwng. Mae pryderon cyffredinol, meddai, am lefelau tlodi, gordewdra a phroblemau iechyd meddwl ymysg plant, gormod o ddefnydd o adloniant electronig a'r pwyslais ar brofion academaidd yn yr ysgol. Mewn cynhadledd yng Nghaerdydd (Chwefror 24 2010) a drefnwyd gan Plant yng Nghymru dan y teitl *Y Plentyn 0 – 3 yn Datblygu*, nododd Dr Melanie Gill y canlynol:

- Mae un o bob deg o fenywod yn dioddef trais yn y cartref bob blwyddyn ac mewn 90 y cant o'r achosion mae plant ifainc yn yr un ystafell.
- Mae 20 y cant o famau yn dioddef iselder.
- Mae'r NSPCC yn amcangyfrif bod un neu ddau o blant yn marw o ganlyniad i weithredoedd eu rhieni bob wythnos yng Nghymru a Lloegr (yn Sweden mae un neu ddau o blant yn marw bob blwyddyn).
- Mae 30,000 o blant ar restr aros ar gyfer gwasanaethau iechyd meddwl yng Nghymru a Lloegr.

Dyma'r math o ddarlun, meddai, sy'n achosi pryder mawr ynghylch lles plant yn gyffredinol a'u lles fel dysgwyr llwyddianus yn arbennig.

Seliwyd fframwaith o ddeall lles Llywodraeth Cynulliad Cymru yn gadarn ar Gonfensiwn y Cenhedloedd Unedig ar Hawliau'r Plentyn. Gwelir, yn y Cyfnod Sylfaen ei hun, y pwyslais mawr a roddir ar les y plentyn.

> Mae'n bwysig nodi bod y rhan fwyaf o blant a phobl ifanc yng Nghymru'n profi lefelau da o les ond mae lleiafrif sylweddol nad yw mor ffodus.
>
> (APADGOS, 2008h: 12)

Cyhoeddwyd Saith Nod Craidd ar gyfer Plant a Phobl Ifainc Cymru yn 2004 gyda'r bwriad o sicrhau bod plant a phobl ifainc Cymru yn cael hawliau sylfaenol:

Saith Nod Craidd Llywodraeth Cynulliad Cymru ar gyfer Plant a Phobl Ifanc

Nod Craidd 1: Dylai pob plentyn gael dechrau teg mewn bywyd a'r sail orau posibl ar gyfer ei dwf a'i ddatblygiad yn y dyfodol.

Nod Craidd 2: Dylai pob plentyn a pherson ifanc gael mynediad i ystod gynhwysfawr o gyfleoedd addysg, hyfforddiant a dysgu, gan gynnwys dysgu sgiliau personol a chymdeithasol hanfodol.

Nod Craidd 3*:* Dylai pob plentyn a pherson ifanc fwynhau'r iechyd corfforol a meddyliol, cymdeithasol ac emosiynol gorau posibl, gan gynnwys rhyddid rhag camdriniaeth, erledigaeth a chamfanteisio.

Nod Craidd 4*:* Dylai pob plentyn a pherson ifanc gael mynediad at weithgareddau chwarae, hamdden, chwaraeon a diwylliannol.

Nod Craidd 5: Dylai pob plentyn a pherson ifanc gael gwrandawiad, cael ei drin â pharch a chael cydnabyddiaeth i'w hil a'i hunaniaeth ddiwylliannol.

Nod Craidd 6: Dylai pob plentyn a pherson ifanc fod â chartref diogel a chymuned ddiogel sy'n hybu lles corfforol ac emosiynol.
Nod Craidd 7: Ni ddylai unrhyw blentyn neu berson ifanc fod dan anfantais oherwydd tlodi.

(LlCC, 2004a)

Parthau Lles

Yn hytrach na chael diffiniad clir o les, gwelir awduron yn ei rannu i elfennau neu barthau dylanwadol, er enghraifft, cyfeiria UNICEF (2007:2) at chwe elfen neu ddimensiwn:

- lles materol
- iechyd a gofal
- addysg
- perthynas teuluol a chyfoedion
- ymddygiadau
- risg a lles goddrychol (subjective)

Gwelir felly bod amgylchiadau byw ac argaeledd gwasanaethau yn ffactorau dylanwadol ar ansawdd bywyd plant ifainc. Byddai hyn yn adlewyrchu damcaniaethau Bronfenbrenner (1976) ynghylch systemau dylanwad ar ddatblygiad plant. Mae'n disgrifio'r modd y mae'r teulu, y gymuned, arferion cymdeithasol, polisïau cyhoeddus ac yn y blaen yn plethu'n gylchoedd cymhleth o ddylanwad.

Ystyriwch effaith y canlynol ar fywydau a lles y plentyn ifanc:

tlodi, gwasanaethau iechyd, ffordd o fyw teuluol, tai, trafnidiaeth gyhoeddus, darpariaeth chwarae a hamdden, gwasanaethau deintyddol, deiet, oriau gwaith rhieni.

Adroddiad UNICEF

Dengys adroddiad allweddol UNICEF (2007: 2) ar les plant mewn 21 o wledydd cyfoethog bod y Deyrnas Unedig ar waelod y rhestr. Mae hyn yn gondemniad enbyd o safonau lles ac ymdeimlad o les ein plant ni ym Mhrydain. Mae'r adroddiad yn dangos darganfyddiadau oddi fewn i chwe maes unigol, sef lles materol, iechyd a diogelwch, lles addysgol, perthnasau teuluol a chyfoedion, ymddygiadau a risg a lles goddrychol. Amlyga sut mae rhai gwledydd yn gwneud yn well mewn rhai meysydd nag eraill. Pwynt pwysig i'w nodi yw bod y Deyrnas Unedig yn ymddangos tua'r gwaelod mewn pump allan o'r chwe maes.

Adroddiad Lles UNICEF

http://www.unicef.org.uk/publications/pub_detail.asp?pub_id=124).
Darllenwch yr adroddiad ac yna ystyriwch rai o'r cwestiynau pwysig a godir ynddo, er enghraifft, y berthynas rhwng cyfoeth gwlad a lles plant; y ffactorau sy'n effeithio ar imiwneiddio plant ifainc a babanod; sut mae diffinio lles addysgol?

Confensiwn y Cenhedloedd Unedig ar Hawliau'r Plentyn (CCUHP)

Mae CCUHP eisiau sicrhau bod lles y plentyn a buddiannau'r plentyn yn sail i'r hyn a weithredir gan gymdeithas mewn perthynas â phlant. Gwelir 4 categori bras o'r hawliau a ymgorfforir yn y CCUHP sef yr hawl i fyw, yr hawl i ddatblygu, yr hawl i gael eu hamddiffyn a'r hawl i gyfranogi. Canolbwyntia'r categorïau hyn ar 54 erthygl. Noda Erthygl 42 hawliau plant ac Erthygl 12 sut y bydd yr hawliau'n cael eu gweithredu ac yn dylanwadu ar bolisïau ac egwyddorion, sy'n sicrhau bod egwyddorion CCUHP yn cael eu dilyn.

Deddf Plant 1989

Gwelir yn Neddf Plant 1989 ymgorffori'r cysyniad o les y plentyn mewn deddfwriaeth a statud a, chan adlewyrchu CCUHP, bwysigrwydd gwrando ar lais y plentyn. Dyma Erthygl 12 o'r GCUHP, sef hawl y plentyn i wrandawiad ac i sicrwydd fod oedolion yn ystyried barn y plentyn. Canlyniad mabwysiadu Erthygl 12 yw sail holl waith datblygu cynghorau ysgol a'r systemau mae ysgolion yn gweithredu er mwyn gweithredu trefn deg i blant gael lleisio barn.

Comisiynydd Plant Cymru

Mae Comisiynydd Plant Cymru yn adnabod pwysigrwydd y Cyfnod Sylfaen / Lles a Hawliau plant / gwerthfawrogi a rhannu gwerthoedd, parchu dymuniadau, pwysigrwydd gwrando ar 'lais y plentyn' – yn ôl Deddf Plant 1989. Yn wir, mae gan blant Cymru eu senedd eu hunain, sef ***Draig Ffynci – Funky Dragon*** (http://www.funkydragon.org/).

Amddiffyn plant – y cysyniad o ddiogelu

Bu farw plentyn bach wyth mlwydd oed o'r enw Victoria Climbié ar Chwefror 25, 2000 a hynny'n dilyn cyfnod hir o greulondeb enbyd gan ei modryb a chariad ei modryb. Yn sgil yr ymateb ffyrnig o du'r cyhoedd a'r wasg i farwolaeth Victoria, cynhaliwyd ymchwiliad cyhoeddus o dan gadeiryddiaeth yr Arglwydd Laming i'w marwolaeth a methiant y gweithwyr proffesiynol – athrawon, meddygon, gweithwyr cymdeithasol ac eraill – i'w hamddiffyn a'i diogelu. O ganlyniad i Adroddiad Laming – adroddiad sobreiddiol iawn – cafwyd Deddf Plant 2004 ac *Every Child Matters,* sef rhaglen gynhwysfawr ar wasanaethau plant llywodraeth y Deyrnas Unedig. O ganlyniad i farwolaeth Victoria, sefydlwyd term newydd o 'ddiogelu' (*safeguarding*); mae i'r cysyniad o 'ddiogelu' ystyr ehangach nag 'amddiffyn plant' gan ei fod hefyd yn cynnwys y rheidrwydd i sicrhau lles y plentyn. Mae *Diogelu Plant: Gweithio gyda'n gilydd o dan Ddeddf Plant 2004* (LlCC, c: 2004) yn diffinio diogelu fel:

- Pob asiantaeth sy'n gweithio gyda phlant a phobl ifainc a'u teuluoedd yn cymryd pob mesur rhesymol i sicrhau bod y risg o niwed i les plant yn cael eu lleihau;
- Pan fydd pryderon neu gonsýrn am les plant a phobl ifainc, dylai pob asiantaeth weithredu'n briodol i ymateb i'r pryderon, gan weithio i ganllawiau a pholisïau lleol y cytunwyd arnynt, mewn partneriaeth lawn ag asiantaethau lleol eraill.

Yn fras, gellir diffinio'r rheidrwydd i ddiogelu fel:

- Diogelu plant rhag camdriniaeth ac esgeulustod
- Atal niwed i iechyd a datblygiad plant
- Sicrhau bod plant yn derbyn gofal diogel ac effeithiol.

Mae dogfen Llywodraeth Cynulliad Cymru *Diogelu Plant: Gweithio gyda'n gilydd o dan Ddeddf Plant 2004,* yn cynnig y diffiniadau canlynol:

Cam-drin: emosiynol	Trin plentyn yn wael yn emosiynol yn barhaus gan achosi effeithiau andwyol difrifol a pharhaus ar ddatblygiad emosiynol ac ymddygiadol y plentyn.
Cam-drin: corfforol	Taro, ysgwyd, taflu, gwenwyno, llosgi neu sgaldio, boddi, tagu, neu achosi niwed corfforol fel arall i blentyn. Gall niwed corfforol gael ei achosi hefyd pan fo rhiant neu ofalwr yn ffugio neu'n achosi salwch mewn plentyn o dan eu gofal.
Cam-drin: rhywiol	Gorfodi neu hudo plentyn neu berson ifanc i gymryd rhan mewn gweithgareddau rhywiol, waeth a yw'r plentyn yn ymwybodol o beth sy'n digwydd ai peidio, yn cynnwys: • cyswllt corfforol, yn cynnwys gweithredoedd treiddiol ac anhreiddiol • gweithgareddau digyswllt fel cael plant i wylio deunydd pornograffig neu i fod yn rhan o ddeunydd pornograffig neu i wylio gweithgareddau rhywiol neu • annog plant i ymddwyn mewn ffyrdd rhywiol amhriodol.
Esgeulustod	Esgeuluso plentyn yn barhaus neu ddifrifol, neu fethu ag amddiffyn plentyn rhag bod yn agored i unrhyw fath o berygl, yn cynnwys oerfel, newyn neu fethiant difrifol i gyflawni agweddau pwysig ar ofal, gan arwain at niwed sylweddol i iechyd neu ddatblygiad y plentyn, yn cynnwys methiant anorganig i ffynnu.
Plant mewn angen	Mae plentyn yn blentyn mewn angen os: • yw ef/hi yn annhebygol o gyflawni neu gynnal, neu gael y cyfle o gyflawni neu gynnal, safon iechyd neu ddatblygiad rhesymol heb gael gwasanaethau gan awdurdod lleol • yw ei iechyd neu ei ddatblygiad yn debygol o gael ei niweidio'n sylweddol, neu ei niweidio ymhellach, heb gael gwasanaethau o'r fath neu • os yw ef/hi yn anabl.

Amddiffyn plant	Mae **amddiffyn plant** yn rhan o drefniadau diogelu a hyrwyddo lles. Mae hyn yn cyfeirio at y gwaith sy'n cael ei gyflawni i amddiffyn plant penodol sy'n dioddef neu mewn perygl o ddioddef niwed sylweddol o ganlyniad i gam-drin neu esgeulustod.
Plant	**Plentyn** yw unrhyw un o dan 18 oed. Mae 'plant' felly'n golygu 'plant a phobl ifanc' drwy'r ddogfen. Nid yw'r ffaith fod plentyn wedi cael ei ben-blwydd yn 16 oed, yn byw'n annibynnol neu mewn Addysg Bellach, neu'n aelod o'r lluoedd arfog, neu mewn ysbyty, carchar neu sefydliad troseddwyr ifanc yn newid ei statws na'i hawl i gael gwasanaethau neu i gael ei amddiffyn o dan Ddeddf Plant 1989.
'Gwasanaethau cymdeithasol plant' neu 'wasanaethau cymdeithasol plant awdurdod lleol'	Gwaith awdurdodau lleol wrth gyflawni eu swyddogaethau gwasanaethau cymdeithasol mewn perthynas â phlant. Nid oes bwriad i hyn awgrymu adran gwasanaethau cymdeithasol plant ar wahân.
Datblygiad	Datblygiad corfforol, deallusol, emosiynol, cymdeithasol neu ymddygiadol.
Niwed	Cam-drin neu amharu ar iechyd neu ddatblygiad, yn cynnwys, er enghraifft, nam a ddioddefwyd yn sgil gweld neu glywed rhywun arall yn cael ei gam-drin.
Iechyd	Iechyd corfforol neu feddyliol.
Awdurdod Lleol	Cyngor sir neu gyngor bwrdeistref sirol.
Diogelu a hyrwyddo lles plant	• Amddiffyn plant rhag cael eu cam-drin a'u hesgeuluso • Atal niwed i'w hiechyd neu eu datblygiad a • Sicrhau eu bod yn derbyn gofal diogel ac effeithiol … er mwyn eu galluogi i gael y cyfleoedd bywyd gorau posibl.
Niwed sylweddol	Dywed Adran 31(10) o Ddeddf Plant 1989 "*where the question of whether harm suffered by a child is significant turns on the child's health or development, his health or development shall be compared with that which could reasonably be expected of a similar child*".

Lles	Nid oes diffiniad statudol. Cyflwynodd Deddf Plant 1989 y rhestr wirio lles y mae'n rhaid i lys ei hystyried dan rai amgylchiadau. Dywed Deddf 1989 *"a court shall have regard in particular to:* • *the ascertainable wishes and feelings of the child concerned (considered in the light of his age and understanding)* • *His physical, emotional and educational needs* • *The likely effect on him of any change in his circumstances* • *His age, sex, background and any characteristics of his which the court considers relevant* • *Any harm which he has suffered or is at risk of suffering* • *How capable each of his parents, and any other person in relation to whom the court considers the question to be relevant, is of meeting his needs* • *The range of powers available to the court under this Act in the proceedings in question."*

(http://wales.gov.uk/docs/dhss/publications/091126safeguardingchildrency.pdf. Mynediad Ionawr 2010)

Nodwch nad oes diffiniad swyddogol o 'les' yma ychwaith.

Plant brau, plant mewn perygl, plant â hunan fri isel

Mae nifer o blant y mae eu lles yn fwy brau nag eraill. Dyma'r plant y mae angen i weithwyr blynyddoedd cynnar a gwasanaethau fod yn hynod wyliadwrus ohonynt ac, yn aml, sicrhau darpariaeth benodol ar eu cyfer. Er bod grwpiau o blant y gellid eu hadnabod, er enghraifft plant teithwyr a cheiswyr lloches, plant yn byw mewn tlodi, plant i rieni anabl, plant ag anableddau eu hunain, rhaid cofio bod gan y plentyn bach unigol ei ofynion penodol hefyd.

Gofalwyr ifainc

Mae cymdeithas wedi symud, ers canrif a mwy, o weld plant yn glanhau simneiau a gweithio yn y pyllau glo, ond yn ôl cyfrifiad 2001 roedd 1.4 % o blant 5 – 15 oed a bron 0.3 % o blant 5 – 7 oed yn cynnal gofal anffurfiol (Doran *et al,* 2003). Yng Nghymru, cafwyd bod 860 o blant dan 18 oed yn gofalu am aelod o'r teulu am dros 50 o oriau bob wythnos. Roedd 240 o'r plant hyn o dan 10 oed. Ond dim ond y plant hynny sy'n gofalu am dros 50 o oriau sy'n cael eu cynnwys yn y ffigurau. Mae'r rhai hynny sy'n gweithio gyda gofalwyr ifainc yn credu bod y niferoedd o blant a phobl ifainc sy'n gofalu yn llawer iawn uwch.

Y mae gofalwr ifanc yn cymryd cyfrifoldeb am rywun sy'n wael, yn anabl neu'n gaeth i gyffuriau neu alcohol – fel rheol, rhieni neu frodyr a chwiorydd sy'n derbyn y gofal. Bydd y gofal yn golygu cynorthwyo gydag ymolchi, coginio, mynd i'r tŷ bach, newid rhwymyn, coginio, siopa, glanhau, yn ogystal â chynnig cefnogaeth a gofal emosiynol a seicolegol. Mewn ymchwil i fywydau a barn gofalwyr ifainc yng Nghymru, cafwyd bod ysgol yn achosi *stress* iddynt. Mae pob ysgol yng Nghymru wedi derbyn pecyn hyfforddiant i'w cynorthwyo i gefnogi gofalwyr ifainc, ond mae'r dystiolaeth yn awgrymu bod ysgolion yn methu â darparu'r gefnogaeth. Nodwyd yn yr ymchwil bod y rhan fwyaf o ysgolion cynradd yn credu nad oedd ganddynt ofalwyr ifainc yn yr ysgol (Powys Young Carers, 2009). Mae gofalu am eraill yn effeithio datblygiad plant felly mae angen cwrdd ag anghenion gwahanol y plant hyn pan fyddant o dan ein gofal.

Plant a thlodi yng Nghymru

Mae Llywodraeth Cymru yn gosod pwyslais mawr ar ddileu tlodi plant a hynny er mwyn sicrhau lles plant. Drwy bolisïau a buddsoddiad ariannol, credir y gellir hybu lles drwy reolaeth gyhoeddus. Ond mae dileu tlodi plant yn her aruthrol i Gymru. Dywed Siencyn (2010) bod polisïau a gwasanaethau yng Nghymru yn ei chael hi'n fwyfwy anodd i ymdrin â thlodi sydd wedi'i wreiddio'n ddwfn mewn rhai ardaloedd neu'r math o dlodi enbyd y mae rhai teuluoedd yn ei wynebu. Gwelwyd, ers blynyddoedd bellach, bod perthynas gadarn rhwng tlodi plant a chyrrhaeddiad addysgol. Mae Egan (2007) yn nodi rhaglenni a pholisïau blaengar y Cynulliad, er enghraifft *Dechrau'n Deg* a *Chlybiau Brecwast,* er mwyn unioni'r dylanwad gwahaniaethol a gaiff tlodi ar addysg plant.

Mae'r adroddiad *Children in Severe Child Poverty in Wales: an agenda for action* (Crowley a Winkler, 2008) yn nodi'r ystadegau canlynol:

- Mae dros un o bob deg o blant yng Nghymru yn byw mewn tlodi eithafol (hynny yw, mae incwm y cartref 50% yn is na'r canolrif *(median).*
- Mae perthynas gref rhwng plant yn byw mewn tlodi eithafol a chartref lle nad oes oedolion yn gweithio.
- Mae gan draean y plant sy'n byw mewn tlodi eithafol riant anabl.
- Mae perthynas gref rhwng plant yn byw mewn tlodi eithafol a byw mewn cartref un rhiant.
- Mae ffactorau sy'n gysylltiedig â thlodi eithafol mewn plentyndod yn cynnwys: byw mewn teulu mawr, byw mewn teulu Asiaidd / Asiaidd Prydeinig, byw mewn teulu lle nad oes gan y fam unrhyw gymwysterau addysgol.

Mae polisïau cyhoeddus a gwasanaethau Llywodraeth Cynulliad Cymru ar gyfer plant ifainc a'u teuluoedd yn targedu'r cymunedau mwyaf difreintiedig mewn ardaloedd daearyddol penodol, ardaloedd lle ceir pobl a chymunedau sydd ag anfanteision cymhleth a dwys. Mae Siencyn (2010) yn awgrymu bod hyn yn arwain at wasanaethau sy'n cael eu canoli'n gynyddol. Gall hyn, mewn sawl ffordd, arwain at wasanaethau mwy effeithiol o safbwynt cost ac adnoddau. Ond gall hyn fod yn anfanteisiol i bobl mewn ardaloedd gweledig. Gall plant sy'n byw mewn tlodi mewn ardaloedd gwledig brofi anawsterau digon astrus.

Llinos ac Aled

Mae Llinos yn 4 oed ac yn byw gyda'i brawd Aled, sy'n 7, a'i brawd iau, Siôn, sy'n 2 oed, mewn tŷ ar rent o gymdeithas tai lleol yng ngorllewin Cymru. Roedd ei thad yn gweithio mewn ffatri gaws leol nes iddi gau flwyddyn yn ôl. Derbyniodd gynnig gwaith, gyda'r un cwmni, yng ngogledd Lloegr. Ond roedd y gost o deithio a byw oddi cartref yn ormod a rhoddodd y gorau i'w waith ar ôl 5 mis. Mae mam Llinos yn gweithio fel glanhawraig mewn canolfan gwyliau 10 milltir i ffwrdd.

Nid yw hi wedi gweithio llawer ers genedigaeth Siôn. Mae hi'n teimlo'n isel ei hysbryd ac mae ei meddyg wedi cynnig tabledi gwrth-iselder iddi. Mae siarad Aled yn araf. Cynigiwyd apwyntiad iddo i weld therapydd iaith a lleferydd mewn clinig yn y dref agosaf, dros 16 milltir i ffwrdd. Mae'r clinig ar agor ar ddydd Mercher cyntaf bob mis. Mae bws drwy'r pentref lle mae Llinos a'i theulu'n byw ar foreau Iau. Cychwynnodd Llinos yn yr ysgol gynradd lleol y tymor ar ôl ei phen-blwydd yn dair oed. Mae ei mam yn mynd â'r plant i'r ysgol erbyn 9.00 ac yna'n dychwelyd i godi Llinos am 12.00 ac yn ôl i godi Aled erbyn 3.30.

Yn dilyn genedigaeth Siôn, awgrymodd yr ymwelydd iechyd bod y teulu'n derbyn cymorth oddi wrth y grŵp Home-Start. Daeth gwirfoddolydd Home-Start unwaith yr wythnos am ychydig fisoedd. Roedd mam Llinos yn mwynhau hynny – rhywun i siarad â nhw, i fynd ag Aled i'r ysgol, i chwarae gyda Llinos. Ond mae Home-Start mewn trafferthion ariannol yn dilyn toriad yn y grant. Roedd adroddiad yn y papur lleol yn awgrymu bod a wnelo hynny ag arian y Loteri Genedlaethol yn mynd i'r gemau Olympaidd yn Llundain.

Caeodd swyddfa bost y pentref y llynedd ac mae hyn wedi gosod straen ar y siop. Er bod ffrwythau a llysiau ar gael yn y siop, nid ydynt yn ffres iawn bob tro. Nid yw prydau bwyd y teulu yn gyson wrth y bwrdd ac mae'r plant yn snacio ar greision o flaen y teledu. Mae Aled wedi ymweld â'r deintydd unwaith, nid yw Llinos wedi bod erioed.

Ystyriwch yr elfennau ym mywydau Llinos ac Aled sy'n effeithio ar eu lles.

Cynnal ac annog lles: rôl oedolion

Partneriaethau cryf gyda'r cartref

Mae ymchwil safonol, er enghraifft prosiect EPPE (The Effective Provision of Pre-School Education) – y bu cymaint o sôn amdano dros y blynyddoedd diwethaf (http:// www.ioe.ac.uk/projects/eppe) – yn nodi'n gryf bod perthynas dda gyda chartref y plentyn yn allweddol er mwyn sicrhau bod y plentyn yn dysgu. Nododd yr ymchwil hefyd gysylltiad uniongyrchol rhwng dysgu a lles. Os nad yw plentyn yn teimlo'n ddiogel, ei fod yn cael ei werthfawrogi, yn cael ei barchu, os nad yw'n iach ac yn hyderus, ni fydd yn barod i ddysgu. Dengys gwaith Gutman a Feinstein (2008) hefyd bwysigrwydd y bartneriaeth weithredol rhwng darpariaeth (ysgol yn achos eu gwaith hwy) a'r cartref.

Beth yw partneriaeth dda?

- Ystyriwch yr hyn sydd ei angen er mwyn sicrhau partneriaeth effeithiol.
- Pwy ddylid eu cynnwys fel partneriaid?
- Beth yw'r tensiynau all godi rhwng gofynion rhieni a theulu, y plentyn, plant eraill, y lleoliad neu'r ysgol?
- Clywir yn aml mai cyfathrebu da yw sail partneriaeth effeithiol. Sut mae sicrhau cyfathrebu da rhwng yr holl bartneriaid?

Agwedd, ymddygiad a sgiliau'r oedolion

Mae gan yr oedolyn rym dros blant: rydyn ni'n fwy o ran corff ac mae gennym ni fwy o wybodaeth am y byd a mwy o eiriau at ein defnydd! Gyda'r awgrym hwnnw daw cyfrifoldeb i sicrhau lles y plentyn a chan mai lles yw prif ffocws y Cyfnod Sylfaen mae hyn, dadleuwn, yn bwysicach na thargedau ac amcanion addysgol y diwrnod. Nodai LlCC (APADGOS, 2008h: 16) bod '...angen i blant ifanc feithrin agweddau cadarnhaol ac felly mae'n bwysig cyfleu negeseuon cadarnhaol sy'n dangos y caiff pob plentyn ei werthfawrogi a'i barchu'. Er mwyn gwneud hyn bydd angen rhoi cyfleoedd i blant fynegi eu hunain a sicrhau bod oedolion yn gwrando ar blant a hynny gyda'u clustiau a gyda'u llygaid. Mae gwrando ar blant yn allweddol. Bydd plant yn profi teimladau gwahanol ar brydiau gwahanol. Mae felly'n hollbwysig trin a thrafod teimladau gyda'r plant mewn ffordd sensitif. Er mwyn gwneud hyn yn effeithiol mae angen ymwybyddiaeth dda o'r digwyddiadau sy'n mynd ymlaen ym mywydau'r plant. Noda LlCC: 'Mae amser cylch yn ffordd gyfarwydd o gyflwyno materion yn ymwneud â theimladau ac ymatebion, credoau a barn bersonol mewn trafodaeth' (APADGOS, 2008h: 16). Er bod amser cylch, o'i drin yn ofalus, yn medru bod yn gyfle i drafod teimladau, nid yw'n cymryd lle ymateb uniongyrchol i ddigwyddiadau a theimladau personol plant unigol wrth iddyn nhw godi. Yn yr arferion gorau gwelir bod gwrando ar lais plentyn yn rhan o fywyd dyddiol ac yn amlwg yn ethos lleoliadau – hynny'n gyson, wrth gwrs, ag ymrwymiad Llywodraeth Cynulliad Cymru i Gonfensiwn y Cenhedloedd Unedig ar Hawliau'r Plentyn. Mae'n bwysig cydnabod pwysigrwydd 'gwrando dwfn' a gweld yn hytrach nag edrych. Mae deall beth rydym yn ei weld yn bwysicach na chofnodi beth rydym wedi edrych neu arsylwi arno.

Llais y Plentyn

Cynigiodd sefydlu Cynghorau Ysgol, fel rhan o ymrwymiad LlCC i Gonfensiwn y Cenedloedd Unedig (Erthygl 12: llais y plentyn), gyfle, i raddau, i blant fynegi barn ar eu 'hamodau gwaith'. Fodd bynnag, roedd arolwg Estyn o Gynghorau Ysgol (2008) yn mynegi consýrn bod y Cynghorau Ysgol yn ffocysu ar bwyntiau arwynebol yn unig. Nid ydynt, meddai Estyn, yn symud tuag at y nod o drafod materion o bwys yn eu hysgolion. Mae'r adroddiad yn nodi bod Cynghorau Ysgol yn cael effaith gadarnhaol ar sgiliau penderfynu plant ond nad oedd yr effaith ar yr ysgolion eu hunain yn arwyddocaol. Yr awgrym yw bod Cymru, er yn flaengar wrth ddatblygu polisïau sy'n ymbweru plant, yn llusgo traed cyn gweld y polisïau hyn yn weithredol go iawn ac yn fwy na thocenistiaeth. Nid yw plant, efallai, yn y rhan fwyaf o leoedd, yn ddinasyddion cyfartal mewn ysgolion ac nid yw democratiaeth plentyndod cynnar eto yn realiti i'r rhan fwyaf o blant. Mae goblygiadau'r ddemocratiaeth hyn yn heriol iawn i oedolion gan ei fod yn gofyn rhannu grym, gwrando, trafod a chytuno telerau gyda phlant yn hytrach na'r hen drefn o arwain a rheoli plant.

Amser, gofod ac annibynniaeth

Amser cinio, amser sgwrsio, amser pwy?

Mae sut y bydd darpariaeth i blant ifainc, boed mewn ysgol neu feithrinfa, yn cynnal amser cinio yn dweud llawer am werthoedd ac ethos y ddarpariaeth. Ystyriwch, er enghraifft, y defnydd o hambyrddau plastig gyda'r pryd cyfan arnynt – pasta a chwstard, grefi a banana. Pa syndod bod rhai plant yn cael trafferth i fwyta cinio? Yn Reggio Emilia mae pryd bwyd yn rhan bwysig iawn o'r diwrnod gyda sgwrs, yng nghwmni cyfeillion a bwyd da, yn rhan o'r mwynhad. Yno, bydd plant ifainc iawn yn cymryd cyfrifoldeb am osod y byrddau, gweini'r bwyd a chlirio. Dyma gyfnod pwysig ar gyfer datblygu hyder, hyfedredd, a sgiliau cymdeithasol allweddol – sail, wrth gwrs, i ymdeimlad o les.

Pwysigrwydd gofod

Bu Reggio Emilia yn ddylanwadol iawn ar y Cyfnod Sylfaen ac ar ddarpariaeth blynyddoedd cynnar yng Nghymru. Mae'r athroniaeth yno'n sicrhau lleoedd cuddio i blant: lle i blentyn adfyfyrio, i gael llonydd, i feddwl, i fod ar ei ben ei hun. Bwriedir y gofod hwn ar gyfer amser personol, pan fo'r galw, gan ganiatâu i blant ddewis bod ar eu pennau eu hunain, am ba bynnag reswm, heb orfod esbonio pam i oedolion. Rhaid hefyd sicrhau nad yw'r amgylchedd yn achosi straen neu *stress* mewn plant bach: bydd hyn yn golygu talu sylw gofalus i'r gofod ac amser a hynny er mwyn sicrhau naws hamddenol. Mae Collins a Foley (2008) yn cymell yr angen i greu amgylchedd lle mae straen a phryder yn cael eu lleihau a sicrhau gofod sy'n hyrwyddo hyder, hunan-fri ac annibyniaeth.

Ystyriwch

- Beth yw swyddogaeth plant eu hunain wrth greu a chynllunio'r gofod dysgu?
- Sut mae'r gofod dysgu yn medru dylanwadu ar ymdeimlad o les plant ifainc?
- Beth yw amcanion a dibenion dysgu'r gofod?
- Sut mae sicrhau nad yw oedolion yn gor-reoli'r amgylchedd dysgu?
- Pe byddai plant yn cynllunio'r gofod dysgu, sut byddai'r gofod yn edrych tybed?
- Sut mae sicrhau bod plant ag anghenion arbennig – er enghraifft, plentyn gydag anawsterau gweld – yn cael eu cynnwys yn y cynllunio?

Rhyddid ac annibyniaeth

Mae LICC yn cyfeirio at bwysigrwydd plant yn 'datblygu rheolaeth gynyddol dros eu bywydau eu hunain' (APADGOS, 2008h: 16). Er mwyn gwneud hyn bydd angen rhyddid ar blant i wneud penderfyniadau. I rai, mae'r syniad o gynnig mwy o ryddid i blant yn heriol. Ond nid yw rhyddid yn golygu anarchiaeth; hefyd nid yw rheolaeth gref o reidrwydd yn golygu rheoli effeithiol. Cynigia rhyddid gyfleoedd i blant fod yn brysur yn yr hyn y mae ganddynt ddiddordeb ynddo, a chanolbwyntio ar yr hyn y maent wedi'i ddewis. Hefyd mae'n cynnig cyfleoedd i blant wneud penderfyniadau a rheoli eu dysgu. Felly mae'n hanfodol ein bod yn parchu teimladau a dymuniadau'r plentyn. Dyma sy'n cyfrannu at blant hapus. Mae rhyddid yn hyrwyddo amgylchedd llonydd gyda llai o straen ar blant ac ar yr oedolion. Bydd hyn, yn ei dro, yn arwain at amgylchedd cadarnhaol ac awyrgylch pleserus i bawb.

Drwy gydnabod pwysigrwydd gwrando ar lais y plentyn a sicrhau gofod addas i hybu annibyniaeth, caiff plant y cyfle i'w harwain eu hunain, hynny yw, i ddilyn eu diddordebau eu hunain. Wrth wneud hyn, byddant yn arwain yn y broses gyffrous o ddarganfod ac archwilio. Weithiau, gwelir rhai plant yn ymwrthod â hyn a dewis gwneud yr un peth drosodd a throsodd. Dyma, yn ôl damcaniaethau Piaget, sut y bydd plant yn cadarnhau eu gwybodaeth o'r byd, yn cael y mwynhad o wybod bod yr hyn y maent wedi'i ddarganfod yn aros yr un peth. Wrth ail-wneud, weithiau dro ar ôl tro, ddydd ar ôl dydd, bydd y plentyn, o ymarfer, yn gwerthuso, yn mireino, yn canolbwyntio, yn dyfnhau ei ddysgu, ac yn cael llonydd i ddilyn ei anian.

Dafydd yn chwarae â Lego

Mae Dafydd yn achub ar bob cyfle i chwarae â Lego. Does ganddo fawr o ddiddordeb mewn unrhyw beth arall. Mae'n adeiladu cerbydau ac awyrennau, mae'n datgymalu ac ailgynllunio. Petai Dafydd yn cael y cyfle byddai'n chwarae â Lego drwy'r dydd. Oes ots? A fyddai gorfodi Dafydd i symud i weithgaredd arall yn amharu ar ei ddysgu ac yn peryglu ei hunan-fri? Ystyriwch sut mae datblygu a dyfnhau dysgu Dafydd drwy fynd â chyfleoedd dysgu at y Lego.

Mae'n bwysig bod oedolion sy'n gweithio yn y Cyfnod Sylfaen yn deall pryd i annog plant a'u cefnogi. Ond cyn bwysiced yw'r ddealltwriaeth o bryd i beidio ag ymyrryd. Bydd angen mwy o anogaeth ar rhai plant nag ar eraill i ddyfalbarhau. Gwelir bod modelau damcaniaethau Vygotsky gyda'r parth datblygiad procsimol (*zone of proximal development*) a Bruner gyda'i syniadau am sgaffaldu dysgu yn disgwyl bod oedolion – a phlant eraill – yn gweithredu'n sensitif i hybu dysgu. Mae dull High/Scope yn nodi pwysigrwydd y gwahaniaeth rhwng anogaeth a chanmoliaeth. Nid yw'r dull hwn sydd wedi'i addasu'n effeithiol iawn mewn llawer o ysgolion yng Nghymru, yn cymeradwyo defnydd difeddwl o ganmoliaeth. Mae gormod o lawer, byddai High/Scope yn awgrymu, o 'da iawn ti', 'ardderchog' a 'gwych' yn cael eu cyfeirio at blant heb iddyn nhw ddeall beth yw testun y clod!

Hybu a rheoli risg

Awgryma Collins a Foley (2008:145) y gall risg fod yn gadarnhaol neu'n negyddol ond ein bod, fel diwylliant, yn tueddu i ddefnyddio'r gair 'risg' fel rhywbeth peryglus a negyddol. Gall hyn arwain at weld risg fel rhywbeth i'w osgoi yn hytrach na rhywbeth i'w reoli. Mae Gill (2007) yn dadlau bod modd gor-oruchwylio plant a defnyddia'r term *'risk averse'*. Barn Gill yw bod yr ymdeimlad o'r angen i osgoi risg wedi cyrraedd pwynt sy'n golygu bod oedolion yn gor-reoli plant ac yn eu goruwchwylio'n ormodol. Gwelir enghreifftiau o hyn yn arbennig tu allan lle amharodd ofn damweiniau a rheoli risg ar gyfleoedd plant i ddarganfod a mwynhau.

> Mae prinder risg mewn chwarae yn niweidiol i les a gwydnwch plant.
>
> *Lack of risk in play is damaging for children's well-being and resilience.*
>
> (Gleave, 2008: 4)

Wrth chwarae'n rhydd yn yr awyr agored bydd plant, yn anochel, yn dod ar draws rhai peryglon a pheth risg ond awgryma Gill, eto, bod eu datblygiad a'u hiechyd yn bwysicach na'r mân risgiau hyn. Ai mater yw hyn felly o un agwedd o les yn cael ei thanseilio wrth ddatblygu agwedd arall? Mae angen sicrhau cydbwysedd call. Mae Gill eto yn tynnu sylw at y perygl o greu amgylchedd rhy antiseptig a rhydd o bob risg i blant am fod oedolion yn ofni cael bai – ofn dealladwy yn enwedig o ystyried tebygolrwydd o gyfreitha. Awgryma Lindon (2003) ymhellach bod gor-bwyslais ar ddiogelwch, yn enwedig yn y blynyddoedd cynnar, yn medru bod yn wrth-gynhyrchiol gan fod ofn gweld rhywbeth yn digwydd i'r plant yn ein gofal yn arwain at reoli a dileu pob risg posib. Mae hyn, ynddo'i hun, yn achosi risg ychwanegol i blant.

Mae'n bwysig sicrhau bod plant yn dysgu deall, mesur a rheoli risg. Dyma'r rheidrwydd i fod yn fwy diogel drwy datblygu ymwybyddiaeth o'r hyn sy'n beryglus, yr hyn sy'n ddiogel, yr hyn y gallant ei reoli, faint o fentro sy'n ddiogel iddynt. Mae'r holl bethau hyn yn helpu'r plentyn i fod yn ddiogel ac i gymryd cyfrifoldeb am ei ddiogelwch ei hun. Mae'r parodrwydd i gymryd risg yn bwysig o dan do yn ogystal â thu allan. Ni ddylid ystyried yr ymgais anorffenedig neu anfedrus fel methiant. Dylid ei ystyried fel proses o ddatrys problem, o ddarganfod datrysiad, o ddadansoddi ac adfyfyrio. Bydd y rhyddid i ddatrys problem yn cynnwys cyfleoedd i gymryd risg.

Yn ôl LICC:

> Os bydd plant yn teimlo'n ddiogel, heb ofn methu na chael eu beirniadu, byddan nhw'n gallu cael budd o'r profiadu dysgu a gaiff eu rhoi iddyn nhw drwy roi cynnig ar weithgareddau newydd, gwneud penderfyniadau, cymryd risgiau angenrheidiol a datblygu rheolaeth gynyddol dros eu bywydau eu hunain.
>
> (APADGOS, 2008h: 16)

Drwy gael cyfleoedd i ymestyn eu cyrff a'u meddyliau, daw plant i deimlo'n hyderus ac annibynnol. Dyma'r teimladau grymus hynny sy'n arwain at hunan-ddelwedd gadarnhaol ac at blentyn sy'n teimlo'n dda amdano ef ei hun.

Os yw lles yn ymwneud â theimladau a chanfyddiadau o'r hunan, a yw hi'n berthnasol neu'n bosib cynllunio ar gyfer lles plant? Fel oedolion, gallwn gydnabod a pharchu bod y plant yn allweddol yn eu cynllunio'u hunain. Mae gennym gyfrifoldeb a dyletswydd hefyd i adnabod anghenion unigol pob plentyn a'r ffaith y gall y rhain newid yn ddyddiol, yn dibynnu ar brofiadau – a hefyd o dan ddylanwad profiadau annisgwyl.

Yn aml, nid oes modd gwarchod plant ifainc rhag profiadau anodd bywyd. Ond mae gan oedolion mewn darpariaeth Cyfnod Sylfaen gyfrifoldeb i leddfu'r effeithiau negyddol a all ddeillio o'r profiadau blin hyn.

Ystyriwch sut y gall digwyddiadau a phrofiadau effeithio ar blant ifainc a beth y gall oedolion ei wneud i gynorthwyo plant i ddelio â nhw:

- Profedigaeth a galar
- Cam-drin
- Hiliaeth
- Bwlian
- Tor-priodas teuluol

A oes profiadau eraill, llai dramatig o bosibl, yn gallu effeithio ar les plentyn?

Lles y plentyn a meysydd dysgu'r Cyfnod Sylfaen

Mae lles y plentyn yn ganolog i'r Cyfnod Sylfaen. Er bod gan les y plentyn ei faes dysgu ei hun, sef *Datblygiad Personol a Chymdeithasol, Lles ac Amrywiaeth Ddiwylliannol,* mae'n berthnasol iawn i'r holl feysydd. Dyma arddangos eto bwysigrwydd gweld y meysydd dysgu fel unedau cwbl integredig, ac na ddylid eu hystyried fel meysydd annibynnol oddi wrth ei gilydd. Nid oes modd, er enghraifft, hyrwyddo llythrennedd plentyn heb sicrhau ei les ac, yn bwysicach efallai, mae modd tanseilio lles y plentyn drwy dulliau anaddas o hyrwyddo llythrennedd. Gan fod lles yn rhan greiddiol o'r meysydd dysgu yn y Cyfnod Sylfaen, bydd yn cael ei dargedu'n benodol gan ddarparwyr (mewn ysgolion ac mewn darpariaeth nas cynhelir) a bydd, hefyd, yn cael ei arolygu gan Estyn.

Lles a Meysydd Dysgu'r Cyfnod Sylfaen

Meysydd Dysgu	*Pwyntiau perthnasol yn ymwneud â Lles*
Sgiliau Iaith, Llythrennedd a Chyfathrebu	Llafaredd ○ Sgiliau • 'cyfleu'r hyn y maent yn ei feddwl' (tud 20) ○ Ystod • Siarad/cyfathrebu, yn ddigymell a thrwy gyfrwng gweithgareddau strwythuredig, at amrywiaeth o ddibenion, gan gynnwys: • siarad am faterion sydd o ddiddordeb uniongyrchol a phersonol iddynt, • mynegi meddyliau, syniadau a theimladau, hoffterau, cas bethau, ac anghenion, • mynegi barn (tud 20)
Datblygiad Mathemategol	○ Sgiliau • Dewis a defnyddio syniadau (tud 24)
Datblygu'r Gymraeg	Llafaredd ○ Sgiliau • 'cyfleu'r hyn y maent yn ei feddwl' (tud 28) ○ Ystod • siarad am faterion sydd o ddiddordeb uniongyrchol a phersonol iddynt, • mynegi meddyliau, syniadau a theimladau, hoffterau, cas bethau, ac anghenion (tud 28)
Gwybodaeth a Dealltwriaeth o'r Byd	○ Sgiliau • Gweld cysylltiad rhwng achos ac effaith (tud 32) ○ Ystod • Sylweddoli bod rhesymau dros rai gweithredoedd a bod y gweithredoedd hynny'n gallu esgor ar ganlyniadau (tud 32)
Datblygiad Corfforol	○ Sgiliau • Datblygu hyder (tud 36) • Dod yn ymwybodol o beryglon a materion yn ymwneud â diogelwch yn eu hamgylchedd (tud 37) ○ Ystod • Cymryd rhan mewn gwahanol fathau o weithgareddau chwarae ac ystod o weithgareddau a gaiff eu cynllunio, gan gynnwys y rheiny a gychwynnir gan y plant (tud 36)
Datblygiad Creadigol	○ Sgiliau • Gwneud dewisiadau wrth ddewis deunyddiau ac adnoddau (tud 40) • Cymysgu, ...eu hunain sy'n cyfleu ac yn mynegi eu syniadau, eu teimladau a'u hatgofion mewn modd creadigol (tud 40) • Archwilio a mynegi ystod o hwyliau a theimladau trwy gyfrwng amrywiaeth o symudiadau (tud 41)

Prif negeseuon y bennod

- Mae lles plant yn faes cymhleth, heb ddiffiniad clir, ac yn cynnwys nifer fawr o elfennau: iechyd, datblygiad corfforol, profiadau ac ymateb oedolion i blentyn, ymdeimlad y plentyn o lwyddiant.
- Mae lles plentyn yn ymwneud â'r corff a'r meddwl:
- Mae gan oedolion rôl allweddol wrth sefydlu a chynnal teimladau cadarnhaol plant ohonyn nhw eu hunain.
- Nid peth hawdd yw asesu lles, nid yw asesu drwy flwch tic yn briodol. Mater hirdymor iawn yw lles. Nid yw hi'n bosibl gweld yr effaith negyddol y gall oedolion ei gael ar les y plentyn unigol bob tro.
- Yn eironig ddigon, mae ein hobsesiwn gyda gwaredu risg yn gallu niweidio lles plant ac amharu ar eu gwytnwch hirdymor.

Pennod 9

Iaith, Llythrennedd a Chyfathrebu

Pennod 9

Iaith, Llythrennedd a Chyfathrebu

Siân Wyn Siencyn a Carys Richards

Datblygiad iaith

Mae datblygiad iaith plant yn broses ryfeddol. Ystyrier, er enghraifft, y gwahaniaeth rhwng babi newydd-anedig a phlentyn tair blwydd oed. Dros y tair blynedd, bydd y plentyn bach wedi dysgu defnyddio'i iaith i ddibenion soffistigedig iawn: disgrifio, sylwebu, cwestiynu, mynnu a gorchymyn, a holi. Bydd y plentyn tair oed, at ei gilydd, yn defnyddio rhagenwau (fi, nhw, ti...) ac arddodiaid (dan, wrth...), yn siarad am y gorffennol ac yn cynnig syniadau. Yn wir, bydd yn defnyddio iaith weddol ddealladwy, ran amlaf, yn enwedig gyda phobl y mae'n eu hadnabod ac yn teimlo'n gysurus gyda nhw. Bydd y plentyn teirblwydd hefyd yn defnyddio iaith i resymu – er enghraifft, i benderfynu beth ddylid ei wneud pan fyddwn wedi blino, yn gysglyd, eisiau bwyd ac yn y blaen. Ac er ei fod yn deall y cwestiwn yn iawn, ni fydd y plentyn teirblwydd yn ateb bob tro. Bydd yn dibynnu, fel sy'n wir am gynifer ohonom ni, ar ei hwyl.

Mae'r hyn sy'n wybyddus o ymchwil dros ddegawdau meithion, yn awgrymu bod babis newydd-anedig yn feistri ar gyfathrebu:

> Mae babis yn gwybod pethau pwysig am iaith, yn llythrennol o amser eu geni ac maen nhw'n dysgu llawer iawn am iaith cyn iddynt yngan gair.
>
> *Babies know important things about language literally from the time they are born and learn a great deal about language before they ever say a word.*
>
> (Gopnik, Meltzoff a Kuhl, 1999: 23)

Mae'r wyddoniaeth sy'n ymdrin â babis yn yn groth (*foetal behaviour science*) yn gymhleth iawn i'r lleygwr ac, erbyn hyn, mae'r llenyddiaeth ymchwil yn helaeth. Ceir tystiolaeth, er enghraifft, o sgiliau rhyfeddol y babi cyn ei eni, yn cynnwys ei ddealltwriaeth o seiniau iaith. Dengys ymchwil ers peth amser, drwy ddefnyddio teclynnau technolegol a phrofion cyfradd calon y ffetws (*foetal heart rate*), bod babis yn y groth yn ymateb yn gadarnhaol i sŵn llais eu mamau ac erbyn eu geni, yn gallu gwahaniaethu rhwng iaith eu mamau ac ieithoedd eraill (De Casper a Fifer,1980; Mehler *et al,* 1988). At hyn, cafodd pwysigrwydd iaith yn y cyfnod yn syth ar ôl geni, i ddatblygiad lles ac at sgiliau iaith y babi, ei gadarnhau.

Sgiliau iaith a chyfathrebu

Mae a wnelo sgiliau iaith a chyfathrebu â medrau i gyfathrebu'n effeithiol gydag eraill. Beth felly yw cyfathrebu llwyddiannus? Mae'n cynnwys sgiliau yn y canlynol:

- Ffonoleg: cynhyrchu seiniau addas i gyfleu ystyr
- Semanteg: gwybodaeth a dealltwriaeth o ystyr geiriau
- Cystrawen: trefnu geiriau yn briodol ac yn unol â rheolau
- Pragmatiaeth: defnyddio iaith i bwrpas ac i ddibenion addas, sef y rheolau cymdeithasol sy'n ymwneud ag iaith, fel peidio â rhegi o flaen Mam-gu, galw oedolion yn 'chi'

Wrth ystyried yr holl elfennau cymhleth a'r plethwaith o sgiliau, mae'n gryn syndod bod plant yn gwneud cystal. Mae'r sgiliau ieithyddol y bydd plant ifainc yn eu caffael a'u dysgu yn y pedair blynedd gyntaf o fywyd yn awgrymu eu bod yn fodau rhyfeddol o alluog.

Damcaniaethau caffael iaith

Daeth ymchwil wyddonol a seico-ieithyddol â chorff o wybodaeth gyfoethog i ni ar nodweddion a chamau caffael iaith mewn plant ifainc ond erys dirgelion mawr ynghylch y broses ei hun. Mae gennym, fodd bynnag, nifer o ddamcaniaethau sy'n ceisio esbonio'r broses ryfeddol o sut y bydd plant ifainc iawn yn caffael iaith.

Roedd damcaniaethau **ymddygiadol** (*behaviourist)* yn ddylanwadol iawn yn hanner cyntaf yr ugeinfed ganrif gyda gwaith Skinner (1953, 1957) yn binacl i'r ysgol hon o feddwl. Sail seicoleg ymddygiadol yw'r cysyniad o gyflyru gweithredol (*operant conditioning*) sef yr egwyddor a sefydlwyd gan seicolegwyr ymddygiadol cynnar megis Pavlov, Thorndike, Watson ac eraill o achos ac effaith. Bydd babi bach, yn ôl y ddamcaniaeth hon, yn ymateb i wên a llais cyfarwydd (sef yr achos) drwy wenu (yr effaith). Bydd y fam yn sgwrsio gyda'r babi (yr achos) a bydd y babi yn ymdrechu i sgwrsio'n ôl (yr effaith) – gwobr y babi fydd mam sy'n sgwrsio rhagor ac yn gwenu mwy. A dyma gylch cadarnhaol o achos ac effaith a chyflyru gweithredol yn cael ei sefydlu. Gor symleiddio yw hyn, wrth gwrs, o ddamcaniaethau llawer mwy cymhleth a chywrain.

Ond, yn 1957 daeth ymosodiad grymus iawn ar ddamcaniaethau oedd yn ceisio esbonio caffael iaith drwy baradeim ymddygiadaeth. Enw'r ieithydd ifanc beiddgar a gyflwynodd **gynhenidiaeth** (*nativism)* oedd Noam Chomsky a newidiwyd astudiaethau iaith plant byth oddi ar hynny. Man cyntaf dadl Chomsky oedd bod plant yn dweud pethau nad oedden nhw erioed wedi'i glywed – sut oedd hynny'n bosibl os oedden nhw'n dynwared neu'n adweithio i'r hyn roedd eraill yn ei ddweud? Mae iaith (unrhyw iaith a phob iaith) meddai Chomsky yn llawer rhy gymhleth i blant ei dysgu. Rhaid felly bod iaith a gallu i gaffael iaith yn rhan o wneuthuriad y rhywogaeth ddynol, rhan o'n hetifeddiaeth fiolegol, yn yr un ffordd ag y mae cael dannedd yn rhan o'n patrwm genetaidd (Chomsky 1965, 1968). Gelwir y math hwn o fecanwaith ymenyddol gan Chomsky yn Ddyfais Caffael Iaith (*Language Acquisition Device – LAD*). Dyma'r ddyfais – ynghudd yn y DNA dynol o bosibl – sy'n caniatáu i blant ifainc iawn ddeall gofynion cymhleth gramadeg iaith heb unrhyw wersi ffurfiol. Mae gwaith Chomsky yn heriol i'w ddarllen ond bu ei ddylanwad yn aruthrol, yn enwedig felly ar ein canfyddiad o iaith plant.

Datblygodd Bruner yntau ei ddamcaniaethau seicoleg ieithyddiaeth plentyndod cynnar. Y rhyngweithiad cymhleth rhwng bioleg a'r amgylchedd yw'r hyn sy'n arwyddocaol yn ôl Bruner. Gyda'i dafod yn ei foch braidd, mae'n cynnig model y LASS (rhagor na LAD Chomsky) sef y *Language Acquisition Support System* sy'n gosod pwyslais ar y symbylu allanol a'r cyd-destunau cymdeithasol i hyrwyddo caffael iaith. Dyma felly gadarnhau pwysigrwydd yr oriau, y misoedd a'r blynyddoedd cynnar ym mywyd y babi fel cyfnod allweddol i ddatblygu lles a datblygu iaith. Bu cryn feirniadu ar ddamcaniaethau Chomsky ar sawl cyfrif; er enghraifft, nid oes unrhyw dystiolaeth ffisiolegol na genidol am fodolaeth y LAD. Cred rhai (David, 2008) bod Chomsky'n tanbrisio pwysigrwydd prosesau dysgu yn natblygiad iaith plant. Byddai Vygotsky (1978) yn pwysleisio cyd-ddibyniaeth gymhleth yn y blynyddoedd cynnar rhwng datblygiad deallusol a datblygiad iaith. Mae'r rhyngweithiad rhwng datblygiad y meddwl a datblygiad iaith, y math o ddamcaniaethau a hyrwyddir gan Bruner (1982) a Karmiloff a Karmiloff Smith (2001), yn pwysleisio pwysigrwydd amgylchedd ieithyddol cyfoethog.

Cynigia Jarman (2007) gysyniad y mannau cyfeillgar i gyfathrebu (*communication friendly spaces)* gan awgrymu bod modd creu corneli a chwtshys sydd wedi'u cynllunio'n benodol er mwyn meithrin ac annog sgiliau cyfathrebu. Mae Jarman yn mynd ymlaen i drafod pwysigrwydd ystyried ffactorau megis goleuni a golau, sain a synau, lliw, cysgodion ac yn y blaen wrth gynllunio. Dylid, meddai Jarman eto (2008) edrych ar y ddarpariaeth o safbwynt y plentyn ac nid o safbwynt yr oedolion.

Iaith rhieni – iaith oedolion: meithrin datblygiad iaith

Mae rhieni yn bwysig iawn yn natblygiad iaith eu plant ac i'r broses o gaffael iaith yn y cyfnod cynnar. Rhieni – ac oedolion eraill allweddol, wrth gwrs – sy'n canu i'w plant, yn chwarae gemau bys a bawd, sy'n goglais eu plant, sy'n rhoi cwtsh iddyn nhw ac yn darllen iddyn nhw. Bydd rhieni, oedolion eraill, a hyd yn oed plant hŷn, yn siarad gyda babis mewn ffordd arbennig. Cyfeirir at y math hon o ieithwedd neu gywair ieithyddol fel mameg (*motherese),* gofaleg *(caretaker speech)* neu, yn syml, iaith oedolion at blant (*adult speech to children)*. Clywir yn y math hwn o siarad elfennau penodol megis: ailadrodd, aralleirio, goslefu pendant, enwi cyson, defnydd o ystumiau corfforol ac ystumiau'r wyneb. Gwelir hyn yn cael ei adlewyrchu'n aml yn niwylliant rhigymau a hwiangerddi plant.

Hwiangerddi, rhigymau, gemau bys a bawd

Ystyriwch yr hyn sy'n gyffredin mewn hwiangerddi plant: *Mi welais Jac y Do, Ji Ceffyl Bach, Dacw Mam yn Dŵad*... Faint fedrwch chi eu cofio? Amlygir elfennau megis ailadrodd seiniau, sefydlu naratif a stori, rhythmau cadarn, cyfleoedd i ddefnyddio corff ac wyneb. Pam tybed? Mae ysgolion Steiner yn gosod cryn bwyslais ar rythm a cherddoriaeth. Dengys gwaith ymchwil (Goswani a Bryant 1990) bod plant gafodd brofiadau cyfoethog o hwiangerddi, caneuon, a rhigymau cyn cychwyn yn yr ysgol yn datblygu ymwybyddiaeth ffonemig yn gynt na'r plant hynny na chawsant y manteision hyn.

Mae'r rhan fwyaf o blant yn llwyddo'n rhyfeddol i gaffael iaith a hynny mewn amser byr iawn. Clywir, wrth gwrs, 'wallau a phroblemau' yn eu hiaith gynnar ond nid yw'r rhain, at ei gilydd, yn fwy na phrosesau naturiol o ddatblygu ac aeddfedu. Nid peth anghyffredin, er enghraifft, yw clywed plant ifainc yn cynhyrchu'r sain *w* yn lle *r: "Ma' wobin goch fan 'na"*. Mae *r* yn sain anodd sy'n gofyn datblygiad ffisiolegol y tafod felly â plant ifainc am yr opsiwn haws – call iawn! Felly hefyd gyda rheolau gramadeg. Dengys gwaith Borsley a Jones (2005) a Jones (1999) er enghraifft, bod plant ifainc yn tueddu i ddefnyddio 'ie' a 'na' yn lle'r ymatebion gramadegol cywir megis 'ydy', 'oes', 'nac oes' ac yn y blaen. Aros am ddigon o esiamplau o iaith y mae plant ifainc, mae'n debyg, cyn eu bod yn ymarfer system ymateb digon cymhleth. At ei gilydd, mae plant yn tyfu allan o'r anawsterau cynnar hyn ond mae angen i oedolion gadw golwg – a chlust – rhag ofn bod y broblem yn fwy dyrys a hirdymor.

Y plentyn dwyieithog

Mae dwyieithrwydd yn faes eang a chymhleth a phrin fod modd gwneud cyfiawnder â'r maes mewn cyfrol fel hon. Mae ymdrechion i ddiffinio dwyieithrwydd yn arwain at gwestiynau astrus, megis:

- Ydy'r rhai hynny sy'n cychwyn dysgu neu gaffael iaith yn ddwyieithog?
- Ar ba bwynt yn natblygiad eu hail iaith y daw plant yn ddwyieithog?
- Pa sgiliau sydd raid wrthyn nhw er mwyn bod yn ddwyieithog?
- Beth yw ystyr 'bod yn rhugl'?

Bu cryn gytundeb, ers tro ac ar draws cyfandiroedd (Baetens Beardsmore, 1986; Cummins a Swain, 1986; Davies, 1991; Siencyn, 1995; Baker, 2006) ynghylch cymhlethdod dwyieithrwydd a'r anawsterau sy'n codi o chwilio am ddiffiniad gweithredol. Ers peth amser, gwelwyd cynnydd yn niferoedd o blant a phobl ifainc sy'n medru'r Gymraeg (Siencyn a Thomas, 2007) ac ers sefydlu Cynulliad Cenedlaethol Cymru yn 2000, bu polisïau cyhoeddus yn adlewyrchu'r dyhead cynyddol am Gymru ddwyieithog. Cyhoeddwyd *Iaith Pawb: Cynllun Gweithredu ar gyfer Cymru Ddwyieithog* gan Lywodraeth y Cynulliad yn 2003 gydag un o'i nodau creiddiol yn pwysleisio pwysigrwydd y blynyddoedd cynnar i'r bwriad o greu Cymru ddwyieithog. At hyn, cafwyd sefydlu Datblygu'r Gymraeg fel maes dysgu yn y Cyfnod Sylfaen.

Gellir dadlau bod canllawiau'r Cyfnod Sylfaen wedi anwybyddu'r lleisiau sy'n rhybuddio am gymhlethdod dwyieithrwydd drwy gynnig diffiniad sy'n gynhwysfawr ac yn syml – gor-syml efallai:

> Dwyieithrwydd yw: gallu i siarad, darllen ac ysgrifennu mewn dwy iaith
>
> (APADGOS, 2008ff: 9)

Nid oes yma gyfeirio at gymhlethdod ymddygiadau dwyieithog nac ychwaith am y gallu i ddeall iaith arall ac mae gallu i ddeall yn sgìl ieithyddol o bwys arwyddocaol. Wedi dweud hyn, mae'r ddadl o blaid bod yn ddwyieithog yn ddiymwâd Bialystok, 2001; Garcia a Baker, 2007).

Un canlyniad diddorol i ddwyieithrwydd yw bod y cyflwr yn caniatáu i blant i feddwl am iaith ei hun (Shaffer, 1999). Gelwir hyn yn feta-ieithyddiaeth ac mae'n ymwneud ag ymwybyddiaeth o iaith: sut mae iaith yn gweithio, beth ellir ei wneud ag iaith. Clywir plant ifainc yn dweud pethau rhyfeddol sy'n awgrymu eu bod yn deall llawer iawn am iaith, er enghraifft:

> Weithiau, mae lot o fois yn *bechgynnau.*
>
> Mae Mam-gu yn dweud *cwpla* ond mae Nain yn dweud *gorffen.*

Cred Donaldson (1978) bod ymwybyddiaeth feta-ieithyddol yn ffactor allweddol yn natblygiad darllen mewn plant ifainc.

Haul a lleuad Bialystok

Mae'r ymchwilydd ar ddwyieithrwydd Ellen Bialystok o Ganada wedi ymgymryd ag ymchwil diddorol iawn ar sut mae plant dwyieithog a phlant uniaith yn meddwl. Gosododd, er enghraifft, dasg syml feta-ieithyddol yn cynnwys cyfnewid symbolau. Gofynnwyd i blant

Beth petai bawb yn dod at ei gilydd ac yn penderfynu galw'r lleuad yn haul a'r haul yn lleuad? Beth fyddai yn yr awyr gyda'r nos pan fyddwn ni'n mynd i'r gwely? (yr haul). Sut byddai'r awyr yn edrych? (tywyll)

Roedd y plant dwyieithog a'r plant rhannol ddwyieithog yn sgorio'n arwyddocaol well na phlant uniaith yn eu hymatebion i'r broblem haul/lleuad. Mae hyn, meddai Bialystok, oherwydd bod datrys y broblem yn dibynnu ar blant yn medru canolbwyntio ar y ffurfiau heb gael eu gwrthdynnu gan ystyron.

Yr allwedd i lwyddiant – sut bynnag y caiff hwnnw ei ddiffinio – i blant ifainc sy'n caffael Cymraeg fel ail iaith, yw awyrgylch ieithyddol gefnogol. Golyga hyn ddigon o gyfleoedd i glywed yr iaith a hynny mewn sefyllfaoedd naturiol ac ysgogol. Y gred, ers rhai blynyddoedd bellach, yw bod y cysyniad o wersi iaith yn fodel anaddas gyda phlant ifainc. Dengys gwaith Thomas (2005) bod modd cyfuno egwyddorion arfer dda y Cyfnod Sylfaen (annibyniaeth plant, ymyrraeth ymataliol oedolion, gwrando ar y plentyn ac yn y blaen) gyda gofynion hyrwyddo ail iaith. Drwy sicrhau cyfleoedd i blant sgwrsio, i esbonio, i egluro ac ymateb, mae'r Gymraeg y byddant yn ei chlywed gan yr oedolion yn Gymraeg mwy cyfoethog, mwy cymdeithasol a photensial dyfnach ganddo na gwers iaith yn seiliedig ar batrymau iaith gyfyng.

Plant ag anawsterau llafaredd

Nid yw pob plentyn, wrth gwrs, yn datblygu iaith a sgiliau cyfathrebu ar yr un cyflymder nac ychwaith yn yr un ffordd. Mae'r norm datblygol yn eang ac yn wahaniaethol. Fodd bynnag, erbyn tua 3 – 4 oed bydd y rhan fwyaf o blant wedi cyrraedd rhai o'r cerrig milltir ieithyddol safonol, y math o brofion sy'n cael eu defnyddio gan bobl broffesiynol megis therapyddion llafaredd neu feddygon plant. Bydd y plant hynny nad ydyn nhw wedi cyrraedd rhai o'r cerrig milltir yn cael eu sgrinio ar gyfer anawsterau iaith. Mae gwahaniaeth arwyddocaol rhwng gohiriad iaith (*language delay*) ac anhwylder iaith (*language disorder*). Os oes anhwylder iaith ar blentyn mae ymyrraeth gynnar (*early invervention*) yn bwysig iawn er mwyn naill ai ddatrys yr anhawster neu o leiaf gynorthwyo'r plentyn i ddatblygu gyda'r anhawster. Mae'r risg o anawsterau gyda darllen yn fwy pan fydd gan blentyn arafwch yn natblygiad ei iaith.

Mae gwerth aruthrol, yn ôl y dystiolaeth ymchwil sy'n deillio o ymarfer clinigol, i ddulliau ymddygiadol gyda phlant ag anawsterau iaith, megis atal dweud (Bonelli *et al* 2000). Dengys ymchwil bod cysylltiad rhwng profiadau ieithyddol tlawd ac arafwch yn natblygiad iaith a chyfathrebu plentyn bach (Stanton-Chapman *et al* 2004). Mae llawer o gynlluniau llwyddiannus iawn i adnabod problemau – neu broblem posibl – yn natblygiad iaith plant ac i gynnig rhaglenni ymyrraeth i hwyluso datblygiad yn allweddol.

Yn atseinio damcaniaethau ymchwil Vygotsky ynghylch plant hŷn fel dylanwad ar ddysgu plant iau, credir, erbyn hyn, bod plant eraill yn bwysig iawn i ddatblygu iaith plant (Delamain a Spring, 2001; Cheminais, 2008). Clywir termau megis 'sgwrs plentyn-i-blentyn' (*child to child talk*) ac mae Mercer a Littlejohn (2007) yn tanlinellu pwysigrwydd plant yn sgwrsio gyda'i gilydd yn y dosbarth gan herio'r '...safbwynt traddodiadol sy'n hawlio bod sgwrsio ac ymwneud cymdeithasol rhwng plant yn amherthnsol' *(...the traditional view that talk and social interaction among children are irrelevant.)*

Beth yw anghenion llafaredd, iaith a chyfathrebu (ALlACh)?

Dyma'r term sy'n cael ei ddefnyddio i gwmpasu ystod o anawsterau cyfathrebu mewn plant a phobl ifainc. Gall yr anawsterau hyn ymwneud â ffurfio brawddegau, deall beth mae eraill yn ei ddweud, creu seiniau ac ynganu geiriau, defnyddio iaith gymdeithasol briodol. Dengys Adroddiad Bercow (2008) bod oddeutu 6 o bob 100 o blant yn profi anhawster iaith ar ryw adeg yn eu plentyndod ac y bydd o leiaf un o bob 500 o blant yn cael anawsterau mwy hirdymor a mwy difrifol. Gall yr anawsterau hyn fod yn ganlyniad, wrth gwrs, i anawsterau eraill megis awtistiaeth, palsi'r ymennydd, nam ar y clyw neu anawsterau dysgu mwy cyffredinol.

Person allweddol yn y broses o adnabod anawsterau ALlACh yw'r therapydd iaith a lleferydd. Mae therapyddion iaith a lleferydd nid yn unig wedi eu hyfforddi'n drylwyr i adnabod a mesur yr angen ond hefyd yn medru cynllunio rhaglenni cynnar addas a monitro eu heffeithiolrwydd. Cydweithia'r bobl broffesiynol hyn yn agos gydag eraill ond ceir prinder aruthrol ohonynt – ac mae prinder enbyd o therapyddion sy'n medru cynnig gwasanaeth

Cymraeg. Problem fawr arall yw eu bod yn cael eu cyflogi, at ei gilydd, gan y Byrddau Iechyd. Dyma felly danlinellu her i Lywodraeth y Cynulliad yng Nghymru sef y gwahaniaethu rhwng cyfrifoldebau Awdurdodau Lleol (ac mae ysgolion a darpariaeth nas cynhelir, at ei gilydd, yn dod o dan reoliadau awdurdodau lleol) a chyfrifoldebau Awdurdodau neu Fyrddau Iechyd. Cadarnhawyd hyn mewn adroddiad ar wasanaethau peilot yn y maes hwn i Lywodraeth y Cynulliad yn 2007:

> Wrth wraidd yr her... yw'r ffaith, er bod anawsterau llafaredd, iaith a chyfathrebu yn fater sy'n gyffredin i iechyd ac addysg, mae targedau a'r blaenoriaethau iechyd ac addysg yn wahanol iawn. Mae gan y naill sector a'r llall felly ymagweddiadau gwahanol i'r un materion gydag phersbectif a goblygiadau cyfreithiol gwahanol.
>
> *At the heart of the challenge... is the fact that although speech, language and communication difficulties is an issue common to both health and education, the targets and priorities which heath and education operate to are very different. Each sector therefore approaches the same issue with very different perspectives and legal obligations.*
>
> (http://wales.gov.uk/docs/dcells/publications/090414speechandlanguageen.pdf. Mynediad Medi 2009)

Nododd Adroddiad Bercow eto bwysigrwydd adnabod anawsterau cynnar ac ymyrryd effeithiol yn gynnar er mwyn atal problemau diweddarach, megis cyrhaeddiad addysgol is, anawasterau ymddygiad, problemau emosiynol a seicolegol yn gyffredinol ynghyd â iechyd meddwl. Â Bercow ymlaen i awgrymu bod hyn yn medru arwain at ymddygiad troseddol (Bercow, 2008:14).

Beth yw datblygiad iaith felly?

Peth cyffredin erbyn hyn yw amau'r cysyniad o ddatblygiad plant fel petai'r datblygiad hwnnw'n broses linol, dwt gyda phob plentyn, heblaw am y rhai 'abnormal', yn cyrraedd set o gerrig milltir ar yr un pryd (Dahlberg a Moss, 2005; MacNaughton, 2006). Mae plant yn byw ac yn datblygu yn eu bydoedd a'u peuoedd amrywiol:

- Y plentyn yn ei gorff: geneteg, datblygiad corfforol, y prosesau aeddfedu, ffisioleg, rhyw.
- Y plentyn yn ei ddiwylliant: datblygiad cymdeithasol, profiadau ieithyddol, chwarae, gwerthoedd cymdeithasol ac arferion teuluol.
- Y plentyn yn ei gyfnod: lle ac amser, gwleidyddiaeth, polisïau cyhoeddus.

Yr un plentyn, wrth gwrs, ond gydag amrywiaethau di-ben-draw o ddylanwadau ar ei ddatblygiad. Oes modd gweld datblygiad iaith yn yr un modd felly? Mae hyn yn arwain at gwestiynau mawr ynghylch datblygiad iaith plant a sut y mae mesur datblygiad iaith? Yn ôl pa normau datblygol y dylid mesur? Ai'r grŵp sydd â grym sy'n diffinio'r norm?

Llafaredd: gwrando, siarad a sgwrsio

Mae sgwrsio, gwrando, deall, darllen ac ysgrifennu yn fathau o ddefnydd o iaith sy'n blethiad cymhleth o sgiliau. Mae hi bron yn amhosibl dysgu darllen ac ysgrifennu – gweithgareddau diwylliannol cymhleth iawn – heb yn gyntaf ddeall iaith a defnyddio iaith i ddibenion amrywiol. Bydd plant tair oed yng Nghymru yn cychwyn ar y Cyfnod Sylfaen gydag ystod digon amrywiol o sgiliau a phrofiadau ieithyddol. Weithiau, nid yw'r profiadau hyn yn unol â disgwyliadau oedolion mewn darpariaeth Cyfnod Sylfaen. Bydd rhai plant, er enghraifft, yn anghyfarwydd â hwiangerddi traddodiadol ond byddant yn gallu canu *jingles* teledu a chaneuon pop. Bydd y plant hyn wedi arddangos sgiliau pwysig wrth iddynt feistroli rhythm ac odl a byddant wedi arddangos eu gallu i ddwyn penillion i gof. Oni bai bod oedolion yn gwrando'n ofalus ac yn sensitif ar iaith plant, byddai'n hawdd camddeall neu fethu clywed yr hyn y mae plant bach wedi'i ddysgu eisoes.

Dibenion iaith

Ffordd syml iawn, gor-syml efallai, yw dadansoddi iaith yn ôl dibenion y siaradwr – yr hyn a elwir weithiau yn ffwythiannau iaith *(language functions)*. Diddorol yw gwrando ar iaith oedolion mewn darpariaeth blynyddoedd cynnar.

Iaith oedolion	***Math o iaith***	***Dibenion a ffwythiant***	***Enghreifftiau***
	Deallusol, gwybyddol. Cwestiynau caeëdig yn fodd amlwg.	Datblygu prosesau meddwl, cysyniadau. Deall patrymau iaith.	Beth yw...? (enwi) Pa liw yw...? (adnabod lliw) Oes mwy na...? (rhifo a lluosogi) Ble mae...? (lleoli ac arddodiaid)
	Trefniadol, rheoli. Gorchmynion yn fodd amlwg.	Cadw trefn, gosod ffiniau, cynnal rheolaeth a grym.	Pawb yn dawel... Pawb i eistedd... Aros Dafydd...
	Emosiynol a chymdeithasol. Cwestiynau agored.	Rhannu barn, cyd-adeiladu gwybodaeth.	Beth wyt ti'n meddwl digwyddith os...? Wyt ti'n meddwl bod hwn yn syniad da...? Pam oedd hwnna heb weithio tybed...?

Os ystyriwn y gwahaniaethau rhwng iaith oedolion ac iaith plant, fe welwn bod oedolion yn debygol o holi cwestiynau – cwestiynau, at ei gilydd, y maen nhw eisoes yn gwybod yr ateb iddyn nhw:

Oedolion	Nodweddion	Plant	Nodweddion
Pa liw sgidie sydd gen ti?	Addysgol	Odde rhy gormod o nhw i all of them mynd in it.	Annisgwyl
Ble mae'r car bach coch?	Llinellol	Mae fe'n martian sy'n flying about a dod i lawr…	Anturus
Sawl afal sydd yn y fasged?	Cyd-destunol	Brysia brysia, hurry hurry, it's bwrw glaw'n sobor iawn…	Dewr

(Recordiadau o blant yn siarad mewn dosbarth meithrin ac ar iard chwarae, heb oedolyn. Siencyn 2003)

Mae plant ifainc yn mentro gydag iaith ac yn dangos, yn eu sgwrs, eu bod yn dilyn rhesymeg ieithyddol – sef ymwybyddiaeth o sut mae iaith yn gweithio, yn ôl Chomsky. Nid oes ofn ganddyn nhw, fel yr ymddengys yr enghreifftiau uchod, i ddefnyddio'r Gymraeg sydd ganddyn nhw er mwyn hwyluso'r chwarae a'r cyfathrebu rhyngddyn nhw.

Dengys gwaith Cazden (2001), Walsh (2006) ac eraill nodweddion diddorol ynghylch iaith oedolion mewn dosbarthiadau ysgol. Mae'r hyn a elwir yn ddisgwrs dosbarth neu iaith athrawon (*classroom discourse* neu *teacher talk*) i'w gael, a bod i'r math hyn o iaith batrwm amlwg a rhagweladol. Mae'r rhyngweithiadau mono-rhesymegol (*monologic interactions)* yn dilyn patrwm sydd â diben addysgol:

Cychwyn: Sawl afal sy gen i yma?

Ymateb: Tri.

Gwerthuso: Da iawn, mae gen i dri afal.

Mae hyn yn awgrymu bod addysgwyr blynyddoedd cynnar yn dilyn math o fap ieithyddol a phrin yn gwyro oddi wrth y llwybr.

Ond, ers peth amser, daeth y syniad o drin plant fel partneriaid trafod dilys, a sgwrsio go iawn gyda nhw, yn fwy amlwg. Gwelir dylanwad Paulo Freire (enw cyfarwydd i'r sawl sydd wedi astudio athroniaeth Reggio Emilia), Courtney Cazden, Baktin ac yn y blaen ar ein syniadau ni ynghylch diben addysg a natur grym rhwng oedolion a phlant. Mae'r cysyniad mwy diweddar o ganolbwyntio ar sgwrs leoliadol (*situated talk*) yn cynnig cryn her i oedolion. Er mwyn trafod go iawn, sgwrsio go iawn, rhaid gwrando go iawn – sy'n arwain at y cwestiwn mawr: ydy oedolion yn siarad gormod mewn dosbarthiadau blynyddoedd cynnar?

Iaith a chwarae tu allan

Cred rhai (Bilton, 2002; White, 2009) bod iaith plant yn elwa o chwarae tu allan. Mae hi fel petai'r awyr agored yn caniatáu i blant ymarfer eu llafaredd, i arbrofi gydag uchder ac ansawdd eu lleisiau. Gwelir hefyd blant swil yn dod yn fwy hyderus ar lafar a phlant bywiog ac uchel eu lleisiau yn ymdawelu.

Gwrando

Un peth yw dadansoddi sgiliau gwrando plant ond beth am sgiliau gwrando oedolion? Dywed Clark *et al*, yn bryfoclyd:

> Mae 'gwrando' yn un o'r geiriau *zeitgeist* (mae eraill yn cynnwys 'ansawdd' a 'rhagoriaeth') sy'n cael eu towlu o gwmpas nes ei fod yn ymddangos ymhob man. Mae pawb, o wleidyddion i fanciau, yn licio meddwl eu bod yn gwrando.
>
> *'Listening' is one of those zeitgeist words (others include 'quality' and 'excellence') that get bandied around until it seems to crop up everywhere. Everyone, from politicians to banks, wants to be perceived as listening*
>
> (Clark *et al*, 2002: 8)

Mae sawl math o wrando a gall gwrando fod yn dwyllodrus. Cafwyd yn ddiweddar, y cysyniadau o wrando arwynebol, gwrando dwfn, gwrando lluosol (*multiple listening*).

Plentyn	*Oedolyn: gwrando arwynebol*	*Oedolyn: gwrando dwfn*
Dw i wedi ffraeo efo Siân	*Tydi hwnna ddim yn beth neis iawn*	*Ti wedi ffraeo efo Siân? Wel, wel… be ddigwyddodd? Dwed wrtha i…*
Tydw i ddim isio banana	*Wel, does dim byd arall i gael.*	*Ti ddim yn hoffi bananas? Pa ffrwythau wyt ti yn licio?*
My doli's had a dolur. She's hurt hisself	*Well i ti roi plastar arni hi 'te.*	*O diar, mae hi wedi cael dolur. Beth ddigwyddodd iddi hi…Sut gath hi ddolur?*
Ma Morus yn gas i fi.	*Paid a chymryd sylw ohono fe.*	*Ydy Morus yn gas i ti? Sut mae o'n gas i ti? Beth mae o'n neud sy'n gas….?*

Wrth ystyried gwrando dwfn, daw'n amlwg bod angen cryn sgìl i ddatblygu sgwrs lle nad oes sicrwydd ynghylch cyfeiriad y sgwrs. Bydd angen amser ar blant i feddwl, i lunio ymatebion, i ddeall, i ddewis geiriau… tipyn o broses.

Mae'r ffordd hon o ddefnyddio iaith hefyd yn cynnig her i oedolion mewn ffyrdd eraill; er enghraifft ,sut mae cynnal sgyrsiau go iawn gyda phlant sy'n dysgu Cymraeg fel ail iaith, plant sydd â sgiliau iaith amrywiol yn yr ail iaith. Nid oes ateb hawdd i'r tyndra a all godi wrth i'r addysgwr geisio cynnal ansawdd yr iaith ac ansawdd y gwrando.

Awgrymiadau

- Gofynnwch gwestiynau 'pam' a 'sut'
- Defnyddiwch ddatganiadau a chwestiynau agored ac adfyfyriol; gofynnwch am stori, am farn, am sylwebaeth
- Cysylltwch â bywydau plant, eu diddordebau, gweithgareddau blaenorol
- Sefydlwch bartneriaeth sgwrsiol
- Holwch gwestiynau lefel uchel: 'sut mae hwnna'n gweithio tybed?', ' beth fyddai'n digwydd petai…?'
- Meddyliwch yn uchel ac ychwanegwch dagiau megis 'ondyfe', 'chi'n gwbod', 'wsti'.
- Defnyddiwch weithgareddau agored gyda deunyddiau go iawn: defnyddio ffonau go iawn, bwydydd go iawn… nid afalau plastig a ffonau tegan.

Beth am recordio chi eich hunan yn sgwrsio gyda phlant? Wrth wylio a gwrando arnoch chi eich hunan, fe ddowch i ddeall pwysigrwydd adfyfyrio ar eich sgiliau, beirniadu a herio eich hunan i fod yn fwy effeithiol.

Llythrennedd: ysgrifennu a darllen

Mae'r cyfnod cyn ysgrifennu a darllen ffurfiol yn allweddol i lwyddiant ennill y sgiliau cymhleth hyn. Dyma'r cyfnod cyn darllen a chyn llythrennedd – defnyddiwyd y *term 'pre-reading'* yn gyffredin ar un adeg – sy'n arwain at feistrolaeth o sgiliau sydd, yn eu hanfod, yn sgiliau diwylliannol. Bathwyd y term egin lythrennedd (*emergent literacy*) gan Marie Clay yn y 1960au i ddisgrifio'r cyfnod sy'n arwain at ddarllen ac ysgrifennu ffurfiol a bu'r cysyniad hwn o egin ddatblygu llythrennedd yn ddylanwadol iawn yn ystod yr ugain mlynedd a mwy diwethaf. Mae Doherty a Hughes (2009) yn diffinio egin lythrennedd fel y ffordd y bydd plant yn adeiladu gwybodaeth am lythrennedd drwy eu profiadau bob dydd.

O 1970au'r ganrif ddiwethaf hyd heddiw, ceir cryn gorff o dystiolaeth ymchwil yn awgrymu bod plentyn yn creu cysylltiad rhwng y llafar a'r gair printiedig. Awgryma'r ymchwil, hyd at y presennol, ddwy agwedd bwysig: yn gyntaf bod y plentyn yn ganolog i'r dysgu, ac yn ail rôl yr oedolyn fel yr un sy'n annog ac yn cynnal – term Bruner yw sgaffaldu – dealltwriaeth y plentyn. Mae Pramling ac Asplund Carlsson (2008) yn trafod y modd y gall addysgwyr cynnar drafod iaith a chynnal ymwybyddiaeth feta-ieithyddol plant drwy, er enghraifft, esbonio'r syniad o frawddeg ac o naratif. Mae llyfrau hwythau yn bwysig yn y broses hon. Dengys ymchwil Pramling ac Asplund Carlsson a Goodman a Martens (2007) bod llyfrau sy'n gorffen brawddegau gydag atalnod llawn, yn dwt ar ddiwedd pob dalen, yn gorsymleiddio'r broses i blant ac yn medru eu drysu. Mae a wnelo darllen ac ysgrifennu yn gymaint â disgwyliadau diwylliannol ag â phrosesau deallusol. Wedi'r cyfan, nid yw darllen Tseinieg yr un peth â darllen Cymraeg – neu ydy e?

Print amgylcheddol

Credir, erbyn hyn, bod yn rhaid cydnabod, wrth ystyried llythrennedd cynnar, yr ystod eang a helaeth o ffurfiau testun y bydd y plentyn ifanc yn ei weld (Kendrick a McKay, 2004). Nid yw plant yn datblygu sgiliau llythrennedd mewn gwacter ac nid oes modd i oedolion hybu'r sgiliau hyn mewn gwacter. Awgryma Gombert (1992) fod print amgylcheddol yn allweddol i'r ffordd mae plant yn symud o weld ysgrifennu fel system bictograffaidd (sef arwydd yn cynrychioli cysyniad rhagor na gair) i system graffo-ffonolegol (sef trefn ble mae llythrennau penodol yn cynrychioli seiniau penodol). Awgryma Clay (2002) fod hyn yn ddatblygiad naturiol a bod darllenydd llwyddiannus yn ceisio gwneud synnwyr o'r iaith ysgrifenedig y mae'n ei weld o'i gwmpas rhagor na dibynnu ar gael ei 'ddysgu' megis gan oedolyn.

Bydd y plentyn ifanc, felly, yn cychwyn ar y daith i ddarllen oddi fewn i amgylcheddau'n llawn print. Yn ôl Ferreiro a Teberosky (1982) o chwe mis tan tua 5 i 6 oed y daw'r plentyn i ddeall bod pwrpas cyfathrebol (*communicative function)* i brint. Daw'r plentyn, gan amlaf, i ddeall pwrpas print drwy gyd-destunau cyfoethog (*context rich*) drwy, er enghraifft, gardiau pen-blwydd, arwyddion, hysbysebion, bagiau siopa ac ati. Dywed Doherty a Hughes;

> Nid yw'n syndod felly bod dealltwriaeth plant cyn-ysgol o strwythuro iaith ysgrifenedig (cyfeiriad symudiad y llygaid, geiriau fel eitemau testunnol ar wahân) yn bur ddatblygedig ac yn rhagflaenu dysgu darllen ac ysgrifennu.
>
> *It is therefore no surprise that preschool children's understanding of the structures of written language (eye-scanning direction, words as separate items of text) is quite advanced and precedes their learning to read and write.'*
>
> (Doherty a Hughes, 2009: 327)

Mae Whitehead (2009) yn awgrymu bod llythrennedd wedi ei wreiddio yn y berthynas agos rhwng plant a phobl ac mewn cyfathrebu yn hytrach nag mewn geiriau a llythrennau. Hawlia Clay (2002) eto, fod profion darllen yn anaddas i blant ifainc gan nad oes modd iddynt gynnig darlun clir na chywir. Dywed fod pob plentyn yn medru dysgu rhywbeth ond fod rhai yn cychwyn eu dysgu o fan gwahanol (*all children are ready to learn something, but some start their learning from a different place'*) (Clay, 2002: 9). Dyna gydnabod pwysigrwydd cofio bod pob plentyn yn unigolyn.

Gellir amlinellu casgliadau ymchwil ar lythrennedd cynnar fel hyn:

- Mae perthynas rhwng datblygiad sgiliau iaith, darllen ac ysgrifennu. Mae'r sgiliau hyn yn gysylltiedig â'i gilydd ac maen nhw'n gyd-ddibynnol i raddau helaeth.
- Mae datblygiad llythrennedd yn cael ei sefydlu ym mlynyddoedd cynnar bywyd y plentyn.
- Mae sgiliau llythrennedd cynnar yn datblygu orau mewn sefyllfaoedd go iawn, drwy ymwneud go iawn gyda deunyddiau go iawn a chyda phobl go iawn.

Marcio ac ysgrifennu cynnar

Un elfen bwysig o ddatblygu llythrennedd yw'r cyfleoedd a gaiff plant ifainc i farcio, hynny yw, i greu marc ar bapur, mewn tywod, gyda phaent neu, fel babi, gyda'i fys mewn bwyd. Dengys ymchwil (Fisher a Williams, 2006) bod marcio cynnar yn 'rhesymegol a systemataidd' (*logical and systematic*) a bod iddo arwyddocâd wrth ddatblygu lluniadu (tynnu llun neu *drawing*). Yn wir, mae Yang a Noel (2006) yn awgrymu bod prosesau lluniadu ac ysgrifennu yn gwbl gysylltiedig â'i gilydd. Gwelir pwysigrwydd lluniau mewn llyfrau i blant ifainc fel cyfrwng i hyrwyddo naratif ac ystyr gan hwyluso'r broses o ddeall print.

Mae a wnelo marcio ac ysgrifennu â datblygiad corfforol plentyn. Er mwyn rheoli pensil (neu fys) rhaid wrth sgiliau echddygol manwl (*fine motor skills*). Nid yw pob plentyn, wrth gwrs, yn datblygu'r sgiliau hyn ar yr un adeg nac ychwaith gyda'r un hwylustra. Hynny yw, maen nhw'n sgiliau mwy anodd eu caffael i rai plant nag i eraill. Y farn, erbyn hyn, yw bod ysgrifennu yn anos i blant ifainc (ac i bob un ohonom ni ddigon tebyg) nag ydyw darllen. Mae ysgrifennu'n dibynnu ar y gallu i ddal teclyn a'i ddefnyddio'n effeithiol. At hyn, mae ysgrifennu'n gofyn dealltwriaeth o gonfensiynau megis atalnodi, gramadeg, sillafu ac yn y blaen. Yr hyn sy'n bwysig yw bod plant yn cael cyfleoedd i ymarfer y sgiliau hyn a hynny mewn sefyllfaoedd chwarae naturiol, er enghraifft yn y corneli chwarae dychmygus, gallant ddefnyddio papur nodiadau:

- i gymryd neges wrth y ffôn yn swyddfa'r milfeddyg
- i gymryd archeb bwyd yn y caffi
- i gofnodi apwyntiadau yn syrjeri'r meddyg, deintydd, y siop trin gwallt, ar gyfer MOT yn y garej
- i ysgrifennu enwau ar docynnau teithio a chesys yn y maes awyr
- i gyfeirio cerdyn Nadolig at Nain, cerdyn pen-blwydd at Tad-cu.

Cyfleoedd i ysgrifennu a gweld print yn y cornel caffi

- Enw'r caffi a logo (plant ddylai benderfynu ar enw ac ar arwydd logo – beth am chwilio am enghreifftiau ar y we neu yn y llyfr ffôn?)
- Arwyddion *'Ar Agor', 'Wedi Cau', 'Amser Agor'*
- Arwyddion symbolau a thestun ar gyfer tai bach
- Bwydlen i'w gosod wrth y fynedfa
- Bwydlenni ar y byrddau (casglwch enghreifftiau o gaffis yn yr ardal)
- Padiau papur a phensiliau i gymryd archebion
- Bwrdd talu: arian, cardiau credyd

Mewn darpariaeth Cyfnod Sylfaen cyfrwng Saesneg, dyma gyfle ardderchog i ddatblygu maes dysgu Datblygu'r Gymraeg: arwyddion dwyieithog a defnyddio enwau Cymraeg

Darllen cynnar

Mae darllen yn ymwneud ag adnabod a dehongli symbolau. Byddai llawer iawn o blant tair oed ac ifancach, er enghraifft, yn medru adnabod y symbol hwn: M. Caiff y math hwn o ddarllen ei alw yn darllen eiconograffig neu ddarllen logograffig. Nid yw'n naid rhy bell o 'ddarllen' y logo i ddarllen M am *Meilyr, Megan, Morys, Mam* neu *medru.*

Gellid dadlau mai 'darllen' yw un o brif bryderon rhieni o ran datblygiad eu plant, yn enwedig plant tua 5 – 7 oed, mewn ysgolion cynradd.

> O'r holl gannoedd o bethau rydyn ni am i'n plant lwyddo ynddyn nhw, yn gymdeithasol, yn athletaidd, yn gerddorol, yn ddeallusol... darllen yw'r llwyddiant sy'n llenwi'r gofod mwyaf yn ein gobeithion.

> *Of all the hundreds of things we may want our children to achieve, socially, athletically, musically, intellectually, or in any other way, reading is an achievement which looms large in our hopes.'*
>
> (Young a Tyre, 1985: 15)

Mae'r cannoedd o lyfrau sydd ar gael i annog rhieni i gynorthwyo eu plant i ddarllen yn dyst o hynny, er nad ydynt oll yn gyson eu neges nac ychwaith i gyd yn cyflwyno'r wybodaeth fwyaf defnyddiol o ran y prosesau cymhleth. Mae pwysau cyson ar addysgwyr gan rai rieni, penaethiaid, llywodraethwyr a chanlyniadau ystadegol ysgolion i 'wthio' plant mewn rhai achosion cyn eu bod yn barod yn wybyddol nac ychwaith yn emosiynol. Ceir polisïau llywodraeth (Llywodraeth San Steffan rhagor na Llywodraeth Cynulliad Cymru er tegwch) yn eiriol ar ran gwahanol gynlluniau datblygu llythrennedd ac yna yn symud i gynllun newydd. Nid peth newydd, wrth gwrs:

> ...mae dysgu llythrennedd yn parhau'n fyw o ddadlau... mynegir llawer o gonsýrn addysgol, pwysau gwleidyddol, ymwybyddiaeth rhieni ynghylch safonau ac ynghylch y modd y caiff ei ddysgu... am yn rhy hir bu dysgu darllen yn destun barn a ffasiwn.
>
> *...the teaching of literacy remains riven with controversy...much political pressure, parental awareness and educational concern are expressed about the standard..and about the way in which it is taught...for too long the teaching of reading has been subjected to the world of opinion and fashion.*
>
> (Riley, 2007: xi)

Mae'r cysylltiad rhwng profiadau llafar a datblygiad iaith gynnar plant a'u llwyddiant fel darllenwyr wedi ei hen sefydlu (Clark 1976; Riley 1987; Whitbread 1996). At hyn, mae profiadau plant ifainc o lyfrau a storïau yn hollbwysig. Gwrthrych neu degan yw llyfr i fabi. Bydd yn ei gnoi, ei ysgwyd, ei daro yn erbyn ei ben gan ddefnyddio'i synhwyrau i'w archwilio. Er nad 'darllen' yw ymddygiad fel hyn, mae'n gyfnod pwysig o arbrofi a dod i deimlo posibiliadau llyfrau:

> Hyd yn oed yn y cyfnodau cynnar hyn, mae plant yn dysgu sut i drin llyfrau – bod modd troi tudalennau, y gellir darllen ymlaen ac edrych yn ôl ar luniau fel canllaw, bod ffordd gywir i ddal llyfr am i fyny.
>
> *Even at these early stages children learn how to handle books – that pages can be turned, that you can read on and look back at the pictures as a guide, that there is a right way up for books.*
>
> (Godwin a Perkins, 1998: 45)

Cynhaliwyd ymchwil hirdymor (hydredol) gan Wells (1986) ar ddylanwad darllen storïau ar ddatblygiad llythrennedd plant. Canfuwyd bod y plant hynny oedd yn cael stori'n rheolaidd yn gwneud cynnydd da fel darllenwyr o'u cymharu â phlant nad oeddynt yn cael rhywun yn darllen iddynt. Cred Drury (2007) fod hyn oherwydd bod profiadau'r plant oedd yn dangos cynnydd da yn eu galluogi i ddeall llyfrau ac i fod yn gyfarwydd ag adnabod geiriau mewn print. Ymddengys felly bod darllen storïau i blant yn bwysig i'w datblygiad a bod cyfraniad y cartref yn gwbl allweddol. Gwyddys fod y llywodraeth yng Nghymru (a llywodraethau eraill Prydain) wedi sefydlu mentrau amrywiol megis *Dechrau'n Deg* a chynlluniau *Iaith a Chwarae* i ddatblygu llythrennedd mewn ardaloedd difreintiedig. Dyma bolisïau cyhoeddus yn gweithredu ar dystiolaeth ymchwil ac yn buddsoddi arian cyhoeddus er lles plant ifainc a chymdeithas at ei gilydd.

Gwelir bod dadlau brwd wedi bod dros y blynyddoedd, o ran y dull a'r dulliau y dylid eu mabwysiadu i 'ddysgu' darllen. Dros yr ugain mlynedd ddiwethaf yn unig cyhoeddwyd ymgyrchoedd niferus gan lywodraethau i addasu ac adfer lefelau darllen plant, yn enwedig tangyflawniad ymysg bechgyn. Daeth termau ac ymagweddiadau megis *Guided Reading, Jolly Phonics, Shared Reading, POPAT* a myrdd o rai eraill yn rhan o eirfa addysg llythrennedd. Hyd at heddiw gwelir gwrthdaro posibl rhwng polisïau llywodraeth a'r rhai sy'n dadlau o blaid y bedagogi newydd, y naill o blaid dysgu darllen yn fecanyddol-ffurfiol a'r llall yn annog profiadau pwrpasol o fewn cyd-destun.

Anawsterau darllen cynnar a throseddu

Bydd rhai plant yn cyplysu darllen, llyfrau ac ysgrifennu gyda methiant a diflastod. Gwelir, yn rhy aml, bod oedolion ifainc blin sydd wedi eu dieithrio o gymdeithas wedi cael profiadau darllen gwael pan oeddent yn blant ifainc. Dengys gwaith ymchwilwyr (Lohmann-Hancock 2007) bod cyswllt diymwad rhwng anawsterau darllen cynnar a hunan ddelwedd isel a hynny, o bosibl, yn ffactor mewn troseddu yn yr arddegau. Mae niferoedd brawychus o droseddwyr mewn carchardai yng Nghymru a Lloegr yn cael anawsterau darllen ac ysgrifennu – canran arwyddocaol uwch nag yn y boblogaeth yn gyffredinol.

Mae dogfennaeth y Cyfnod Sylfaen yn argymell y dylid sicrhau cydbwysedd o'r dulliau gan symud i ddysgu mwy ffurfiol ei naws erbyn diwedd y cyfnod a hynny ar draws yr holl feysydd dysgu. Cyhoeddodd Estyn (2009) arolwg 'Arfer orau mewn darllen ac ysgrifennu ymhlith disgyblion rhwng pump a saith oed'. Nodwyd bod lefelau darllen y plant yn 7 oed wedi parhau'r un peth (lefel 2 ar gyfartaledd) ers 2000, ac yn 2008 roedd un o bob pum ysgol yn tan-gyrraedd. Cydnabuwyd yn yr adroddiad y berthynas rhwng profiadau llafar a datblygiad darllen ac ysgrifennu'r disgyblion.

> '..mewn rhai ysgolion cyfrwng Cymraeg a chyfrwng Saesneg lle'r oedd diffygion mewn darllen ac ysgrifennu bod diffygion ym medrau llafaredd y disgyblion hefyd.'
>
> (Estyn, 2009: 9)

Yn eu hargymhellion, nododd Estyn y dylid codi safonau mewn Cymraeg a Saesneg drwy ddatblygu medrau llafaredd i gefnogi cynnydd darllen ac ysgrifennu'r disgyblion. Gwelir bod y *Primary National Strategy* yn Lloegr hefyd yn cydnabod natur gymhleth a rhyngweithiol y broses llythrennedd a'r symudiad i bedagogi mwy ffurfiol wrth i blant dyfu. Dylid nodi yma bod y *Foundation Stage* yn Lloegr yn cynnwys plant 3 – 5 oed yn unig o gymharu â'r Cyfnod Sylfaen yng Nghymru sy'n ymestyn o 3 – 7 oed.

Dyslecsia ac anawsterau llythrennedd

Daw'r gair dyslecsia o'r Groeg, yn golygu 'anawsterau gyda geiriau'. Anhawster dysgu penodol yw dyslecsia sy'n effeithio datblygiad llythrennedd a gall effeithio ar sgiliau eraill yn ymwneud ag iaith. Gall plant gyda dyslecsia arddangos anawsterau gyda ffonoleg, enwi, a chof.

Mae'r British Dyslexics Association yn rhestru rhai nodweddion dylid bod yn ymwybodol ohonyn nhw yn y blynyddoedd cynnar ac maent yn awgrymu bod o leiaf un plentyn gyda dyslecsia ymhob dosbarth meithrin:

- Anawsterau wrth geisio cofio hwiangerddi
- Anawsterau canolbwyntio, eistedd yn llonydd, gwrando ar storïau
- Hanes o arafwch wrth ddatblygu iaith a llafaredd
- Cymysgu geiriau a seiniau
- Anhawster wrth geisio cadw rhythm
- Trafferthion wrth geisio dilyn cyfres o gyfarwyddiadau: rho'r ceir bach yn y bocs ac wedyn rho'r bocs i gadw gyda'r lleill.
- Anghofio enwau: ffrindiau, lliwiau, oedolion
- Trafferthion cyson wrth wisgo ac yn gwisgo dillad go chwith
- Anhawster wrth ddal, cicio neu luchio pêl
- Tueddiad i syrthio, taro i mewn i ddodrefn neu blant eraill, baglu
- Cymysgu llythrennau 'b' a 'd' ac ysgrifennu llythrennau o chwith.
- Gadael llythrennau allan o eiriau neu eu gosod yn y drefn anghywir
- Cymryd mwy o amser na'r arferol i gwblhau gwaith.
- Yn cael diwrnodau 'da' a diwrnodau 'gwael' – a hynny heb reswm amlwg.

Y broblem, i oedolion, yw bod y proffil hwn yn wir am lawer iawn o blant ifainc. Ond os yw'r math hyn o ddangosyddion yn parhau, dylid trafod gyda'r aelod staff sydd â chyfrifoldeb am anghenion addysgol ychwanegol. Mae adnabod cynnar ac ymyrraeth gynnar briodol yn angenrheidiol.

O ran y broses o ddarllen, mae'r plentyn yn datblygu nifer o sgiliau ar y cychwyn, sgiliau megis gwahaniaethu rhwng darluniau a phrint, deall bod y print yn symud o'r chwith i'r dde (yn ieithoedd brodorol Ewrop, at ei gilydd), troi tudalennau, defnyddio cliwiau darluniadol, rhagfynegi ac yn y blaen. Yn ddiweddarach daw'n ymwybodol o seiniau, y broses o uno seiniau i greu geiriau a chysyniadau print gwahanol.

Cynigiodd Waterland (1985) nad oedd y broses o ddysgu darllen yn wahanol i ddysgu unrhyw beth arall y bydd y plentyn yn ei ddysgu. O ymchwilio gwaith eraill ac o'i phrofiadau ei hunan cynigiodd y term 'dull prentisiaeth' (*apprenticeship approach*). Dyma gydnabod felly'r plentyn fel cyfrannwr medrus a chydag anogaeth oedolyn y daw yn ddarllenydd annibynnol.

> Deuthum i weld plant, nid fel cywion bach goddefol a dibynnol, ond yn hytrach yn weithredol ac yn rhannol fedrus, o leiaf, i gyfrannu at y dasg o ddysgu darllen.
>
> *I came to adopt, instead a view of the learner not as passive and dependent like a cuckoo chick but rather as an active and already, partly competent sharer in the task of learning to read.*
>
> (Waterland,1985: 13)

Eglura Waterland mai'r factor bwysicaf yw i'r oedolyn dderbyn beth all y plentyn ei wneud, rhoi cymorth pan fo'i angen ac arwain pan na all y plentyn ymdopi o gwbl. Gall pob plentyn, meddai fwynhau llyfrau, a chred pob plentyn ei fod yn medru darllen. Mae'r rhyngweithiad rhwng yr oedolyn a'r plentyn, neu â phlentyn mwy medrus, yn ganolog i'r broses ddarllen; rhaid i'r 'hwylusydd' ddangos diddordeb, annog a chanmol a datblygu hunan-hyder y plentyn – ac mae'r cyswllt rhwng y cartref a'r ddarpariaeth yn gwbl allweddol i lwyddiant.

Stori Anna

Mae Anna yn 5 oed ac wedi dangos peth diddordeb mewn llyfrau ers iddi ddechrau'r ysgol yn bedair. Erbyn hyn, mae'n mwynhau darllen.

Daeth Mam Anna i weld yr athrawes gan fynegi ei siom bod ei merch wedi dod â'r un llyfr darllen adre am y trydydd tro mewn pythefnos. Nid oedd y fam yn gweld bod hyn yn dderbyniol a bod angen 'gwthio' Anna ymlaen yn ei darllen.

Eglurodd yr athrawes bod Anna wedi cyrraedd man yn ei datblygiad lle roedd yn teimlo'n hyderus ac yn mwynhau ailddarllen yr un testun drosodd a throsodd. Mae'n beth digon cyffredin, meddai'r athrawes, i blant wneud hyn: maen nhw'n mwynhau'r cyfarwydd. Roedd Anna wedi dotio ar y llyfr arbennig hwn ac wedi ei ddewis fel llyfr i fynd adref gyda hi. Eglurodd yr athrawes hefyd bod Anna'n dod ar draws amrywiol destunau bob dydd serch hynny.

Nid oedd mam Anna'n argyhoeddedig gan fynnu bod angen mwy o her ar Anna. Gofynnodd yr athrawes i'r fam a oedd hi wedi prynu CD yn ddiweddar? Atebodd y fam, braidd yn swta, ei bod hi. Holodd yr athrawes ymhellach ai unwaith yn unig y bwriadai hi wrando ar y CD. Gwelodd y fam yn syth bod mwynhad a boddhad yn bwysig!

Mae Anna'n mwynhau darllen, yn gwneud cynnydd sylweddol heb gael ei gorfodi a'i gwthio – o'r ysgol nac o'r cartref – ond gydag anogaeth a llywio gofalus.

Prif negeseuon y bennod

- Mae datblygiad iaith plant yn broses gymhleth a rhyfeddol ac, at ei gilydd, mae plant ifainc yn feistrolgar iawn yn y broses honno.
- Mae oedolion yn allweddol: dylai oedolion wrando ar blant ac annog drwy ymateb yn sensitif i siarad a sgwrs plant.
- Caiff pob plentyn yng Nghymru y cyfle i ddod yn ddwyieithog yn y Cyfnod Sylfaen.
- Ymyriad cynnar a medrus yw'r allwedd i lwyddiant ieithyddol plant sy'n cael iaith a llythrennedd yn heriol.

Pennod 10

Y Plentyn Hŷn: her trosglwyddo

Pennod 10

Y Plentyn Hŷn: her trosglwyddo

Carys Richards a Helen Lewis

I lawer o blant bydd dechrau yn yr ysgol, y feithrinfa neu'r cylch meithrin nid yn unig yn gyfnod o drosglwyddo o ran symud rhwng y cartref a'r ysgol, ond yn gyfnod o drosglwyddo o ran newid cymdeithasol a phersonol. Bydd y trosglwyddo hwn yn mynd â'r plant ar daith i ffwrdd o amgylchedd cyfarwydd eu cartref ac i fyd lle mae ffarwelio â phobl gyfarwydd, am gyfnodau hir, yn ddigwyddiad dyddiol (Brooker a Broadbent, 2007). Bydd disgwyl i'r plant ffurfio cydberthnasau newydd ac, am y tro cyntaf efallai, bydd ganddynt hunaniaeth yn annibynnol ar eu teulu. Mae Einarsdottir ac eraill (2008) yn tynnu sylw at y ffaith bod y trosglwyddo hwn yn newid pwysig yn y modd y bydd plant yn cymryd rhan yn eu cymuned yn ogystal â chyda'r teulu – bydd eu rolau a'u hunaniaeth yn newid – o gael eu hystyried yn 'fabi' i dyfu'n 'fachgen mawr' neu'n 'ferch fawr' efallai. Gyda hyn, bydd y disgwyliadau sydd gan bobl ynghylch y plentyn unigol yn newid hefyd. Er mwyn sicrhau na fydd pryderu am wahanu'n mynd yn broblem fawr, bydd angen rheoli'r cyfnodau hyn o drosglwyddo mewn modd cefnogol, a bydd angen i blant deimlo'n hyderus bod y bydoedd newydd hyn yn gyfeillgar ac yn gefnogol.

Bydd y plentyn ifanc yn trosglwyddo droeon o un amgylchedd i un arall yn ystod ei fywyd cynnar ac fe all y trosglwyddiadau hyn ddylanwadu ar ei hunan-ddelwedd a'i hunan-hyder.

> Mewn diwylliant gorllewinol, mae trosglwyddiad addysgol yn digwydd trwy gydol plentyndod. I'r mwyafrif o blant... gall hyn gynnwys mynychu meithrinfa neu grwp Ti a Fi, gofalydd plant... a bydd rhai plant yn profi amryw o drosglwyddiadau mewn wythnos neu hyd yn oed mewn un diwrnod.
>
> *In western culture, educational transition takes place throughout childhood. For the majority of children...this can include going to a creche or toddler group, a childminder or day care...with some children undertaking multiple transitions within a week or even day.*
>
> (Dunlop a Fabian, 2007: 4)

Yn ogystal â'r uchod, gall y plentyn symud o ysgol i ysgol, o un ardal i ardal arall neu hyd yn oed o un wlad i wlad arall. Mae hyn yn medru arwain at densiynau ac ystyriaethau ychwanegol megis iaith, diwylliant, crefydd a thraddodiadau. Dylid hefyd danlinellu bod amgylchiadau teuluol y plentyn yn gallu dylanwadu ar y modd y bydd y plentyn yn ymdopi â newid.

> Ceir ymchwil helaeth yn awgrymu bod newidiadau...yn medru cynnau atgofion o wahanu a hiraeth blaenorol, yn enwedig os yw'r profiad blaenorol yn un trawmatig.
>
> *Extensive research exists to suggest that changes… can evoke memories of earlier separations and losses, particularly if the original experience was of a traumatic nature.*
>
> (Durkin, 2000: 64)

Mae Bronfenbrenner (1989) yn cynnig model datblygu sy'n ystyried agweddau biolegol a chymdeithasol sy'n cyfrannu at ddatblygiad plentyn. Mae ei fodel yn system amgylchynol o ddylanwadau a chydberthnasau y mae'r unigolyn yn ganolog iddi. Mae'n cynnig bod plant yn datblygu mewn systemau cymdeithasol sy'n rhyngweithio â'i gilydd yn gyson. Datblygiad a phrofiadau plentyn yw cynnyrch y modd y mae'r systemau hyn yn rhyngweithio â'i gilydd – yn gadarnhaol neu'n negyddol.

Yng nghanol y systemau hyn y mae microsystemau sy'n cynnwys dylanwadau uniongyrchol ar blentyn. Bydd y dylanwadau hyn yn cynnwys teulu, ffrindiau ac ysgol y plentyn. Mae'r cydberthnasau'n ddwyochrog, hynny yw, bydd y rhieni'n dylanwadu ar eu plant, a bydd y plant yn eu tro'n dylanwadu ar eu rhieni. Pan fyddant yn mynd i siopa gyda'u rhieni yn yr archfarchnad, caiff dylanwad y plant fel defnyddwyr ei adlewyrchu yn y dewisiadau a wneir gan eu rhieni. Nid yw ewyn ymolchi High School Musical yn rhywbeth yr oedd llawer o dadau, fwy na thebyg, yn disgwyl ei brynu wrth siopa i'r teulu, ond gall fod yn anodd gwrthsefyll y pwysau a roddir arno gan ddwy ferch fach. Mae siopa a'r rhywiau'n fater hollol wahanol!

Efallai nad yw'r fesosystem ym model Bronfenbrenner yn ymwneud â phlentyn yn uniongyrchol, ond mae'n dal i ddylanwadu ar ei ddatblygiad. Yn ei hanfod, mae'n ymwneud â'r rhyngweithio sy'n digwydd rhwng gwahanol elfennau'r ficrosystem. A yw rhieni a llys-rieni'n cytuno ar ddulliau magu plant? Pa mor hygyrch yw ysgolion i rieni a gofalwyr?

Ystyriwch

Sut y gallai cyfarfodydd rhwng yr ysgol a'r rhieni effeithio ar les plentyn? Ystyriwch sut y byddai angen i ysgolion ddarparu ar gyfer anghenion rhieni sy'n gweithio sifftiau, rhieni anabl, rhieni sy'n geiswyr lloches, rhieni sengl â phlant ifanc, rhieni nad ydynt yn gyrru, rhieni y mae eu sgiliau llythrennedd yn gyfyngedig... A allwch feddwl am grwpiau eraill a fyddai'n teimlo bod cyfarfodydd rhwng yr ysgol a'r rhieni'n anodd? Sut y gallai hynny effeithio ar blant?

Mae model Bronfenbrenner yn galw'r amgylchedd diwylliannol-gymdeithasol ehangach yn ecsosystem. Dyma'r ystod gymhleth o bolisïau cyhoeddus sy'n dylanwadu ar blant, er na fuont yn rhan o'r polisïau hynny. Mae'r Cyfnod Sylfaen ei hun yn enghraifft dda o hynny: caiff yr addysgeg sy'n sail iddo ei datblygu ar lefel genedlaethol, ond eto i gyd mae'n dylanwadu ar y profiadau a gaiff plant o ddydd i ddydd yn eu bywyd ysgol.

Yn olaf, mae'r holl elfennau hyn wedi'u gwreiddio yn y facrosystem – y gymdeithas yn gyffredinol, sy'n bodoli gyda'i hymdeimlad ei hun o werthoedd, disgwyliadau a normau diwylliannol. Gall y facrosystem hon ddylanwadu ar faterion megis dulliau magu plant ac agweddau at blant, a materion bydeang megis rhyfeloedd, daeargrynfeydd a dirwasgiadau economaidd.

Cychwyn ysgol orfodol

Beth a ystyrir yn oed priodol i blentyn ddechrau addysg orfodol? Mae Cymru, fel gweddill gwledydd Prydain, yn cychwyn addysg orfodol pan fydd plentyn yn 5 oed, er y cynigir amrywiaeth o opsiynau i rieni wneud defnydd ohonynt cyn hynny yn y sector wirfoddol a phreifat (sef y sector nas cynhelir sy'n cynnwys cylchoedd meithrin, meithrinfeydd dydd ac yn y blaen) ac ysgolion (sef y sector a gynhelir). Nid felly'r achos mewn gwledydd eraill lle gwelir amrywiaethau mawr o ran oed cychwyn ysgol ffurfiol – adlewyrchiad digon posibl o ddisgwyliadau cymdeithasol a diwylliant plentyndod y gwledydd hynny

Tabl 1: Oed cychwyn ysgol statudol:

Gwlad	5 mlwydd	6 mlwydd	7 mlwydd	8 mlwydd
Awstralia	X Tasmania	X taleithiau eraill		
Canada		X	X	
Cymru	X			
Ffainc		X		
Hong Kong		X		
Hwngari	kindergarden		weithiau	
Iwerddon		X		
Japan		X		
Korea		X		
Lloegr	X			
Sbaen		X		
Seland Newydd	gweler Nodyn 1			
Singapore			X	
Sweden		weithiau	X	yn eithriadol
Y Swisdir		X	X	
Yr Almaen		X	weithiau	
Yr Eidal		X		
Yr Iseldiroedd	X			
Yr Unol Daleithiau	weithiau	X		
Cyfanswm	**5**	**15**	**6**	**1**

(Ffynhonell: Chartier a Geneix:: 2006: 9)

Nodyn1: Yn Seland Newydd mae'r rhan fwyaf o blant yn cychwyn ysgol ar eu pen-blwydd yn 5 oed, sef oed sy'n cael ei ddathlu fel carreg filltir bwysig.

O'r tabl, gwelir bod plant yn Sweden yn cychwyn addysg yn 6 neu 7 oed. Ers degawd olaf y ganrif ddiwethaf mae'r system addysg yno wedi bod yn gweithredu newidiadau er mwyn ceisio datblygu dull integredig addysgol. Yn 1998 gwahanwyd plant 6 oed o ddarpariaethau cyn-ysgol a'u gosod o fewn addysg orfodol gynradd a elwid yn ddosbarth cyn-ysgol.

> Bydd y dosbarth cyn-ysgol yn defnyddio ymagweddiadau pedagogaidd o ymarfer cyn-ysgol ac ysgol, gan gadw datblygiad holistaidd y plentyn fel amcan cyflawn. Caiff ei weld fel pont rhwng diwylliannau penodol, hynny yw, cyn-ysgol ac ysgol orfodol, gan gynnal cydbwysedd cyfartal yn eu hintegreiddiad a chaniatáu i blant symud yn rhwydd o un cyfnod addysgol i'r nesaf.
>
> *The preschool class is to use pedagogical approaches drawn from both preschool and school practices, keeping the child's holistic development as its overall aim. It is conceived as a bridge between the distinct cultures, i.e., preschool and compulsory school, balancing their integration in an equal manner and enabling children to make a smooth transition from one educational stage to the next.*
>
> (Kaga, 2007: 1)

Addaswyd y drefn yn benodol oblegid y sefyllfa economaidd yn Sweden yn ystod y 1990au a rhaid oedd addasu a chwtogi ar gyllid y gwasanaethau cyhoeddus. Hyd at hynny, roedd addysg cyn-ysgol yn rhad ac am ddim i rieni, buddsoddiad costus iawn i'r wladwriaeth. Dadleuodd gwrthwynebwyr yn frwd yn erbyn y perderfyniad i osod plant 6 oed mewn sefyllfa ffurfiol gyda rhai o'r farn y byddai'n amharu ar eu plentyndod ac yn effeithio'n negyddol arnynt. (Kaga 2007). Cyfaddawd rhwng y ddwy garfan oedd y dosbarth cyn-ysgol a ffordd yn ogystal o ymateb i sefyllfa economaidd fregus y wlad. Roedd y system addysgol orfodol wedi bodoli yn Sweden am oddeutu 160 o flynyddoedd a'r system cyn-ysgol am tua 60 o flynyddoedd. Gellir deall felly pam fod gan addysg orfodol le blaengar yn y system bresennol yn Sweden. Nid yw'r sefyllfa uchod yn unigryw i Sweden; gwelir gwledydd eraill yn ceisio datblygu systemau o bontio rhwng cyfnodau er mwyn hwyluso'r broses o drosglwyddo'r plentyn, gyda Chymru yn eu plith.

> Mae plentyndod yn adeiladwadaith cymdeithasol wedi'i wreiddio'n ddwfn mewn normau a gwerthoedd cymdeithasol. Mae cymdeithasau ac is-grwpiau oddi fewn i gymdeithasau, yn enwedig cymdeithasau aml-ddiwylliannol, yn canfod yr hyn sy'n gwricwlwm priodol i blant ifainc.

> *Childhood is a social construction deeply embedded within societal norms and values. Different societies and sub-groups within societies, especially multi-cultural societies view what is an appropriate curriculum for young children.*
>
> (Chartier a Geneix, 2006: 9)

Gwelir o'r tabl bod amrywiaeth o ran oed cychwyn addysg orfodol, er y cydnabyddir nad yw'r gwledydd a enwir yn unfarn ac fe geir amrywiadau rhwng ardaloedd a rhwng darpariaethau yn y sector breifat a'r rhai a gynhelir.

Pan gyhoeddwyd y ddogfen *Y Wlad sy'n Dysgu: Cam Sylfaen 3–7 oed,* amlinellwyd y rhesymwaith dros newid y system. Cafwyd rhestr o rai o'r diffygion cyffredin o fewn lleoliadau blynyddoedd cynnar:

- mae'r plant yn treulio gormod o amser yn gwneud tasgau wrth eistedd wrth y bwrdd yn lle dysgu drwy gyfleoedd wedi'u cynllunio'n dda i chwarae.
- yn rhy aml, cyflwynir y sgiliau ffurfiol o ddarllen ac ysgrifennu i blant cyn eu bod yn barod, mewn modd ffurfiol iawn a chyda'r perygl y bydd rhai ohonynt yn colli hyder a chariad at ddysgu

ac yn achos Cyfnod Allweddol 1:

- mewn rhai dosbarthiadau, nid yw'r athrawon yn gosod gwaith sy'n diwallu anghenion disgyblion unigol ac ni chânt ddigon o gyfleoedd i ddatblygu annibyniaeth, fel dysgwyr yn bennaf.
- ychydig o ddefnydd a wneir o asesu gan lawer o athawon i hyrwyddo safonau uchel.

(LlCC, 2003: 7)

Er i'r adroddiad adnabod diffygion, bu hefyd yn canmol yr arfer da a welwyd ledled Cymru, gan nodi:

> Mae'r arfer hwn yn cwmpasu dulliau pedagogaidd effeithiol sy'n gwneud galwadau proffesiynol sylweddol ac sydd wedi'u cynllunio i baratoi'n well ar gyfer dysgu yng Nghyfnod Allweddol 2 ac i ategu'r dysgu hwnnw mewn modd cadarn.
>
> (LlCC, 2003: 8)

Yn dilyn yr ymgynghoriad i'r cynllun i sefydlu'r Cyfnod Sylfaen, aeth y Cynulliad ati i sefydlu gweithgor a fyddai'n cynllunio gweithredu'r cynllun. Rhan o gylch gorchwyl y gweithgor oedd sicrhau trefn ar gyfer hyfforddi'r gweithlu gan bwysleisio yr angen I ddeall yr athroniaeth oedd wrth wraidd y cynllun.

Cyhoeddwyd *'Fframwaith ar gyfer dysgu plant 3–7 oed yng Nhymru* ar gyfer y Cyfnod Sylfaen yn gontinwwm sgiliau a fyddai'n hwyluso'r broses o ddeall datblygiad y plentyn unigol o ran datblygiad ei sgiliau a sut i'w symud ymlaen i'r cam datblygol nesaf. Y nod yw sicrhau dilyniant a pharhad ar draws yr ystod 3–7 a galluogi darparwyr y sector i gydweithio mewn timau effeithiol a chynnig profiadau priodol i oed, gallu a diddordeb y plentyn unigol.

> Mae'r Cyfnod Sylfaen yn cwmpasu anghenion datblygiadol plant; wrth wraidd fframwaith y cwricwlwm stadudol mae datblygiad cyfannol plant a'u sgiliau ar draws y cwricwlwm, gan adeiladu ar eu profiadau dysgu, gwybodaeth a sgiliau blaenorol.
>
> (APADGOS, 2008a: 4)

Felly wrth ystyried trosglwyddo, dylid sicrhau trafodaeth drylwyr â rhieni ac addysgwyr blaenorol yr unigolyn er mwyn darparu cwricwlwm dilys.

Newid, trosglwyddo a hunan-fri

Cydnabuwyd eisoes bod plant yn ymdopi â newid mewn amrywiaeth o ffyrdd. Calon ac enaid darpariaeth plant ifainc yw lles y plentyn, ac mae'r Cyfnod Sylfaen yn gosod Datblygiad Personol a Chymdeithasol, Lles ac Amrywiaeth Ddiwylliannol wrth wraidd y cwricwlwm. Ac wrth wraidd y Cyfnod Sylfaen mae chwarae a rhyddid plant i ddewis a rheoli eu dysgu. Wrth iddyn nhw symud i Gyfnod Allweddol 2 ac ymagweddiad mwy ffurfiol, rhagwelir y bydd rhai plant, o bryd i'w gilydd, yn cael anawsterau. Mae Brooker (2002) yn awgrymu bod rhai plant, yn rhy aml, yn cael y newid o un 'diwylliant' dosbarth i un arall yn brofiad anodd. Dywed Fabian eto bod y newiadau hyn yn gorfodi plant allan o'u 'parthau cyfforddus' ('*comfort zones*') gan eu gorfodi i:

> ...ddod ar draws yr anhysbys, diwylliant newydd, lle, pobl, swyddogaethau, rheolau a hunaniaeth... geiriau anghyfarwydd, gwybodaeth newydd, tôn llais athrawon... sydd yn creu'r posibilrwydd o bryder, blinder, annifyrwch a dryswch.
>
> *...encounter the unknown, a new culture, place, people, roles, rules and identity... unfamiliar words, new information, teachers' tone of voice... which creates the potential for anxiety, tiredness, discomfrot and bewilderment.*
>
> (Dunlop a Fabian, 2007: 7)

Mae oedolion yn aml, felly, yn disgwyl i blant ifainc ddeall sefyllfaoedd sy'n ddieithr ac, i nifer o blant, gall hyn greu pryder ac ofn. Bydd yr ansicrwydd hyn yn medru arwain at ymdeimlad o fethiant fydd, yn ei dro, yn medru arwain at iselder a hunan-ddelwedd isel.

> Gall hunan-ddelwedd a hunan-ganfyddiad plant, fyddai wedi eu sefydlu'n gadarn yn y ddarpariaeth blynyddoedd cynnar, gael eu disodli eto wrth i'r plentyn symud i drefn mwy ffurfiol.
>
> *Children's self-concept and self-esteem, which may have been securely achieved in their early settings, again becomes vulnerable as the child enters a more formal regime.*
>
> (Riley, 2007: 42)

Â Riley ymlaen i awgrymu bod y newidiadau y disgwylir i blant ymdopi â nhw yn aml yn cael eu gorfodi er budd cwricwlwm a rhediad cyfleus dosbarth heb ystyriaeth lawn i les plant. Noda Brooker (2002) y gall trosglwyddo i amgylcheddau newydd herio hunaniaeth sefydlog yr unigolyn ac, o ganlyniad, gall plentyn encilio gan arddangos ymddygiadau ystrydebol megis fflapio breichiau, blincio cyson, siglo 'nôl a mlaen. Wrth i blentyn drosglwyddo i amgylchedd newydd, dylid ymdrechu i sicrhau ei fod yn cael digon o gyfleoedd i ddod yn gyfarwydd â'r ystafell a'r adeilad newydd er mwyn iddo ddod i deimlo'n ddiogel a hyderus ynddo. Oedolion sy'n gyfrifol am greu'r awyrgylch saff ac oedolion sy'n gyfrifol bod y trosglwyddiad yn llwyddiant.

Plant ag anghenion addysgol ychwanegol

Bydd rhai plant yn dod i ben yn hwylus a ddiffwdan gyda'r broses o drosglwyddo tra bydd eraill yn cael cryn drafferth wrth geisio sefydlu eu hunain mewn amgylchedd newydd a dieithr. Mae cysondeb a'r cyfarwydd yn bwysig i bob plentyn ond maen nhw'n arbennig o bwysig i blant ag anghenion addysgol ychwanegol, plant y mae trefn a sefydlogrwydd yn ffactorau hanfodol i'w hunan-les ac i'w dysgu. Ystyriwch gymhlethdod ymarferol i blentyn bach dall wrth iddo drosglwyddo o un lleoliad cyfarwydd i un newydd anghyfarwydd. Beth yw rôl oedolion yn hwysluso'r trosglwyddiad? Rhaid ystyried ffactorau megis 'map' yr ystafell: lleoliad y dodrefn, llwybrau clir, gofod ac yn y blaen.

Stori Alex

Bachgen 5 oed yw Alex sy'n aelod o'r dosbarth derbyn. Mae gan Alex Syndrom Asperger – sef cyflwr gweithredu uchel (*high functioning)* ar y sbectrwm awstistig. Golyga hyn fod Alex, o ran ei ddatblygiad addysgol, yn ffynnu yn ddeallusol. Ond, yn gymdeithasol, caiff Alex drafferth i wneud ffrindiau ac ni all ychwaith ymdopi â newid mewn arferion beunyddiol.

Gall Syndrom Asperger amlygu ei hun mewn nifer o ffyrdd. I Alex, golygai orhoffter o liw arbennig a'i obsesiwn gyda chymeriad cartŵn. Nid oedd Alex yn hoffi gofod mawr yn llawn plant, megis neuadd neu faes chwarae, ac nid oedd yn medru defnyddio cyswllt llygaid wrth gyfathrebu.

Gosodwyd nifer o systemau yn eu lle i helpu Alex gydag elfennau o drosglwyddo megis cyflwyno'r athrawes gyflenwi cyn iddi ddod i ddysgu'r dosbarth. Gwnaed hyn drwy sicrhau ei bod wedi ymweld â'r dosbarth ar sawl achlysur a bod yr athrawes yn egluro wrth Alex a'r plant eraill mai'r athrawes arall fyddai'n eu dysgu y diwrnod canlynol. Gosodwyd ffotograff yr athrawes ar ddrws yr ystafell i atgoffa'r plant a'u rhieni'n y byddai hi'n dysgu'r dosbarth.

Wrth drefnu ar gyfer ymweliadau, chwiliwyd y we am wybodaeth a chyflwyno pamffledi i wneud Alex yn ymwybodol o'r lleoliad, a byddai un o'i rieni'n dod ar y daith. Pan ddaeth hi'n amser i Alex drosglwyddo o'r dosbarth Derbyn i Flwyddyn 1, trefnwyd y byddai athrawon y dosbarthiadau yn cyfnewid lle am fore bob wythnos am dymor. Byddai'r plant hefyd yn cyfnewid dosbarthiadau am gyfnodau. Roedd sicrhau bod y dosbarth cyfan yn cael yr un profiad ag Alex yn llwyddiant i bawb, ac o ran Alex ei hun, dim ond un newid yn yn unig oedd yn rhaid iddo ymdopi ag ef bob tro.

Meddyliwch am ffyrdd eraill y gallai'r ddarpariaeth fod wedi cefnogi Alex a'i deulu wrth i Alex wynebau newidiadau yn ei drefn arferol.

Cyswllt â'r cartref

Mae'r Cyfnod Sylfaen yn cydnabod pwysigrwydd y bartneriaeth rhwng y cartref a'r ddarparieth cyn-ysgol a'r ysgol i feithrin, perthnasau da er lles y plentyn.

> Mae cwricwlwm y Cyfnod Sylfaen yn dadlau o blaid meithrin a hybu cysylltiadau cadarnhaol rhwng y cartref a darparwyr gofal ac addysg... mae gwerthfawrogiad o rieni / gofalwyr fel addysgwyr cyntaf y plant yn cael ei gydnabod.
>
> (APADGOS, 2008a: 3)

Drwy gynnal trafodaethau cyson â'r rhieni gellid adeiladu darlun mwy cyflawn o'r plentyn a fydd yn werthfawr i'r lleoliad er mwyn adnabod unrhyw bryderon neu amrywiaethau anarferol yn ymddygiad ac ymateb y plentyn i newid.

Cafodd pwysigrwydd ystyried yr Amgylchedd Dysgu yn y Cartref ei bwysleisio yn adroddiad y prosiect Darparu Addysg Cyn-ysgol Effeithiol (EPPE) (Sylva *et al*, 2010:67) – darganfu'r tîm ymchwil mai'r Amgylchedd Dysgu yn y Cartref i blant ifanc oedd un o'r dylanwadau mwyaf pwerus ar ddatblygiad plentyn. Mae angen i drosglwyddiadau ystyried bywyd y cartref y daw'r plentyn ohono. At hynny, mae angen i raglenni trosglwyddo effeithiol gydnabod y twf, y datblygiad a'r dysgu sydd wedi digwydd cyn i'r plentyn ddechrau yn yr ysgol, yn ogystal ag effaith amgylchedd y plentyn ar y rhain (Dockett a Perry, 2001).

Ymweliadau â'r cartref

Gair o brofiad

Mae athro cyn-ysgol yn disgrifio'r ymweliadau hyn fel a ganlyn:

Maent yn ddewisol, ond eleni dim ond un rhiant sydd wedi'u gwrthod. Byddwn yn mynd mewn parau – yn rhannol er mwyn diogelwch, ond yn bennaf er mwyn i un ohonom allu siarad â'r oedolyn tra bydd y llall yn chwarae gyda'r plentyn – byddwn yn dod i'w hadnabod ychydig yn well felly. Credaf fod yr ymweliadau'n amhrisiadwy – gallwch ddarganfod llawer o'r berthynas sydd rhwng y rhieni a'r plentyn, sut dŷ sydd ganddynt, beth y mae'r plentyn am ei wneud. Ni allwch gael y wybodaeth honno wrth sgwrsio â'r fam ar ddechrau diwrnod ysgol.

Ystyriwch y profiad o ymweliad â'r cartref o safbwynt y plentyn ac o safbwynt y rhiant. Sut fyddai'r profiad yn gwahaniaethu o'r safbwyntiau gwahanol? Tybed a fyddai'r athrawon yn hoffi rhieni'n ymweld â'u cartrefi nhw!

Yn y dull Reggio Emilia, caiff sefydliadau cyn-ysgol eu cynllunio i fodelu agweddau ar leoliad teulu estynedig – gan bwysleisio cyfrifoldeb a rennir, agosatrwydd a chyfranogiad. Mae'n bosibl y bydd y plant yn aros gyda'r un ymarferwr am dair blynedd – sy'n eu galluogi nhw a'u rhieni i ffurfio cydberthnasau cryf â'r unigolyn ychwanegol hwn sy'n darparu gofal (Edwards *et al*,1998).

Y plentyn hŷn

Yn y Cyfnod Sylfaen, bydd y plentyn ifanc wedi cael cyfleoedd i ddatblygu sgiliau ac ennill gwybodaeth mewn amgylchedd sydd wedi ei sefydlu er mwyn hyrwyddo'i hunan-les. Bydd wedi cael cyfleoedd – ac amser – i sefydlu a sefydlogi ei ddealltwriaeth drwy ail adrodd ac ymarfer. Pan fydd y plentyn yn cyrraedd 7 oed mewn ysgol gynradd a yw'r dull a'r athroniaeth yn caniatâu iddo ddatblygu ei sgiliau yn yr un ffordd?

> Mae cyd-destun y dysgu yn dylanwadu ar effeithiolrwydd y dysgu. Gellid dadansoddi cyd-destun dysgu yn nhermau ei ddiwylliant – ei werthoedd, credoau, safonau y mae cytundeb arnynt. Gall y cyd-destun hefyd gael ei ddadansoddi yn nhermau amser y dydd, y tywydd a'r amgylchedd tiriaethol uniongyrchol.
>
> *The context in which learning takes place influences the effectiveness of the learning. A learning context can be analysed in terms of its culture – its values, beliefs and commonly agreed standards. The context can also be analysed in terms of the time of day, the prevailing weather conditions and the immediate physical surroundings.*
>
> (Pritchard, 2009: 109)

Beth felly yw'r dull addysgu mwyaf addas i blentyn 6 a 7 oed? Mae ystyriaeth o hyn yn ganolog i athrawon plant 7 oed yn y sector cynradd. Daw'r ddadl yn ôl at ddysgu ffurfiol drwy gyfarwyddo a throsglwyddo gwybodaeth neu dull gyfannol a phedagogaidd gwahanol o ddysgu'n weithredol.

> Ceir dilema wrth geisio disgrifio rhaglen astudio. Cychwynnir drwy gyflwyno sylwedd deallusol yr hyn sydd i'w ddysgu. Ond os yw'r math hyn o draethu yn ein temtio i 'gael y pwnc drosodd', mae'r cynhwysyn pedagogaidd mewn perygl. Dim ond yn yr ystyr mwyaf dinod y caiff rhaglen ei gynllunio i 'gael rhywbeth drosodd', dim ond i drosglwyddo gwybodaeth. Mae gwell dulliau o wneud hynny na dysgu.
>
> *There is a dilemma in describing a course of study. One begins by setting forth intellectual substance of what is to be taught. Yet if such a recounting tempts one to 'get across' the subject, the ingredient of pedagogy is in jeopardy. For only in a trivial sense is a course designed to 'get something across', merely to impart information. There are better means to that end than teaching.*
>
> (Bruner, 1971: 57)

Man cychwyn cyflwyno gweithgarwch i blant o unrhyw oed yw darganfod yr hyn a wyddant, yr mae ganddynt ddiddordeb ynddo, eu galluoedd a'u hanian. Mae'r broses o drafod fel tîm o oedolion yn hollbwysig i sicrhau fod yr hyn a ddarperir yn addas, o fewn gallu a chyd-destun perthnasol. Mae arsylwi a gwerthuso yn rhannau pwysig o'r broses ac yn creu darlun mwy cyflawn o'r unigolyn er mwyn hyrwyddo'r dysgu. Daw pob plentyn ag ystod eang o wybodaeth a dysgu blaenorol i'r broses o ddysgu a daw'r dysgu blaenorol hyn o amrywiaeth helaeth o ffynhonellau (y cartref, y teulu, plant eraill, oedolion eraill, darpariaeth addysgol a gofal, teledu ac yn y blaen). Bydd oedolion medrus yn cynorthwyo plentyn i adeiladu ar ei ddysgu blaenorol:

> Mae angen digon o wybodaeth a dealltwriaeth flaenorol ar ddysgwyr i ganiatâu iddyn nhw ddysgu pethau newydd; at hyn, mae angen cymorth arnyn nhw i wneud y cysylltiadau rhwng yr wybodaeth newydd a'r hen wybodaeth yn amlwg.
>
> *Learners need enough previous knowledge and understanding to enable them to learn new things, they also need help making links with new and previous knowledge explicit.'*
>
> (Pritchard, 2009: 106)

O ran y system addysgol yng Nghymru, mae'r Cyfnod Sylfaen yn anelu at ddiwallu'r trosglwyddo i blant 3–5 oed (Meithrin a Derbyn) a 5–7 oed (Blwyddyn 1 a 2) gan weithredu'r continwwm dysgu newydd. Nid yw'r llywodraeth hyd yma wedi ymateb i'r alwad o sicrhau pontio effeithiol rhwng y Cyfnod Sylfaen a Chyfnod Allweddol 2 (plant 7 ac 8 oed) sy'n peri pryder o fewn y sector oherwydd y gwrthdaro cyffredinol rhwng y dulliau addysgol:

> O bersbectif academaidd neu gyfarwyddiadol, gwelir y plentyn ifanc fel un sy'n ddibynnol ar gyfarwyddyd oedolion... Mae'r persbectif hwn yn gwrthgyferbynnu'n llwyr â'r cwricwlwm gweithredol a rhyngweithiol sy'n cael ei gymell gan yr ymagwedd adeileddol.
>
> *From the academic or instructivist perspective, the young child is seen as dependant on adults' instruction...This perspective is in direct contrast to the active and interactive curriculum assumed by proponents of the constructivist approach.*
>
> (Katz, 1999: 1)

Gellid, yn ddadleuol, gyffredinoli bod addysgwyr plant 7+ yn cytuno â'r farn gyntaf a darparwyr plant hyd at 7 oed yn cytuno â'r farn arall.

Gall plant hŷn ddod ar draws heriau sylweddol. Er enghraifft, gan fod addysgeg y Cyfnod Sylfaen yn gwricwlwm sy'n seiliedig ar chwarae, ac y caiff Cyfnod Allweddol 2 ei ystyried yn gyffredinol yn gwricwlwm â strwythur mwy traddodiadol iddo, gall trosglwyddo o'r naill gyfnod i'r llall achosi sawl her. Fodd bynnag, efallai na fydd yr heriau hynny yr un fath ar gyfer plant ac athrawon. Gwelodd Fisher (2009) fod teimladau plant ynghylch symud i Flwyddyn 1 (yn Lloegr, dyna pryd y mae'r cwricwlwm mwy strwythuredig yn dechrau – o'i gymharu â Blwyddyn 3 yng Nghymru) yn dibynnu'n rhannol ar y ffaith a oedd y plentyn yn ferch ynteu'n fachgen, a'r mis y'i ganwyd ynddo. Roedd y bechgyn yn tueddu i fod yn fwy pryderus ynghylch y trosglwyddo a oedd ar ddigwydd, ac roedd y plant a anwyd yn yr haf yn fwy pryderus hefyd. Roedd pryderon y plant yn tueddu i ganolbwyntio ar gydberthnasau a ffactorau megis yr iard chwarae a'r toiledau, tra bod yr athrawon yn sôn am gyfleoedd dysgu a'r cwricwlwm. Mae hynny'n awgrymu bod angen i raglenni trosglwyddo ystyried pryderon gwirioneddol plant, nid pryderon oedolion yn unig, gan nad ydynt o reidrwydd yr un peth.

Mae Llywodraeth Cynulliad Cymru wedi mynd ati yn sgil y pryder i adolygu yr hyn a elwir '*bit in the middle curriculum*' (Kaminski, 2009) i blant o 8–14 oed. Teimlir bod y ddarpariaeth a'r canllawiau ar gyfer oedrannau'r ddau ben i'r ystod oed hwn yn gadarn, ond bod yna ddiffyg cysondeb a pharhad yn y canol. Noda Kaminski:

> Mae consýrn cynyddol ymysg athrawon cynradd bod amserlen mwy ffurfiol Cyfnod Allweddol 2 yn anghymarus â'r Cyfnod Syflaen a'i bwyslais ar chwarae.
>
> *There are growing concerns among primary teachers that the more formal Key Stage 2 timetable does not marry well with the play led Foundation Phase.*
>
> (Kaminski, 2009: 1)

Â Kaminski ymlaen i nodi'r angen am gysondeb a sefydlogrwydd yn hytrach na rhagor o bolisïau cyhoeddus gan ofyn cwestiynau ynghylch athroniaeth addysgu'r oed hŷn yma. Cyhoeddwyd rhan gyntaf canlyniadau'r adolygiad yn Rhagfyr 2009 a nododd Jane Hutt, y Gweinidog Addysg ar y pryd, mai prif argymhelliad y grŵp adolygu yw y dylid, yng Nghymru, ystyried yr ystod oed 8–14 fel

> cyfnod addysg ar-wahanol, wedi ei wreiddio mewn athroniaeth addysgol benodol a chydlynus. Nid mater yw hyn o greu ysgolion canolraddol. Gellid, yn hytrach, symud ymlaen mewn modd integredig...
>
> *a discrete Phase for education, underpinned by a distinct and coherent educational philosophy. This is not a matter of creating middle schools. Rather we can take this forward in an integrated way...*
>
> (Kaminski, 2009: 3)

Disgwylir i'r adroddiad gael ei gyhoeddi yn ei lawn ffurf yn gynnar yn 2011 a rhagwelir y bydd y Cynulliad yn pwysleisio pwysigrwydd sicrhau dilyniant a pharhad o'r Cyfnod Sylfaen i Gyfnod Allweddol 2 gan osod nifer o argymhellion yn eu lle a chynnig hyfforddiant i ysgolion.

Heb os, dylid ystyried trosglwyddo yn fater pwysig, a rhan allweddol o drosglwyddo llwyddiannus yw'r bartneriaeth rhwng y cartref a'r ysgol. Serch hynny, mae'r her o sicrhau trosglwyddo o un ddarpariaeth i'r llall ac o ddosbarth i ddosbarth o fewn ysgolion yn llwyr ddibynnol ar dîmau'n dod ynghyd i wella'u dealltwriaeth o ddatblygiad y plentyn a ffyrdd y plentyn o ddysgu. Wrth deilwra'r dysgu i anghenion y plentyn, yn hytrach na cheisio gwasgu'r plentyn i'r dull arferol o addysgu yna'r gobaith yw y bydd y siwrne addysgol yn caniatâu i'r plentyn ffynnu a datblygu'r awch am ddysgu gydol oes.

Cwestiwn i'w drafod

Ystyriwch y ffactorau a'r agweddau sy'n gallu arwain at wrthdaro rhwng darparwyr o ran athroniaeth y Cyfnod Sylfaen a Chyfnod Allweddol 2 o bosib? Sut fyddai lleddfu ar y gwrthdaro a sicrhau profiad gwell i blant?

Prif negeseuon y bennod

- Mae plant ifainc yn gorfod ymdopi gyda nifer o newidiadau yn eu blynyddoedd cynnar: o'r cartref i ddarpariaeth cyn-ysgol, o gylch meithrin i ddosbarth meithrin, ac o ddosbarth derbyn ymlaen.
- Gall y newidiadau hyn fod yn brofiadau anodd iawn i blant gan bod y darpariaethau gwahanol yn amlygu gwerthoedd, arferion, rheolau, disgwyliadau gwahanol.
- Mae swyddogaeth oedolion yn allweddol wrth iddyn nhw sicrhau lles plant yn y prosesau o drosglwyddo ac ymdopi a newid.

Pennod 11

Cynnwys Pawb yn y Cyfnod Sylfaen:
Cyflwyniad i gynhwysiant mewn darpariaeth blynyddoedd cynnar

Pennod 11

Cynnwys Pawb yn y Cyfnod Sylfaen: Cyflwyniad i gynhwysiant mewn darpariaeth blynyddoedd cynnar

Nanna Ryder

Cyflwyniad

Mae Llywodraeth Cynulliad Cymru yr unfed ganrif ar hugain yn gosod cryn bwyslais ar addysg ac ethos gynhwysol ar gyfer plant ifanc sy'n mynychu darpariaeth blynyddoedd cynnar.

> Bydd yn rhaid cael cysylltiad agos rhwng darpariaeth o ansawdd uchel yn y blynyddoedd cynnar a chyfryngu effeithiol ar gyfer plant ag anghenion arbennig. Rydym am i'r plant hyn gyflawni popeth y gallant ei wneud. Mae disgwyliadau uchel yr un mor briodol iddynt hwy ag ar gyfer pob plentyn arall
>
> (LlCC, 2001: 17)

Mae pob plentyn yn unigryw ac mae ganddynt eu nodweddion, eu diddordebau a'u hanghenion gwahanol. Deillia'r gwahaniaethau hyn o nifer o ffactorau megis cefndir teuluol neu gymdeithasol, ethnigrwydd, iaith, anian, anabledd a gallu. Serch hynny mae ganddynt yr hawl i ddarpariaeth addysgol bwrpasol i gwrdd â'u hanghenion unigol. Ategir hyn ym mholisïau LlCC o greu darpariaeth sy'n cynnig cyfleoedd dysgu cyfartal i bob plentyn ifanc, beth bynnag yr anghenion, fel ei fod yn medru cyflawni ei lawn botensial fel gweddill ei gyfoedion (LlCC, 2004a; i).

Un o nodweddion craidd cwricwlwm y Cyfnod Sylfaen yw darparu gweithgareddau dysgu drwy chwarae tu fewn ac yn yr awyr agored sy'n cyfateb i lefel datblygiad y plentyn unigol. Mae deddfwriaeth yn dylanwadu ar leoliadau i sicrhau y diwallir lles ac addysg plant ag Anghenion Addysgol Ychwanegol (AAY) drwy '*hyrwyddo agweddau cadarnhaol a chyfle cyfartal, ac annog cyfranogiad ym mhob agwedd ar fywyd y lleoliad/ysgol*' (APADGOS, 2008a: 7). Mae'r term AAY yn cydnabod anghenion amrywiol a chymhleth dysgwyr ac mae'n adlewyrchiad o ddull mwy cyfannol o ddiwallu anghenion disgyblion unigol. Gall hyn fod am gyfnod byr, er enghraifft yn dilyn cyfnod o salwch hir mewn ysbyty oherwydd fod gan y plentyn anhwylder, neu gyflwr tymor hwy, neu oherwydd amgylchiadau personol neu deuluol (APADGOS, 2007a: 1.5–1.7). Mae AAY yn gysyniad mwy cynhwysol gan ei fod yn cwmpasu pob plentyn sydd ag anghenion dysgu mwy na'r mwyafrif o'u cyfoedion ac nid yn unig y rhai hynny y nodir bod ganddynt Anghenion Addysg Arbennig (AAA) fel y caiff ei ddiffinio yn Neddf Addysg 1996 a Chod Ymarfer AAA Cymru 2002. Nid canolbwyntio ar anghenion penodol plant a darparu adnoddau ar eu cyfer sydd ei angen mewn dosbarth neu feithrinfa gynhwysol, ond lleihau rhwystrau fel y gall pob plentyn fanteisio i'r eithaf ar y cyfleoedd dysgu gweithredol a gynigir.

Cynnwys pwy?

Fel y crybwyllwyd, mae darpariaeth gynhwysol yn y Cyfnod Sylfaen yn cynnwys plant ag AAA. Dyma'r diffiniad cyfreithiol o AAA yn Adran 312, Deddf Addysg 1996 fel y nodir yng Nghod Ymarfer AAA 2002 (LlCC, 2004b: 17):

> Mae gan blant anghenion addysgol arbennig os oes ganddynt anhawster dysgu sy'n golygu ei bod yn ofynnol gwneud darpariaeth addysgol arbennig ar eu cyfer. Mae gan blant anhawster dysgu:
>
> **(a)** os ydynt yn cael anhawster i ddysgu sy'n sylweddol fwy na'r anhawster a gaiff y rhan fwyaf o blant yr un oed; neu
>
> **(b)** os oes ganddynt anabledd sy'n eu hatal neu'n eu llesteirio rhag gwneud defnydd o gyfleusterau addysgol o fath a ddarperir yn gyffredinol i blant o'r un oed mewn ysgolion yn ardal yr awdurdod addysg lleol
>
> **(c)** os ydynt o dan oed ysgol gorfodol a'u bod yn dod o fewn y diffiniad yn (a) neu (b) uchod neu y byddent yn gwneud hynny pe na wneid darpariaeth addysgol arbennig ar eu cyfer.
>
> Mae darpariaeth addysgol arbennig yn golygu:
>
> **(a)** i blant dwy oed neu drosodd, darpariaeth addysgol sy'n ychwanegol at y ddarpariaeth addysgol a wneir fel rheol ar gyfer plant o'u hoedran mewn ysgolion a gynhelir gan yr AALl yn yr ardal, ar wahân i ysgolion arbennig, neu'n wahanol mewn rhyw ffordd arall i'r ddarpariaeth honno.
>
> **(b)** i blant o dan ddwy oed, darpariaeth addysgol o unrhyw fath.

Gall hyn gynnwys disgyblion sydd ag un neu fwy o'r anableddau mwyaf cyffredin a restrir isod.

Aphasia	Anhwylderau ar y galon	AIDS	Anawsterau emosiynol ac ymddygiadol	Anhwylder Diffyg Canolbwyntio a Gorfywiogrwydd (ADHD)
Anhwylder 'semantic pragmatic'	Anhwylder sbectrwm awtistig	Apraxia	Arthritis	Asthma
Atal dweud	Cancr	Clustiau Gludiog	Diabetes	Dyscalcula
Dysgraphia	Dyslexia	Dyspraxia (Anhwylder Cydsymud Datblygiadol)	Dystroffi'r cyhyrau	Epilepsi
Esgyrn brau	Ffibrosis Systig	Ffobia ysgol	Gwefus neu daflod hollt	HIV
Hydrocephalus	Leukemia	ME	Mudandod dewisol	Nam ar y clyw
Nam ar y golwg	Nam ieithyddol penodol	Parlys yr ymennydd	Spina Bifida	Syndrom Asperger
Syndrom Down	Syndrom Fragile X	Syndrom Heller (Dementia plentyndod)	Syndrom Prader-Willi	Syndrom Tourette

(addaswyd o Buttriss a Callander, 2008)

Er hynny, rhaid cofio mai'r plentyn sy'n cael blaenoriaeth ac nid yr anabledd, gan fod ethos gynhwysol yn canolbwyntio ar y model cymdeithasol o anabledd yn hytrach na'r model meddygol. Mabwysiadwyd y model cymdeithasol o anabledd gan LlCC yn 2002. Yn Neddf Gwahaniaethu ar sail Anabledd 2005 caiff anabledd ei ddiffinio fel:

> amhariad corfforol neu feddyliol, anhawster dysgu neu gyflwr iechyd sy'n cael effaith andwyol sylweddol hirdymor ar unigolion wrth iddynt ymgymryd â gweithgareddau arferol o ddydd i ddydd

Prif nodwedd y model cymdeithasol o gynhwysiant yw mai cymdeithas sy'n creu'r rhwystrau drwy eu hagwedd ac mai'r rhwystrau corfforol sy'n analluogi plant i gymryd rhan. Er enghraifft, nid y ffaith bod plentyn mewn cadair olwyn yw'r rhwystr rhag mynd i gylch meithrin a gynhelir mewn festri capel, ond y ffaith nad yw'r capel wedi addasu'r adeilad i sicrhau mynediad i gadeiriau olwyn. Mae dealltwriaeth o'r model cymdeithasol yn rhoi grym i blant anabl a'u teuluoedd i gydnabod eu hawliau dynol, gan herio agweddau gwahaniaethol o unrhyw fath.

Ni ddylid chwaith gyfeirio at blentyn drwy nodi'r anabledd, er enghraifft 'Siôn – y bachgen awtistig', gan fod hynny'n dangos diffyg parch at y plentyn. Os oes rhaid cyfeirio at yr anabledd, yna mae 'Siôn – y bachgen ag Anhwylder Sbectrwm Awtistiaeth' yn gosod y plentyn yn flaenaf a'r anabledd yn olaf (Lindon, 2008: 103).

Yn sefydliadau plentyndod cynnar Reggio Emilia yn yr Eidal, ardal sy'n enwog am ragoriaeth ei darpariaeth blynyddoedd cynnar plentyn-ganolog, mae ymarferwyr bellach wedi cyfnewid y term 'Anghenion Addysgol Arbennig' am 'Hawliau Addysgol Arbennig' wrth gyfeirio at anghenion plant ifanc a chynllunio mynediad llawn iddynt i'r cwricwlwm (Phillips, yn Nutbrown *et al,* 2006:8). Gellid dadlau bod y term hwn yn atgyfnerthu hawliau plant i gael darpariaeth addas a chynhwysol yn hytrach na chanolbwyntio ar ddiwallu eu hanghenion. Nid sicrhau hawliau plant anabl yn unig yw'r cysyniad o gynhwysiant ond rhoi ystyriaeth i anghenion grwpiau eraill o ddisgyblion megis:

- plant teuluoedd sydd mewn amgylchiadau anodd, er enghraifft, tlodi, afiechyd, esgeulustra ac yn y blaen
- disgyblion ag anabledd
- plant o leiafrifoedd ethnig gan gynnwys rhai sy'n dysgu Cymraeg a/neu Saesneg fel iaith ychwanegol
- plant sy'n ceisio lloches neu ffoaduriaid
- sipsiwn a theithwyr
- plant gweithwyr mudol
- disgyblion mwy galluog a thalentog
- plant sy'n derbyn gofal yr awdurdod lleol
- disgyblion ag anghenion meddygol
- gofalwyr ifanc
- plant sy'n gwrthod mynd i'r ysgol
- disgyblion sy'n perfformio neu sydd â gwaith

(APADGOS, 2007a: Adran 2 1.3).

Awgryma LlCC y dylid defnyddio'r term 'Anghenion Addysgol Ychwanegol' er mwyn cwmpasu'r amrywiaeth eang o'r anghenion hyn. Mae'r grwpiau o blant a restrir uchod i gyd yn enghraifft o blant mewn angen, ac maent yn dueddol o gael eu hynysu gan gymdeithas, ac o ganlyniad yn fwy tebygol o gyflawni'n waeth na'u cyfoedion yn addysgiadol (LlCC, 2005a:57) Gwelir felly y all plant gael eu heithrio o fynediad llawn i weithgareddau'r Cyfnod Sylfaen am nifer o resymau. Gall hyn gynnwys problemau cymdeithasol yn ymwneud â thlodi, diweithdra a digartrefedd yn ogystal ag afiechyd corfforol neu feddyliol. Gall hefyd gynnwys nodweddion personol megis problemau emosiynol ac ymddygiadol.

Mae gallu plant i feddwl a rhesymu (eu datblygiad gwybyddol) yn 22 mis oed yn arwydd cryf o'u cyrhaeddiad addysgol terfynol. Er hynny, dengys profion fod babanod â rhieni mewn swyddi proffesiynol yn datblygu ynghynt ac yn well na'r rhai hynny sydd â rhieni mewn swyddi sydd angen llai neu ddim sgiliau o gwbl. Dengys Adroddiad Panel Adolygiad Cydraddoldeb (HMSO, 2007:49) fod plant o gyrhaeddiad is o gartrefi mwy breintiedig yn tueddu i berfformio'n well na phlant o gyrhaeddiad uchel o gartrefi llai breintiedig erbyn iddynt gyrraedd 6 oed. Dengys ystadegau diweddaraf y Joseph Rowntree Foundation (2009:3) fod cyfradd tlodi plant yng Nghymru dros y dair mlynedd rhwng 2005 a 2007 ar gyfartaledd yn 30%. Nod Llywodraeth Cynulliad Cymru drwy'r Strategaeth a Chynllun Gweithredu ar Dlodi Plant (2006) yw dileu tlodi plant yn gyfangwbl erbyn 2020.

Ystyriwch

- Sut mae plant sy'n byw mewn tlodi mewn perygl o gael eu heithrio o gwricwlwm datblygiadol y Cyfnod Sylfaen?
- O ba fath o weithgareddau y byddent yn debygol o gael eu heithrio?
- Pa gamau y gellid eu cymryd i sicrhau bod plant o gartrefi difreintieidig yn cael eu cynnwys yn holl weithgareddau'r dosbarth neu'r cylch meithrin?

Polisi a Deddfwriaeth

Nod LlCC yw creu gwell addysg i bob plentyn ifanc yng Nghymru fel bod 'plant a chenedlaethau'r dyfodol yn mwynhau gwell cyfleon mewn bywyd, a ddim yn gorfod byw gyda'r problemau y maent wedi eu hetifeddu gennym ni' (LlCC, 2004a: 1). Er mwyn cyflawni hyn mabwysiadwyd Confensiwn y Cenhedloedd Unedig ar Hawliau'r Plentyn 1989 gan LlCC ar Ionawr 14, 2004 a'i gynnwys yn ddiweddarach yn Neddf Plant 2004. Dylanwadodd cynnwys y ddeddf hon ar bolisi yng Nghymru fel yr amlinellir yn saith nod craidd Plant a Phobl Ifanc: Gweithredu'r Hawliau (LlCC, 2004a:1). Y saith nod yw bod pob plentyn:

1. yn cael dechrau da mewn bywyd;
2. yn cael ystod gynhwysfawr o gyfleoedd addysg a dysg;
3. yn mwynhau'r iechyd gorau posib, yn rhydd o gamdriniaeth, erledigaeth ac ecsploetiaeth;
4. yn gallu cael mynediad at weithgareddau chwarae, hamdden, chwaraeon a diwylliannol;

5. yn cael eu trin gyda pharch, yn cael pobl i wrando arnynt, gan gydnabod eu hil a'u hunaniaeth ddiwylliannol;
6. yn byw mewn cartref a chymuned ddiogel sy'n cefnogi lles corfforol ac emosiynol;
7. ddim o dan anfantais oherwydd tlodi.

Drwy fuddsoddi £174 miliwn yng nghwricwlwm datblygiadol y Cyfnod Sylfaen yng Nghymru yn 2009 yn unig, nod LICC yw cyflawni'r deilliannau uchod drwy ganolbwyntio ar anghenion plant ifanc a'u camau datblygu unigol (LICC, 2009a: 4-8). Mae hefyd yn gyfle i ddatblygu a gweithredu cwricwlwm a fydd yn galluogi plant i wireddu eu llawn botensial trwy leihau'r rhwystrau a all arwain at fethiant. Er hynny dengys ymchwil Siraj-Blatchford *et al* (2006:81) i flwyddyn gyntaf cynllun peilot y Cyfnod Sylfaen bod angen canllawiau clir i adnabod AAA mewn darpariaeth blynyddoedd cynnar. Awgryma na ddylai eiriolaeth plant i ddatblygu ar eu cyflymdra eu hunain danseilio'r broses o adnabyddiaeth a chefnogaeth gynnar i blant ag AAY. O ganlyniad dylai staff sy'n gweithio gyda phlant ifanc yn y Cyfnod Sylfaen dderbyn hyfforddiant ym maes datblygiad plant, fel bod ganddynt wybodaeth a dealltwriaeth drylwyr o'r modd y bydd plant ifanc yn datblygu, er mwyn asesu a chynllunio'n bwrpasol ar gyfer unrhyw AAY. Yn ogystal â buddsoddi'n sylweddol yng nghyflwyniad y Cyfnod Sylfaen, mae LICC wedi cymryd y camau canlynol i sicrhau cynhwysiant:

a) darparu cyllid o £2.2 miliwn er mwyn datblygu hyfforddiant ac addasu'r rhaglen Cymorth Cynnar a weithredwyd yn Lloegr, i hybu cydweithio aml-asiantaethol llwyddiannus ar gyfer plant ifanc a'u teuluoedd
b) cyflwyno grant Cyfarpar Arbenigol ar gyfer Dysgwyr ag Anghenion Ychwanegol (SELAN) i helpu plant ag AAA i gael mynediad i'r cwricwlwm
c) cyflwyno deddfau newydd, sef mesurau'r Cynulliad i'w defnyddio am y tro cyntaf gyda'r ddarpariaeth AAA
ch) gweithio gyda mudiad Awtistiaeth Cymru i ddatblygu safonau ansawdd ar gyfer ysgolion mewn gwasanaethau i blant ag Anhwylderau ar y Sbectrwm Awtistiaeth
d) cyhoeddi cyngor i ysgolion ac Awdurdodau Addysg Lleol (AALl) ar gefnogi disgyblion ag anghenion meddygol
dd) datblygu Marc Gwobr Ysgolion Cynhwysol penodol ar gyfer Cymru er mwyn hyrwyddo cysondeb o ran ymarfer cynhwysol wrth ddiwallu anghenion disgyblion ag ADY (LICC, 2009a:4-8). Cafodd hwn ei weithredu am y tro cyntaf yn ne-orllewin a chanolbarth Cymru yn nhymor yr haf 2010.

Mae nifer o ddeddfau hefyd wedi dylanwadu ar y sefyllfa bresennol o ran gofynion statudol cynnwys plant ag AAY. O ganlyniad i Ddeddf Addysg 1993 cyflwynwyd Cod Ymarfer AAA a oedd yn gosod canllawiau ar gyfer polisïau a gweithdrefnau cynhwysol i Awdurdodau Addysg Lleol (AALl). Addaswyd argymhellion y ddeddf uchod yn Neddf Addysg 1996 i gynnwys hawl rhieni i apelio yn erbyn unrhyw benderfyniadau drwy'r tribiwnlys AAA a gosodwyd llinell amser o 26 wythnos ar gyfer y broses gyfreithiol o adnabod ac asesu anghenion arbennig. O ganlyniad i'r deddfwriaethau hyn cyhoeddwyd fersiwn gyntaf Cod Ymarfer AAA Cymru gan LlCC yn 2002. Yn y ddogfen hon amlinellir y gofynion statudol ar gyfer darparwyr addysg blynyddoedd cynnar ynghŷd ag ysgolion cynradd ac uwchradd. Rhai o'r prif egwyddorion sy'n berthnasol ar gyfer disgyblion y Cyfnod Sylfaen yw:

- ymyrraeth gynnar o ran adnabod ac asesu AAA
- diwallu anghenion y plentyn trwy ymateb graddoledig
  - Gweithredu yn y blynyddoedd cynnar
  - Gweithredu yn y blynyddoedd cynnar a mwy
  - Asesiad statudol
- cwrdd ag anghenion y plentyn mewn sefydliad prif ffrwd fel arfer
- annog cyfranogiad trwy ofyn am farn y plentyn a'i ystyried wrth wneud penderfyniadau
- cydnabod rôl hanfodol rhieni yn cefnogi addysg eu plentyn
- mynediad llawn i addysg eang, gytbwys a pherthnasol gan gynnwys cwricwlwm priodol ar gyfer y Cyfnod Sylfaen

(LlCC, 2004b: 4.1-4.54)

Ychwanegwyd yn Neddf Gwahaniaethu ar sail Anabledd 2002 na ddylid trin plant anabl yn llai ffafriol mewn unrhyw fodd ac y dylid gwella cyfleodd iddynt i gymryd rhan ym mhob agwedd o fywyd y sefydliad. Mae hyn yn cynnwys addasiadau rhesymol i'r amgylchedd dysgu os oes angen. Diffinio'r gair 'rhesymol' sy'n anodd a bydd y dehongliad yn gwahaniaethu o un sefydliad i'r llall. Ychwanegwyd hefyd y dylai disgyblion nad ydynt yn siarad Cymraeg neu Saesneg fel iaith gyntaf gael deunydd addas i'w gallu a'u profiadau fel y gallant ddatblygu'n ieithyddol a gwybyddol, yn ogystal â gwneud defnydd o iaith y cartref er mwyn hybu'r dysgu (LlCC, 2008a: 8).

Athroniaeth cynhwysiant

Prif organ datblygiad cynnar plentyn ifanc yw'r ymennydd, ac mae'n hynod o sensitif i'r amgylchedd o gwmpas. Fel mae'r ysgyfaint yn datlygu'n fwy cyflawn o gael awyr iach yn hytrach na llygredd, datblyga ymennydd y plentyn yn well mewn amgylchedd gyfoethog o symbyliad, ymrwymiad a chefnogaeth effeithiol. Drwy'r profiadau hyn hybir datblygiad y plentyn iach a'r parodrwydd i ddysgu, waeth beth fo cefndir neu anghenion y plentyn (Hertzman, 2002:2). Mae pob plentyn ifanc o fewn y dosbarth neu'r sefydliad yn elwa o ethos gynhwysol. Dysgant barchu a dathlu gwahaniaethau, boed hynny ar sail ethnigrwydd, hil, diwylliant, crefydd, iaith, anabledd, cefndir cymdeithasol neu arall. Awgryma Derman-Sparkes a Taus (1989) bod diddordeb gan blant ifanc mewn gwahaniaethau ac y dylai ymarferwyr addysg blynyddoedd cynnar fanteisio ar hynny er mwyn iddynt fedru datblygu agweddau cadarnhaol tuag at wahaniaethau am weddill eu bywydau.

> Rhwng dwy a phump oed, bydd plant yn sefydlu hunaniaeth ac yn adeiladu sgiliau rhyngweithiol cymdeithasol. Yr un pryd, byddan nhw'n dod yn ymwybodol o ryw, hil, ethnigrwydd ac anabledd ac yn ymddiddori yn hyn. Yn raddol, daw plant i ddatrys sut maen nhw'n debyg a sut maen nhw'n wahanol i bobl eraill a sut maen nhw'n teimlo ynghylch y gwahaniaethau.
>
> *Between the ages of two and five years old, children are forming self-identities and building social interaction skills. At the same time, they are becoming aware of and curious about gender, race, ethnicity and disabilities. Gradually young children begin to figure out how they are alike and how they are different from other people, and how they feel about those differences*
>
> (Derman-Sparkes *et al*, yn Nutbrown *et al*, 2006: 6).

Â Siraj-Blatchford (dyfynnir yn Pugh *et al*, 2010: 153) un gam ymhellach drwy awgrymu na ddylid ond dathlu a hybu diwylliannau, ieithoedd, crefydd a gwahaniaethau ymhlith plant ifanc, ond yn hytrach greu ymwybyddiaeth fod gan bob un ohonom hunaniaeth ethnig neu hiliol yn ogystal â hunaniaeth amrywiol o ran iaith, rhyw a diwylliant.

Ystyriwch

A oes gormod o bwyslais ar Anghenion Addysgol Arbennig a dim digon ar Anghenion Addysgol Ychwanegol yn y Cyfnod Sylfaen?

Nid cysyniad newydd yw sicrhau cynhwysiant pob plentyn ifanc mewn gweithgareddau dysgu gweithredol sydd yn addas i'w datblygiad. Ystyriwch waith Pestalozzi (1746–1827) yn y Swisdir. Sefydlodd Pestalozzi a'i wraig sefydliad addysgiadol i blant tlawd a difreintiedig yn ogystal ag un ar gyfer plant â nam llafaredd a phlant byddar. Eu nod oedd darparu addysg a gofal er mwyn datblygu'r plentyn cyflawn, drwy annog y plant i ddilyn eu diddordebau a dod i'w casgliadau eu hunain, a thrwy hynny wella'u hamgylchiadau cymdeithasol.

> ...dylai bywyd y plentyn ifanc fod yn hapus ac yn rhydd... Mae gorfodi dysgu tu hwnt i gyflymder naturiol y plentyn yn niweidiol, ac mae gwrthod cyfleoedd i ddysgu drwy arbrofi a methu yn llesteirio datblygiad y cymeriad yn ogystal â'r dysgu.
>
> *...life for the young child should be happy and free... Pressure to learn beyond the child's natural pace is harmful, and the denying of opportunities to learn by trial and error retards the development of character as well as of learning*
>
> (Pestalozzi, yn Nutbrown *et al*, 2008: 27–29).

Ffigwr arloesol arall yn athroniaeth darpariaeth plentyndod cynnar a'r maes AAA oedd Maria Montessori (1870–1952). Meddyg yn gweithio gyda phlant ag anawsterau dysgu mewn ardaloedd wedi'u hamddifadu'n gymdeithasol yn yr Eidal oedd Montessori. Ffurfiodd egwyddorion cadarn o'r modd y bydd plant yn dysgu, yn seiliedig ar eu harsylwadau o'r disgyblion dan ei gofal. O ganlyniad, datblygodd y cysyniad fod plant o bob oed, cefndir a gallu yn dysgu trwy gymryd rhan, archwilio a chreu. Credai y gallent ddysgu sut i reoli eu gweithredoedd eu hunain drwy ailadrodd, canolbwyntio, defnyddio'r dychymyg a bod yn annibynnol yn eu dewisiadau a'u penderfyniadau: 'we should really find the way to teach the child how, before making him execute a task' (Montessori, yn Nutbrown *et al,* 2008:51).

Yr un yw nod LlCC drwy'r Cyfnod Sylfaen yng Nghymru ar hyn o bryd, sef rhoi cyfle i blant ddysgu yn eu hamser eu hunain a thrwy arbrofi a gwneud camgymeriadau, er mwyn iddynt ddatblygu yn ddysgwyr gydol oes llwyddiannus.

Ystyriwch

Rydych yn arweinydd cylch meithrin sydd â gofal dros ugain o blant 2½ – 3 oed. Mae un bachgen ag anhawster emosiynol ac ymddygiadol, un ferch rannol ddall, a dau blentyn o wlad Pŵyl sydd newydd symud i'r ardal ac yn uniaith Bwyleg. Sut y byddech chi'n cynllunio ethos gynhwysol?

Meddyliwch am enghreifftiau lle gallai cwricwlwm y Cyfnod Sylfaen o bosib eithrio plant ag AAY rhag cymryd rhan lawn mewn gweithgareddau? Pa gamau y gellid eu cymryd i oresgyn hyn?

Rôl oedolion

O enedigaeth a hyd yn oed cyn hynny, mae'r berthynas a sefydlir a'r rhyngweithio sy'n bodoli rhwng y plentyn ac oedolion yn dylanwadu'n gryf ar y datblygiad a'r dysgu (NAEYC, 2009). O fewn amgylchedd ddysgu'r Cyfnod Sylfaen, yr oedolyn mewn partneriaeth â'r cartref a gweithwyr proffesiynol eraill sy'n ysgogi, cyfeirio a chefnogi datblygiad a dysgu'r plant drwy ddarparu'r profiadau sydd eu hangen ar bob plentyn unigol. Er mwyn creu darpariaeth gynhwysol effeithiol a ffynnianus ar gyfer plant, rhaid cael

- cydweithredu
- cyfathrebu
- cydgysylltu

effeithiol rhwng y darparwyr, y rhieni neu'r gwarchodwyr, asiantaethau allanol ac ymarferwyr eraill. Daw'r pwyslais ar ddarpariaeth aml-asiantaethol o ganlyniad i Ddeddf Plant 2004 ac mae'n un o nodweddion craidd polisi cymdeithasol ac addysgiadol Prydain ers dechrau'r mileniwm presennol. Mae'r pwyslais ar bartneriaeth sy'n galluogi plant, rhieni neu warchodwyr, teuluoedd a chymunedau i gael mynediad at ystod eang o wasanaeth cefnogi a datblygiadol i'w galluogi i :

- glustnodi anghenion penodol
- gael mynediad i'r cymorth mwyaf priodol oddi wrth asiantaethau perthnasol
- ddechrau cymryd rheolaeth gynyddol dros eu bywydau eu hunain
- wella eu hyder a'u hunaniaeth
- ddatblygu sgiliau ac ymestyn eu haddysg
- fyw bywyd llawnach a chyfrannu'n fwy helaeth i'r gymdeithas ehangach

(Gasper, 2010: 2)

Y cydweithio aml-asiantaethol hyn yw'r allwedd i lwyddiant. Dywed dofgen The Foundation Stage: Multi-agency working (DfES 2007) ar gyfer Lloegr fel hyn:

> Gyda'n gilydd, bydd gennym ddealltwriaeth llawer dyfnach o'r plant rydym yn gweithio gyda nhw ac felly gallwn ddarparu profiadau dysgu o ansawdd uwch i blant. Mae hyn yn arbennig o wir am y plant hynny sydd ag anghenion ychwanegol neu sydd mewn perygl o niwed arwyddocaol. Gall nifer o bobl broffesiynol ymwneud â'r plant hyn o iechyd, gofal cymdeithasol ac addysg. Dim ond trwy weithio gyda'n gilydd a datblygu dealltwriaeth well o swyddogaeth ac arbenigedd ein gilydd y gallwn ddaparu gwasanaeth cydlynus sydd yn llwyr ymateb i anghenion y plentyn a'r teulu. Mae gan rieni ran allweddol a dylid eu cynnwys fel partneriaid cyfartal a gweithredol.
>
> *Together we can have a far deeper understanding of the children we work with and therefore provide higher quality learning experiences for children. This is particularly important for the children we work with who have additional needs or who are deemed to be at risk from significant harm. These children may have a number of professionals involved from health and social care as well as education. It is only through working together and developing a better understanding of each others' roles and expertise that we can provide a coherent service that genuinely supports the child's and family's needs. Parents have a central role to play and need to be included as equal and active partners*
>
> (DfES, 2007: 2).

Mae'r neges yr un mor berthnasol i Gymru a dyna'r rhesymeg dros gyflwyno'r rhaglen *Cefnogi Cynnar / Early Support* er mwyn rhoi cychwyn cadarn i blant ifanc drwy ddarpariaeth plentyn-ganolog, aml-asiantaethol a gwasanaethau integredig wedi'u ffocysu ar y teulu (LICC, 2008: 271). Ceir tystiolaeth rymus o bwysigrwydd cydweithio effeithiol rhwng y cartref a'r ddarpariaeth, a rhwng pob asiantaeth broffesiynol a'i gilydd yng nghasgliadau prosiect EPPE (Effective Provision of Pre-School Education) sef un o'r prosiectau hirdymor mwyaf dylanwadol. Dengys prosiect EPPE (Sylva *et al* 2003), ymysg nifer o ddarganfyddiadau pwysig eraill, bod cefnogaeth o'r cartref yn y broses ddysgu yn dylanwadu mwy ar lwyddiant addysgiadol na statws economaidd gymdeithasol (HMSO, 2007: 49). Mae amgylchedd ddysgu gref yn y cartref yn cael effaith gadarnhaol ar gyrhaeddiadau cynnar plant, yn enwedig rhai o leiafrifoedd ethnig neu o gefndir difreintiedig fel y gwelir isod.

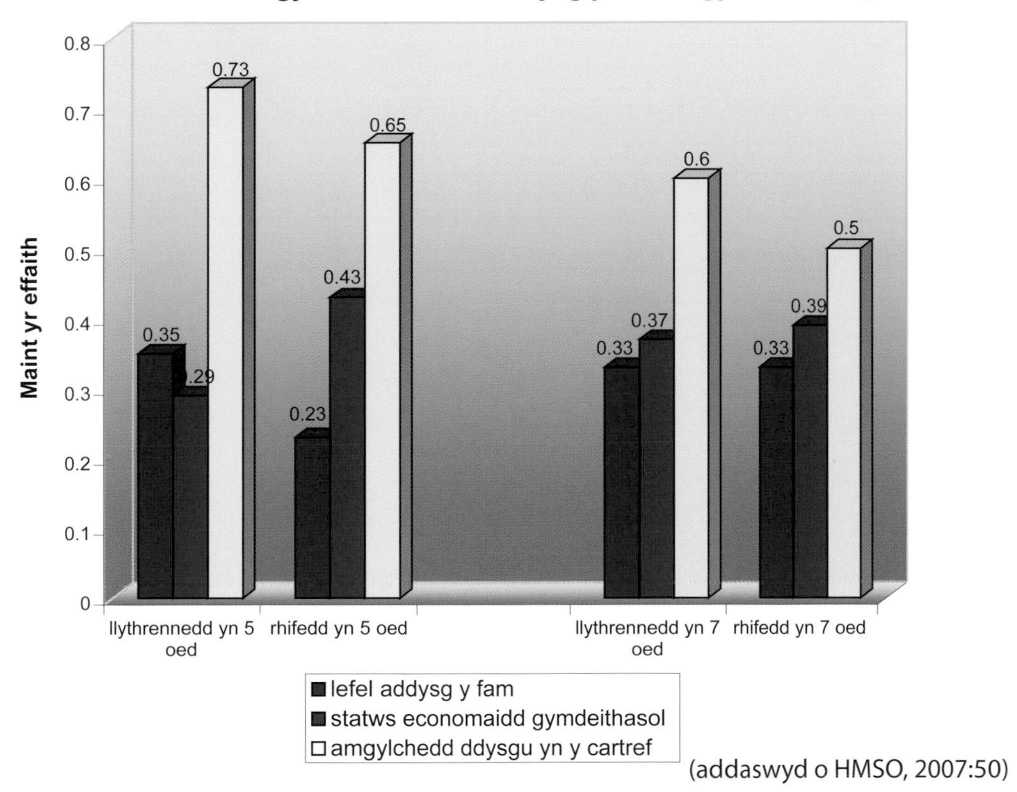

(addaswyd o HMSO, 2007:50)

Mae cydweithio llwyddiannus rhwng teuluoedd a darparwyr yn y Cyfnod Sylfaen yn canolbwyntio ar ddatblygu galluoedd plant yn hytrach na ffocysu ar y rhwystrau i ddysgu. O weld plant yn llwyddo a datblygu mewn amgylchedd gynhwysol o'r fath, ceir dylanwad cadarnhaol ar ddisgwyliadau a rhagfarn cymdeithas (Pugh a Duffy, 2010: 173).

Y Cynllun Addysg Unigol a Phwysigrwydd Llais y Plentyn

Dywed Erthygl 12 Confensiwm y Cenedloedd Unedig ar Hawliau'r Plentyn (1989) bod cyfrifoldeb ar oedolion sy'n gwneud penderfyniadau fydd yn effeithio ar blant, i sicrhau eu bod yn gwrando ar lais a barn pob plentyn. Atgyfnerthir hyn yn Neddf Plant 1989 lle rhoddir pwyslais ar hawl plant i gael cydnabyddiaeth o'u teimladau a'u dymuniadau, a'u hystyried pan wneir unrhyw benderfyniad amdanynt. Er nad yw hyn yn golygu bod hawl gan blant i fynnu eu ffordd, mae ganddynt yr hawl i fynegi eu barn ac i gael gwrandawiad teg i'r farn honno (http://www.unicef.org/crc/files/Rights_overview.pdf. Mynediad Chwefror 2010).

Adlewyrchir hyn yn Adran 3 o'r Cod Ymarfer AAA sy'n cyfeirio'n uniongyrchol at Gyfranogiad Disgyblion:

> Mae gan blant sydd â'r gallu i ffurfio barn yr hawl i gael ac i gyfleu gwybodaeth, i fynegi barn, ac i'r farn honno gael ei chymryd i ystyriaeth mewn unrhyw fater sy'n effeithio arnynt. Dylid rhoi'r ystyriaeth briodol i farn y plentyn yn ei (h)oed, ei (h)aeddfedrwydd a'i (g)allu
>
> (LlCC, 2004b: 25).

O ganlyniad, dylai'r plentyn fod yn ganolbwynt y cynllunio, y dysgu a'r addysgu bob amser.

Her i oedolion

- Sut mae sicrhau bod plentyn 5 oed gydag anawsterau dysgu yn cael cyfle teg i fynegi ei farn ynghylch ei addysg a'i fywyd yn gyffredinol?
- Sut mae cynnwys plentyn gydag anawsterau llefaru mewn amser cylch neu mewn cyfarfod o Gyngor Ysgol?
- Ystyriwch y defnydd o ddulliau gwahanol ac amrywiol o gyfathrebu y bydd angen eu defnyddio.

Un o ofynion Cod Ymarfer AAA Cymru yw llunio Cynllun Addysg Unigol (CAU) ar gyfer plant sy'n dilyn rhaglenni:

- Gweithredu yn y Blynyddoedd Cynnar / Gweithredu gan yr Ysgol
- Gweithredu yn y Blynyddoedd Cynnar a Mwy / Gweithredu gan yr Ysgol a Mwy
- Datganiad o AAA

(LlCC, 2004b: 16–17)

Ynddo dylid nodi tri neu bedwar targed tymor byr, y strategaethau addysgu sy'n wahanol neu'n ychwanegol at y cwricwlwm gwahaniaethol, yr adnoddau y bwriedir eu defnyddio, dyddiad adolygu'r cynllun, dulliau monitro a chanlyniad y camau a gymerwyd (LlCC, 2004b: 36). Dylai CAU da fod yn:

a) gryno ac yn seiliedig ar weithredoedd
b) nodi cryfderau'r plentyn a'i lefel cyrhaeddiad presennol
c) nodi natur a maint anghenion dysgu'r plentyn
ch) cynnwys targedau penodol a pherthnasol
d) awgrymu sut y gellir cynnwys rhieni/gofalwyr ac oedolion eraill yn y dysgu
dd) nodi unrhyw adnoddau ychwanegol neu anghenion meddygol
e) gosod dyddad ar gyfer yr adolygiad nesaf

Dull llwyddiannus ac effeithiol a ddefnyddir gan nifer o sefydliadau yw targedau SMART sef mnemonic ar gyfer *Specific, Measurable, Attainable, Relevant, Time-based* (Penodol, Mesuradwy,

Cyraeddadwy, Perthnasol, Amseradwy) gan fod hyn yn fodd o ystyried dewisiadau, cymhelliant, anghenion ac amgylchiadau'r plentyn (Jones, 2004:41-42).

At ddibenion y Cyfnod Sylfaen, addaswyd teitl y cynllun hwn yn Gynllun Chwarae Unigol (CChU) gan adlewyrchu pwyslais y Cyfnod Sylfaen ar chwarae fel cyfrwng dysgu ac addysgu. Mae llais y plentyn yn bwysig wrth gynllunio ac adolygu rhain, a dylai plant gael cyfleoedd i gyfrannu tuag at y targedau a nodir yn y CChU yn ogystal â hunan-asesu a gwerthuso'r cynnydd ar lefel addas i'w gallu a'u datblygiad (LlCC, 2007a: 17). Gall hyn fod ar lafar, yn ysgrifenedig neu drwy arwyddion neu symbolau. Rhydd hyn gyfle i'r disgyblion i wneud dewisiadau ac adlewyrchu ar eu dysgu er mwyn iddynt gyfranogi'n llawn yn y broses ddysgu. Bydd chwarae rhan weithredol fel hyn yn y broses gynllunio ac asesu yn meithrin ymdeimlad o berchnogaeth dros eu dysgu eu hunain.

Y Cwricwlwm a rhwystrau i gynhwysiant effeithiol

Mae addysg blynyddoedd cynnar ar ei orau yn addysg gynhwysol ym marn Nutbrown (Nutbrown *et al*, 2006:9). Mae hyn yn cynnwys ymarfer datbygiadol addas (*developmentally appropriate practice)*, pedagogi yn seiliedig ar arsywli ac asesu, mewnbwn rhieni, cydraddoldeb mynediad i gwricwlwm gwahaniaethol ac ymagwedd aml-broffesiynol i'r ddarpariaeth. Un o brif ystyriaethau ymarferwyr wrth gynllunio cwricwlwm y Cyfnod Sylfaen yw anghenion datblygiadol plant a'r ddarpariaeth sydd angen arnynt er mwyn datblygu'n ddysgwyr hyderus. Cyflwynwyd y cysyniad o ymarfer datblygiadol addas (*developmentally appropriate practice*) gan Copple a Bredekamp yn 1987 a datblygwyd y cysyniadau sy'n sail i'r ffordd hon o feddwl yn gyson ers hynny. Nid oed y plentyn yw'r ffactor allweddol, meddant, ond lefel ei ddatblygiad:

- Cydnabod pwynt datblygiad dysgwyr gan ystyried eu datblygiad a'u nodweddion corfforol, emosiynol a chymdeithasol, a deallusol.
- Adnabod amcanion i blant sy'n heriol ac yn gyrhaeddadwy – cael eu hymestyn ond nid naid amhosibl.
- Cydnabod bod yr hyn sy'n heriol ac yn gyrhaeddadwy yn amrywio, gan ddibynnu ar datblygiad y dysgwr unigol yn y meysydd i gyd; ei stôr o brofiadau, gwybodaeth a sgiliau, a chyd-destun y dysgu.
- *Meet learners where they are, taking into account their physical, emotional, social, and cognitive development and characteristics.*
- *Identify goals for children that are both challenging and achievable – a stretch, but not an impossible leap.*
- *Recognize that what makes something challenging and achievable will vary, depending on the individual learner's development in all areas; her store of experiences, knowledge, and skills; and the context within which the learning opportunity takes place*

(Copple a Bredekamp, 2006: 7)

Yn unol â chysyniad ymarfer datblygiadol addas, dethlir plant o wahanol ddiwylliannau yn ogystal â rhai o wahanol alluoedd a dylai'r cwricwlwm adlewyrchu'r gwahaniaethau hyn (Willis, 2009:18). Ond rhaid ystyried hefyd 'y rhwystrau i chwarae, dysgu a chyfranogi a achosir gan anawsterau corfforol, synhwyraidd, cyfathrebu neu ddysgu' gan gynnwys datblygiad emosiynol a lles (APADGOS, 2008a: 5). Gall y rhwystrau hyn fod yn rhai corfforol, megis diffyg mynediad i weithgareddau oherwydd lleoliad; rhwystrau cymdeithasol megis diffyg parch, neu rwystrau teuluol megis tlodi neu gam-drin.

Yng ngwaith Gussin Paley (1992) *You Can't Say You Can't Play,* pwysleisir pwysigrwydd gwerthoedd moesol o fewn y dosbarth plentyndod cynnar i osgoi ymddygiad rhagfarnllyd cyfoedion megis anwybyddu neu wrthod i blentyn gymryd rhan mewn gweithgaredd chwarae oherwydd ei fod yn wahanol mewn rhyw fodd. Atgyfnerthir hyn yn adroddiad Turner (2003: 35) i farn plant a phobl ifanc anabl yng Nghymru am y gwasanaethau a ddefnyddiant. Ymysg yr ymatebion i wasanaethau addysg, nodir bod gwneud ffrindiau yn hynod o bwysig iddynt, sicrhau nad ydynt yn cael eu trin yn wahanol i unrhyw un arall, a chael athrawon i wrando a deall eu anghenion. Dyna felly pam mae hybu amgylchedd gynhwysol lle caiff pob plentyn gyfleodd cyfartal, yn meithrin dysgwyr sy'n parchu ac yn dathlu gwahaniaethau gydol oes.

Pwysigrwydd iaith

- *Nid plentyn Downs yw Tomos ac nid plentyn anghenion arbennig yw Tomos.*
- *Dyw Tomos ddim yn dioddef o Downs.*
- *Mae gan Tomos Syndrom Downs.*

Dyna ddywed mam Tomos. Mae iaith a therminoleg yn gallu bod yn hynod ansensitif ac yn gallu effeithio ar hunan-ddelwedd a lles pob plentyn ond mae plant brau neu blant sydd ag anghenion arbennig ychwanegol mewn mwy o berygl o ddefnydd annoeth ac ansensitif o iaith. Ystyriwch y terminoleg a ddefnyddir yng nghyd-destun cynhwysiant plant ifanc. Pa fath o agweddau mae rhain yn eu cyfleu?

Yn y Cyfnod Sylfaen rhoddir pwyslais ar yr amgylchedd allanol fel estyniad o'r dosbarth ar gyfer dysgu. Gall hyn olygu nifer o heriau ar gyfer plant ag anableddau corfforol, megis rhai mewn cadair olwyn neu â nam ar y golwg. Trwy gynllunio gofalus a chefnogaeth bwrpasol, gall pob plentyn gymryd rhan lawn ym mhob gweithgaredd.

Ystyriwch

Rydych newydd eich penodi yn athrawes dosbarth Derbyn i 30 o ddisgyblion 4 oed mewn ysgol yng Nghaerdydd. Mae plant o nifer o wahanol leiafrifoedd ethnig yn y dosbarth ac maent yn siarad amrywiaeth o ieithoedd yn y cartref – ceir cyfanswm o ddeg gwahanol iaith o fewn y dosbarth. Sut y byddech chi'n cydnabod, defnyddio a dathlu iaith cartref pob plentyn yn y dosbarth hwn? Meddyliwch am ffyrdd o hybu dealltwriaeth plant ifanc o gynnwys plant sipsiwn a theithwyr drwy weithgareddau chwarae yn y dosbarth / meithrinfa.

Stori Sam

Mae Sam wedi bod yn yr Ysgol Gynradd ers dechrau'r tymor yn dilyn ei ben-blwydd yn bedair oed. Tua diwedd y tymor sylwodd yr athrawes ddosbarth bod twll yn esgid Sam ac nad oedd ei rieni wedi prynu pâr newydd iddo. Gwyddai fod tad Sam allan o waith a bod y fam ar gyfnod mamolaeth o'i swydd yn yr archfarchnad gan ei bod newydd gael merch fach yn ddiweddar, ond mae'n bosib eu bod am brynu esgidiau newydd i Sam ar gyfer y tymor nesaf.

Gan mai 'cartrefi' oedd thema'r gweithgareddau am yr hanner tymor, anfonodd yr athrawes lythyr adref at y rhieni yn sôn am drip ysgol i Bentre Bach. Gan fod y trip tu allan i oriau ysgol roedd angen talu deg punt y pen tuag at gostau'r trip a dychwelyd ffurflen ganiatâd i'r ysgol cyn diwedd yr wythnos. Erbyn dydd Gwener, roedd pentwr o ffurflenni caniatâd ar gyfer trip Pentre Bach wedi eu dychwelyd, ond roedd un ar goll – un Sam.

Penderfynodd yr athrawes mai gwell fyddai peidio gofyn i Sam, ond cael gair tawel gyda'i fam pan fyddai'n dod i'w gasglu ar ddiwedd y dydd. Efallai nad oedd Sam am ddod ar y trip, ac felly rhaid parchu ei ddymuniad.

'Dydy Sam ddim yn dod gyda ni i Bentre Bach, Mrs. Jones?', gofynnodd i'r fam.

'Na, y gost chi'n gweld. Rhwng y babi a'r gŵr allan o waith, allwn ni ddim fforddio'r trip. Ac mae eisiau pâr newydd o esgidiau yn druenus ar Sam. Na, ddim y tro hwn. Efallai bydd pethau'n well y tro nesaf.'

Teimlai'r athrawes yn anfodlon bod Sam yn mynd i golli ei drip ysgol cyntaf. Roedd y trip yn gyfle i ddatblygu sgiliau personol a chymdeithasol, sgiliau iaith a chyfathrebu, sgiliau corfforol, mathemategol, gwybodaeth a dealltwriaeth o'r byd a chymaint mwy mewn amgylchedd allgyrsiol. Roedd yn brofiad y dymunai i bob plentyn yn y dosbarth ei gael, ac ni ddylai'r un plentyn gael ei eithrio o weithgaredd ar sail prinder arian yn y cartref.

Penderfynodd yr athrawes gael gair gyda'r Pennaeth i weld a oedd ateb i'r broblem. Nid dyma'r tro cyntaf i hyn i ddigwydd ac fe estynnodd y Pennaeth gopi o bolisi cynhwysiant yr ysgol iddi. Nodwyd yn y polisi os byddai teulu yn methu fforddio i blentyn gymryd rhan mewn rhyw weithgaredd ysgol oherwydd prinder arian, gellid gwneud trefniadau i dalu'r gost fesul tipyn. Drannoeth, rhannodd yr athrawes y wybodaeth hyn gyda mam Sam. Petai hi'n gallu talu dwy bunt yr wythnos, gallai Sam ddod ar y trip. Ychwanegodd hefyd bod modd cael budd-dal tuag at gost prynu dillad ysgol ac y gellid cael cyngor ar lythrennedd ariannol o'r Ganolfan Gynghori leol.

Bu i Sam fwynhau'r trip i Bentre Bach – cyfri'r losin yn Siop Parri Popeth, gweld tu fewn i injan car Bili Bom-bom, tynnu llun Gwesty Pili Pala ar y cerdyn post i ddanfon adref at Mam a Dad a'i chwaer fach, a llawer, llawer mwy. Ni fyddai hyn wedi bod yn bosib heb gyfathrebu effeithiol rhwng yr athrawes a'r fam ac heb bolisi cynhwysiant effeithiol gan dîm rheoli'r ysgol.

Cychwynnodd y tymor nesaf, ac roedd pâr o esgidiau du newydd am draed Sam. Roedd gwên ar wyneb y fam wrth iddi rannu'r newyddion da gyda'r athrawes ddosbarth bod ei gŵr newydd gael gwaith fel porthor yn yr ysbyty.

- Ym mha ffyrdd eraill y gallai Sam gael ei eithrio o gymryd rhan yng ngweithgareddau'r dosbarth?
- Nodwch y manteision i Sam o gael mynd ar y trip gyda'i gyfoedion.

Stori Mari

Roedd Mari yn ddwy a hanner ac wedi bod yn mynychu Cylch Meithrin Cwmberwyn ers hanner blwyddyn bellach. Pan gychwynnodd, sylwodd yr arweinydd fod yn well gan Mari chwarae ar ei phen ei hun na gyda phlant eraill, ac roedd yn mynnu chwarae gyda'r un teganau yn y tŷ twt yn ystod pob sesiwn. Roedd y cynorthwy-wyr wedi ceisio ei pherswadio i ymuno gyda'i chyfoedion mewn gweithgareddau grŵp, ond roedd yn well ganddi ei chwmni ei hun. Doedd ganddi ddim llawer o iaith lafar chwaith a theimlai'n rhwystredig os na fyddai'n medru deall sefyllfaoedd arbennig megis newid sydyn yn amserlen y sesiwn. Roedd amser canu yn anodd iawn iddi, a byddai'n rhoi ei dwylo dros ei chlustiau ac yn eistedd ym mhen draw'r ystafell am ei bod yn hynod o sensitif i sŵn uchel. Doedd hi ddim yn hoffi cael ei dwylo'n frwnt chwaith, felly ni fyddai byth yn chwarae yn y pwll tywod nac yn y paent. Roedd hi'n ei chael hi'n anodd i wneud unrhyw gyswllt llygad gydag oedolion yn y Cylch, ond roedd hi'n dod bob dydd heb unrhyw ffwdan ac yn ddigon hapus yn ei byd bach ei hun. Roedd wrth ei bodd gyda llyfrau, yn enwedig rhai Sali Mali, a threuliai oriau yn y gornel ddarllen yn edrych ar y lluniau.

Cofiodd yr arweinydd ei bod newydd dderbyn pecyn hyfforddiant Anhwylderau Sbectrwm Awtistiaeth ac Ymarfer Cynhwysol Mudiad Ysgolion Meithrin (MYM) ac Autism Cymru (Owen a Bowen, 2008) ac aeth i chwilio amdano. Darllenodd drwy'r llyfrynnau a'r taflenni gwybodaeth yn drwyadl ac edrychodd am ragor o wybodaeth ar y gwefannau a nodwyd. Doedd dim amheuaeth ganddi – roedd Mari yn sicr yn dangos arwyddion o Anhwylder Sbectrwm Awtistiaeth, ond gwyddai hefyd nad ei rôl hi oedd gwneud y diagnosis hwnnw.

Pan gychwynnodd Mari yn y Cylch, roedd y fam yn swil iawn ac yn amharod i siarad rhyw lawer gyda'r staff, ond erbyn hyn roedd wedi magu ychydig o hyder ac yn fwy siaradus. Penderfynodd yr arweinydd y byddai'n trefnu i siarad gyda'r fam cyn gynted â phosib. Eglurodd y fam mai Mari oedd ei phlentyn cyntaf, ac na wyddai'n iawn sut roedd plant yn datblygu, ond ei bod wedi sylwi bod Mari yn ymddwyn yn wahanol iawn i blant eraill o'r un oed â hi. Dywedodd bod ganddi lu o deimladau cymysg – ofn, ansicrwydd, euogrwydd, chwerwedd, ond na fedrai siarad â neb am hynny. Roedd yn osgoi ateb yr ymwelydd iechyd pan fyddai'n galw am nad oedd hi am ei hwynebu. Cafodd y ddwy sgwrs hir ac er na soniodd yr arweinydd am Anhwylder Sbectrwm Awtistiaeth, awgrymodd i'r fam y byddai'n syniad da i Mari i weld arbenigwr, fel bod y Cylch yn medru cael gwybodaeth arbenigol am ei datblygiad er mwyn cynllunio'r ddarpariaeth orau posib ar ei chyfer.

Flwyddyn yn ddiweddarach, cafodd Mari ddiagnosis gan arbenigwr yn yr ysbyty bod ganddi syndrom Asperger, sef math o awtistiaeth. Mae'n dal i ddod i'r Cylch yn hapus a thrwy Gynllun Cyfeirio Cyfle Cyntaf MYM, cafodd y rhieni gyfle i drafod anghenion Mari a'u dyheadau hwy fel teulu. Yn ogystal mae aelod o staff ychwanegol wedi ei chyflogi i weithio gyda Mari o ddydd i ddydd yn y Cylch i helpu datblygu ei sgiliau cymdeithasol a ieithyddol. Mae wedi dechrau gwneud ffrindiau gyda bachgen bach arall, a hyd yn oed yn fodlon rhannu ei llyfr Sali Mali gydag ef erbyn hyn. Er mwyn i weddill y plant geisio deall beth oedd y rhwystrau oedd gan Mari, darllenodd yr arweinydd stori Gwern (Jones, 2005). Bu i'r plant fwynhau'r stori, ac roeddent yn cytuno gyda'r diweddglo bod lle i bawb yn y byd.

Roedd y rhieni yn falch o gael diagnosis, oherwydd gwyddent nawr pam roedd eu merch fach yn ymddwyn yn wahanol i'w chyfoedion. Roeddent yn gwerthfawrogi'r cymorth ychwanegol oedd ar gael yn y Cylch hefyd, oherwydd gwyddent fod pawb yn cydweithio er lles a ffyniant Mari.

- Pa fath o weithgareddau y byddech chi'n eu cynllunio i ddatblygu sgiliau cymdeithasol Mari?
- Sut y byddech chi'n sicrhau bod gan Mari lais mewn unrhyw benderfyniadau, o ystyried ei phroblemau ieithyddol?
- Darllenodd yr arweinydd stori i'r plant er mwyn hybu ymwybyddiaeth o Anhwylderau Sbectrwm Awtistiaeth. Pa adnoddau eraill y gellid eu defnyddio i hybu ymwybyddiaeth o wahaniaeth ymysg plant yn y Cyfnod Sylfaen?

Prif negeseuon y bennod

- Agwedd gymdeithas sydd yn creu'r rhwystrau i blant ag Anghenion Dysgu Ychwanegol ac nid eu hanghenion penodol hwy eu hunain.
- Trwy ddarparu gweithgareddau dysgu plentyn-ganolog sy'n lleihau'r rhwystrau tuag at fethiant, gall plant wireddu eu llawn botensial.
- Mae gwrando ar lais y plentyn wrth gynllunio ac addysgu yn sicrhau darpariaeth bwrpasol ac ystyrlon.
- Mae pob plentyn yn elwa o ethos gynhwysol yn yr amgylchedd dysgu.
- Datblygu'r plentyn cyflawn yw'r nod, waeth beth fo'r cefndir, gallu neu anghenion.
- Mae cydweithio aml-asiantaethol yn greiddiol er mwyn sicrhau darpariaeth gynhwysol lwyddiannus.

Pennod 12

Reggio Emilia a Te Whāriki – Her i Gymru

Pennod 12

Reggio Emilia a Te Whāriki – Her i Gymru

Siân Wyn Siencyn

> ...yn sail i bob ysgol, mae dewis o werthoedd a moeseg.
>
> *...behind every school, there is a choice of values and ethics.*
>
> (Rinaldi, 2005: 2)

Cyfeiria dogfennaeth y Cyfnod Sylfaen at arfer dda mewn gwledydd eraill a bu cryn deithio i'r gwledydd hyn, dros y degawd a mwy diwethaf, i arsylwi ar yr arfer dda fu mor ddylanwadol ar Gymru. Mynychodd athrawon ac ymgynghorwyr blynyddoedd cynnar, rheolwyr meithrinfeydd, a darlithwyr prifysgolion ymweliadau astudio yn Reggio Emilia a death yr enw Reggio Emilia yn rhan o ieithwedd blynyddoedd cynnar yng Nghymru. Tref gymharol fechan yw Reggio Emilia mewn ardal hanesyddol a digon goludog yng ngogledd yr Eidal. Dyma hefyd gartref i ysgolion meithrin a dynesiad addysgol blynyddoedd cynnar ymysg y mwyaf dylanwadol a blaengar yn ein cyfnod ni.

Sefydlwyd yr ysgolion meithrin cyntaf yn Reggio Emilia yn 1945 ar ddiwedd yr Ail Ryfel Byd. Grwpiau o rieni ifainc fu'n gyfrifol am eu sefydlu a hynny mewn ymateb i addysg haearnaidd yr eglwys Gatholig yn yr Eidal a hefyd mewn ymateb i ormes Ffasgiaeth o dan Mussolini a Natsïaeth Hitler. Yn dilyn enbydrwydd yr Ail Ryfel Byd a'r galanastra a adawyd yn Ewrop, nid oedd y rhieni hyn am weld sefydlu trefn addysgol oedd yn arwain at blant goddefgar nad oeddynt yn gallu meddwl drostynt ei hunain. Roedd y perygl o ailadrodd hanes – sef gormes gwladwriaeth Ffasgaidd – yn un dychrynllyd. Nod a bwriad yr ysgolion newydd hyn oedd hybu meddwl annibynnol, annog hyder a chreadigrwydd fel bod plant yn tyfu i fod yn oedolion na fyddent yn ildio'n ddi-gwestiwn i drefn o'r tu allan.

> Doedd rhieni ddim am gael ysgolion cyffredin. Yn hytrach, roedden nhw am gael ysgolion ble roedd plant yn medru caffael y sgiliau meddwl beirniadol a chydweithredol sy'n angenrheidiol i adeiladu a sicrhau cymdeithas ddemocrataidd.
>
> *Parents did not want ordinary schools. Rather, they wanted schools where children could acquire skills of critical thinking and collaboration essential to rebuilding and ensuring a democratic society.*
>
> (http://www.ericdigests.org/2001-3/reggio.htm – mynediad Rhagfyr 2009)

Daeth athro ifanc o'r enw Loris Malaguzzi i ymuno ag antur sefydlu'r ysgolion newydd hyn ar ôl y rhyfel a bu'n arweinydd ar y symudiad hyd ei farwolaeth yn 1994. Malaguzzi oedd yr addysgwr a'r athronydd roddodd i Reggio Emilia ei arbenigedd unigryw. Roedd Malaguzzi yn drwm dan ddylanwad Dewey a Vygotsky ac yna, yn ddiweddarach, Bruner, seicolegwyr arloesol yn cydnabod gallu cynhenid plant i ddatrys problemau ac i feddwl yn greadigol yn y broses. Gwelodd Vygotsky, a Bruner yntau, bwysigrwydd diwylliant yn natblygiad dysgu plant.

Delwedd o'r plentyn yn Reggio Emilia

Cred athroniaeth Reggio Emilia yng ngrym ac arwyddocad chwilfrydedd y plentyn ifanc. Bydd plant ifainc yn agor drorau, yn edrych o dan gerrig, yn holi cwestiynau diddiwedd, yn dangos diddordeb mawr ymhob dim. Mae i'r chwilfrydedd hwnnw ddiben a'i bwrpas yw arwain y plentyn at ddealltwriaeth o'r byd o'i gwmpas. Yn nhraddodiad seicoleg Vygotsky a Bruner, mae addysgwyr Reggio Emilia yn credu bod plant – a phob un ohonom ni – yn adeiladu dealltwriaeth o'r byd drwy ymwneud uniongyrchol â'r amgylchfyd a gyda phobl eraill, mewn rhyngweithiadau cymdeithasol a diwylliannol. Mae athroniaeth Reggio Emilia yn gweld plant fel bodau grymus sydd â grym i weithredu yn eu bywydau – y term a ddefnyddir yn y Saesneg yw '*agency*'. Canlyniad i'r '*agency*' hwn yw bod plant yn gweithredu fel ymchwilwyr, yn arbrofi'n gyson, yn holi, yn datblygu damcaniaethau ac yn eu profi.

Mae Clark a Moss (2001) yn cynnig cysyniad cyffrous a hynod wleidyddol, yn seiliedig ar syniadau Reggio Emilia, sef **pedagogi gwrando** (*the pedagogy of listening*). Yn ei fodel o'r dynesiad Mosaig, mae Moss yn cynnig dull chwyldroadol o ymateb i her Erthygl 12 o Gonfensiwn y Cenhedloedd Unedig ar Hawliau'r Plentyn, sef hawl plentyn i gael gwrandawiad, i fynegi barn, ac i gael llais a'r rheidrwydd ddaw yn sgil hyn ar i oedolion wrando ar y llais hwnnw a'i ystyried. Mae'r dynesiad Mosaic, yn ôl Moss, yn ddull o sicrhau llais y plentyn, o gynorthwyo plant drwy wrando arnynt, sef y rheidrwydd i wrando ar blant ac i ystyried eu barn. Sail yw Erthygl 12, wrth gwrs, i ddatblygiadau megis y Cyngor Ysgol – y bu Estyn (2008) yn dra beirniadol ohonynt fel arferion tocenistaidd yng Nghymru.

Bydd y dull hwn o wrando ar blant yn gweld plant fel arbenigwyr ar eu bywydau eu hunain, yn ddeiliaid hawliau ac yn fodau medrus a grymus. Mae hyn yn adlewyrchu athroniaeth sylfaenol Reggio Emilia sef bod plant yn meddu ar eu damcaniaethau eu hunain, eu trosiadau a'u cwestiynau, a'u bod yn weithredol yn y broses o adeiladu gwybodaeth. Mae Rinaldi (2005) yn cyfeirio at bwysigrwydd gwrando – berf, meddai, sy'n bwysicach na siarad ac esbonio – gan fod gwrando yn golygu bod yn agored i eraill a thrwy wrando, y clywir a deëllir y cant o ieithoedd y bydd plant yn eu defnyddio i gyfathrebu.

Mae'r ymadrodd 'mae gan y plentyn gant o ieithoedd' yn un o sloganau Reggio Emilia. Ystyr hyn yw bod plant yn mynegi eu hunain mewn amryfal ac amrywiol ffyrdd: cerddoriaeth, symud, dawns, adeiladu, sgwrsio, celf, creu… mynegiant o bob math. Bydd addysgwyr Reggio Emilia yn defnyddio'r ystod eang o fynegiannau hyn i gynorthwyo'r plentyn i ddysgu ac i adeiladu stôr o wybodaeth am y byd. Dywed Malaguzzi:

> Mae pob plentyn yn unigryw ac yn brif gymeriad yn ei ddatblygiad ei hun. Mae plant yn chwennych gwybodaeth, mae ganddynt allu mawr at chwilfrydedd a rhyfeddod, ac maen nhw'n dyheu am sefydlu perthynas gydag eraill ac i gyfathrebu.
>
> *Each child is unique and the protagonist of his or her own growth. Children desire to acquire knowledge, have much capacity for curiosity and amazement, and yearn to create relationships with others and communicate.*
>
> (ffynhonell wreiddiol anhysbys)

Her greiddiol dynesiad Reggio Emilia felly yw'r ddelwedd o blant a'r canfyddiad o blant fel pobl fach gyfoethog eu sgiliau a grymus iawn, yn llawn potensial. Ni fydd oedolion Reggio Emilia yn mesur cyraeddiadau plant yn erbyn normau neu safonau allanol. Caiff llwyddiant pob plentyn ei ddathlu am yr hyn ydyw ac nid yn erbyn rhestr o ddatganiadau neu fesuriadau normaidd. Dywed Goouch 'mae'n amlwg o fodel Reggio… bod plant yn bwysicach na'r cwricwlwm' (*it is clear from the Reggio model… that children are more important than the curriculum*) (2006: 184)

Pwysigrwydd teulu a chymuned

Mae teulu a chymuned yn chwarae rhan ganolog yn addysg blynyddoedd cynnar yn Reggio Emilia – yn adlewyrchu, digon tebyg, y pwysigrwydd a rydd diwylliant yr Eidal ar blant a theulu. Mae Cyngor Bwrdeistref Reggio Emilia yn cefnogi'r canolfannau plant a'r ysgolion meithrin sy'n dwyn yr enw Reggio Emilia gyda grantiau hael iawn ac yn ymfalchïo yn hyn. Dyma, wrth gwrs, adlewyrchu gwerthoedd y gymuned. Disgwylir i rieni gymryd rhan flaenllaw ym mywyd yr ysgolion a'r canolfannau. Byddant yn rhan o ddatblygu polisi ac o drafod materion y cwricwlwm, byddant yn sgwrsio gydag athrawon am ystod o bynciau perthnasol: datblygiad eu plant, gwerthuso eu dysgu ac yn y blaen. Caiff y cyfarfodydd gyda rhieni a'r gymuned yn gyffredinol eu cynnal fin nos er mwyn hwyluso trefniadau i rieni sy'n gweithio.

Dim pennaeth?

Gwahanol iawn i Gymru!

Nid oes hierarchaeth yng nghanolfannau ac ysgolion Reggio Emilia. Nid oes, felly bennaeth neu brifathro. Bydd yr holl staff, yn cynnwys athrawon a chogyddion, yn cydweithio ac yn cwrdd fel un tîm unwaith yr wythnos i drafod ac i gynllunio. Yn aml, gwelir rhieni, rhieni cu ac aelodau o'r gymuned yn rhan o'r cyfarfodydd hyn. Tebyg iawn bod yr athroniaeth a'r arferion heriol hyn yn adlewyrchu egwyddorion sosialaidd yr ardal hon o'r Eidal.

Cysyniadau Reggio Emilia

Mae dynesiad Reggio Emilia wedi dod â geirfa newydd i ymarfer blynyddoedd cynnar yng Nghymru, fel mewn sawl gwlad arall bid siŵr.

Cwricwlwm esblygol *(emergent curriculum)*

Nid oes cwricwlwm fel byddwn ni yn ei adnabod yn Reggio Emilia. Caiff athrawon eu hyfforddi i ddeall dysgu plant ac i arsylwi'n fanwl er mwyn deall diddordebau plant. Yn hytrach na rhaggynllunio a chytuno ystod o ddeilliannau penodol, mae dynesiad Reggio Emilia yn caniatáu (yn wir, yn disgwyl) i'r cwricwlwm esblygu neu allddodi *(emerge)* o ddiddordebau'r plant. Nid oes amserlen dynn – weithiau nid oes amserlen o gwbl – yn y dull Reggio Emilia. Ni welir oedolion yn rheoli faint o amser y bydd plentyn yn paentio neu'n chwarae Lego. Caiff plentyn faint fyd o amser fydd o am ei gael i gwblhau ei weithgaredd gan mai'r plentyn ei hun sy'n gwybod faint o amser sydd ei angen arno i anturio ac ymestyn ei ddysgu ei hun. Syniadau chwyldroadol yn wir.

Prosiectau *(progettazione)*

Yng Nghymru, clywir am gynllunio drwy themâu. Bydd y cynllunio ar gyfer dysgu, yn aml, yn cael ei ragnodi, hynny yw, yn cael ei gytuno o flaen llaw a hynny, ran amlaf, yn cael ei wneud gan oedolion. Nid felly yn Reggio Emilia. Fel y cwricwlwm ei hun, mae'r gweithgaredd yn cael ei arwain gan blant a chaiff y diddordebau mae plant yn eu mynegi eu datblygu'n brofiadau dysgu esblygol. Gelwir y diddordebau neu'r prosiectau hyn yn *progettazione*. Astudiaethau yw'r *progettazione* o syniadau neu ddiddordebau a gyfyd gan y plant. Gall *progettazione* barhau am wythnos neu am flwyddyn gyfan ac yn aml bydd dau neu dri o brosiectau yn digwydd yr un pryd. Bydd yr oedolion yn cynorthwyo plant i drafod llwybr y prosiect, sut i ddatblygu'r syniadau, sut i fynegi'r syniadau drwy gelf a chyfryngau eraill. Bydd datblygiad cynrychioliadol (*representational*) yn elfen allweddol o'r broses o ddeall syniadau a chysyniadau. Yn unol â damcaniaethau Gardner (1999, 2006) ynghylch amrywiol a mynych ddeallusrwydd (*multiple intelligences*), bydd dull Reggio Emilia yn defnyddio bob math o gelf a chelfyddyd i hyrwyddo – neu i ryddhau – deallusrwydd y plentyn. Er mwyn sicrhau bod plentyn yn cael cyfleoedd i arbrofi gyda chysyniadau ac er mwyn iddo'u deall, gwelir defnydd dyfeisgar iawn yn Reggio Emilia o gelf, paentio, drama, cerddoriaeth, pypedau, cysgodion, argraffu, adeiladu a myrdd o fynegiannau symbolaidd eraill. Dyma, wrth gwrs, y cant o ieithoedd plant y cyfeiria Malaguzzi atyn nhw.

Daw'r prosiectau neu'r thema o sgwrs y plant, eu profiadau, digwyddiadau yn y gymuned... beth bynnag sydd wedi taro'r plant neu blentyn fel rhywbeth arwyddocâol neu ddifyr. Ceir enghreifftiau lu yn y llenyddiaeth am Reggio Emilia i ddangos hyn, er enghraifft prosiect y llewod, prosiect maes chwarae'r adar, a phrosiect mapio'r dref. Rhan greiddiol arall o ddull Reggio Emilia yw'r anogaeth gyson ar blant i gydweithredu. Gwelir plant yn cydweithio a chydweithredu mewn grwpiau o bob maint er mwyn trafod, cymharu, datblygu damcaniaethau a datrys problemau ar y cyd. Y gred yw bod nifer o safbwyntiau yn cynnig golwg ehangach a golwg mwy cyfoethog ar y byd. Y math hwn o ymagweddiad sy'n sail i'n cred ni ym mhwysigrwydd cydweithio proffesiynol a chydweithio ehangach er mwyn cyrraedd dyfnder o ddealltwriaeth a phersbectif eang ar realiti.

Dogfennaeth

Mae dogfennu dysgu yn nodwedd ganolog o ddull Reggio Emilia. Gwelir, yn y dogfennu, dystiolaeth fyw o'r prosesau dysgu. Calon y dysgu yw proses y dysgu ei hun – nid deilliant neu ben draw'r dysgu. Nid y darlun pert ar y wal yw'r hyn sy'n ddiddorol i addysgwyr Reggio Emilia ond y broses o greu. Mae'r ddogfennaeth, yn llyfrau nodiadau, ffotograffau o blant wrth eu gwaith, tapiau sain, cofnod o sgwrs a'r hyn ddywed plant wrth iddyn nhw drafod â'i gilydd, ynghyd â gwaith y plant, i'w weld, yma a thraw, drwy'r canolfannau. Defnyddir y ddogfennaeth fel sbardun am sgwrs gydag ymwelwyr, fel atgof i gychwyn trafodaeth gyda phlant – a'u rhieni – am eu dysgu. Mae dogfennu celfydd a deallus yn gofyn cryn sgìl o du'r addysgwyr; mae'n gofyn sgiliau arsylwi, dadansoddi, adfyfyrio. Mae'n gofyn hefyd am allu i gydweithio, mewn partneriaeth gyfartal, gyda phlant i gofnodi a thrafod eu dysgu. Caiff dogfennaeth ei defnyddio fel modd i asesu a hefyd fel offeryn i gydnabod llais y plentyn. Gwelir y paneli dogfennu ar hyd y waliau, yn dystiolaeth i'r gymuned gyfan o'r hyn y bu'r plant a'r oedolion wrthi'n cyflawni. Defnyddir y ddogfennaeth fel modd i bryfocio sgwrs ac ennyn trafodaeth bellach rhwng plant, eu teuluoedd, rhieni ac addysgwyr, addysgwyr a'r gymuned ehangach, y gymuned a'r plant... ac felly ymlaen.

Yr amgylchedd dysgu

I ymwelydd o Gymru, un o'r nodweddion mwyaf trawiadol o ganolfannau Reggio Emilia yw'r glendid a'r llonyddwch. Mae'r amgylchedd gweledol yn gynnil a chwaethus – yn wir, yn hynod brydferth yn ei symlrwydd di-ffws. Nid oes gorsymbylu plant gyda gormodedd o ddeunyddiau a lliwiau. Ceir defnydd helaeth o olau naturiol ac yn y canolfannau mwy newydd, ceir ffenestri a drysau gwydr at y llawr ac, mewn ambell ysgol, ceir waliau gwydr. Yn sicr ni welir paentio lluniau a chymeriadau ar ffenestri yn Reggio Emilia!

Herio'r amgylchedd dysgu traddodiadol

Dyma sylw Elizabeth Jarman mewn DVD hyfforddi NIACE sy'n cael ei ddefnyddio fel rhan o becynnau hyfforddiant Llywodraeth y Cynulliad ar y Cyfnod Sylfaen:

It is important to ensure that the environment isn't too cluttered... we shouldn't underestimate the effect excessive displays hanging from everywhere has on a child. Traditional strong primary colours and strip lighting can over-stimulate a child. It is almost like sensory overkill.

Trefnir y gofod dysgu yn ofalus gan yr oedolion er mwyn hyrwyddo cyfleoedd i blant weithio gyda'i gilydd mewn grwpiau bach. Gwelir ardaloedd cymunedol (*piazza)* sy'n annog rhyngweithredu rhwng plant a'i gilydd a rhwng plant ag oedolion – llefydd am sgwrs a thrafodaeth, gofod cymdeithasol go iawn. Bydd y dosbarthiadau a'r ystafell fwyta yn agor ar y *piazza* a phrin yw'r defnydd o goridorau, yn enwedig yn yr adeiladau mwyaf diweddar. Profiad digon amheuthun i ni, o Gymru, yw gweld plant yn aml yn ymuno â gweithgaredd y gegin – ac mae staff y gegin yn aelodau pwysig iawn o dîm yr addysgwyr yn Reggio Emilia. Bydd plant yn cynorthwyo yn y coginio, yn gosod ac yn clirio'r byrddau ar ôl cinio, yn defnyddio cyllell a ffyrc go iawn ac yn sgwrsio dros bryd blasus.

Gwelir hefyd ddefnydd helaeth o ddrychau a deunyddiau adlewyrchol. Mae drychau yn fodd o fanteisio ar olau ond dyma hefyd ddull ardderchog i hybu delwedd gadarnhaol y plentyn ohono ef ei hun. Caiff anturio ac arbrofi eu hannog a bydd rôl yr *atelierista* yn allweddol. Ymhob canolfan gwelir *atelier* neu stiwdio gelf a chorneli celf a bydd yr *atelierista* – sef artist proffesiynol – ar gael i gydweithio gyda'r plant a'r addysgwyr ar ddatblygu eu syniadau.

Model yr athro-ymchwilydd

Nid oes, yn Reggio Emilia, athrawon fel mae'r traddodiad Prydeinig yn eu hystyried. Gelwir yr 'athro' yn 'educatore' neu addysgwr a rhan allweddol o rôl yr *educatore* yw ymchwilio. Ceir felly'r model o'r athro-ymchwilydd. Bydd yr *educatore* – yn aml dan arweiniad y *pedadogista* neu'r athro ymgynghorol sy'n arbenigwr ar bedagogi – yn dysgu ei grefft ochr yn ochr â'r plant. Dyma gysyniad arall heriol i ni yng Nghymru felly, sef yr athro fel dysgwr. Yn y model hwn o addysgu, bydd yr athro-ymchwilydd yn gwrando'n ofalus ar blant ac yn arsylwi ar eu gweithgaredd a hynny er mwyn dysgu oddi wrthyn nhw. Bydd yr athro-ymchwilydd yn dogfennu'r dysgu, yn symbylu meddwl, yn annog, ac yn anad, dim yn dadansoddi ei effeithiolrwydd fel addysgwr. Bydd yr oedolion yn casglu at ei gilydd, mewn cyfarfodydd cyson, i drafod eu sgiliau a sut mae gwella eu hymarfer. Swyddogaeth yr athro, meddai Rinaldi (2005), yw creu cyd-destun diogel sy'n hybu chwilfrydedd plant ac yn eu caniatáu i arbrofi ac ymchwilio eu damcaniaethau eu hunain Modd o addysgu digon cymhleth yw un Reggio Emilia gyda'r cysyniad o gydweithio a chyd-addysgu (*co-teaching*) yn sail i'r rhyngweithio cadarn hwn rhwng oedolion.

Geirfa Reggio Emilia

Un o'r agweddau mwyaf trawiadol o ddynesiad Reggio Emilia ac o'r athroniaeth drwyddi, yw'r defnydd beiddgar o iaith a welir yn y llenyddiaeth ac a glywir gan yr addysgwyr yno. Adlewyrchiad, bid siŵr, o ddiwylliant ieithyddol yr Eidaleg.

Clywir, mewn cyfieithiad, eiriau a therminoleg megis y plentyn grymus, y plentyn medrus (*the powerful child*), cyfnewid (*reciprocity*), cyfryngu (*mediation*), pryfoclyd a phryfocio (*provocation*) a chlywir yn gyson am hawliau plant. Nid yw Reggio Emilia yn defnyddio'r term *anghenion arbennig*. Yn lle hynny, defnyddir yr ymadrodd *plant â hawliau arbennig*.

Ymddygiad plant

Tra ar ymweliad astudio â Reggio Emilia, gofynnodd rhai o aelodau'r grŵp astudio roeddwn i'n perthyn iddo am y modd yr ymdrinnir â phlant gydag anawsterau ymddygiad neu ymddygiad heriol – testun sydd wedi bod yn flaenllaw yng Nghymru, ymysg athrawon a staff cylchoedd meithrin fel ei gilydd, ers tro.

Clywyd nad oedd hyn yn broblem fawr yn Reggio Emilia a hynny, medden nhw, am fod plant yn ddiwyd wrth eu gwaith. Os yw plentyn yn cael pwl o dymer neu'n strancio, nid oes cosbi yn Reggio Emilia. Bydd oedolion, yn hytrach, yn ceisio deall yr ymddygiad, yn cynorthwyo'r plentyn i fynegi ei deimladau a'u deall. Bydd oedolion, hefyd, yn chwilio am sbardun neu achos i'r ymddygiad er mwyn deall y plentyn yn well. Symptom yw ymddygiad sy'n arwydd i oedolion bod plentyn yn cael trafferthion neu'n anhapus. Byddai'r oedolion yn siarad gyda'r rhieni, yn trafod gyda'i gilydd, ac yn sgwrsio gyda'r plentyn ei hun. Rhan greiddiol o athroniaeth Reggio Emilia yw cynorthwyo plant i adnabod eu hunain a rheoli eu hunain.

Ni fyddai dulliau ymddygiadol megis *Time-Out* yn dderbyniol yn Reggio Emilia gan eu bod yn ymateb i'r ymddygiad yn unig ac nid i ofynion y plentyn

Nid oedd plant bywiog, anturus yn cael eu hystyried yn broblem yn Reggio Emilia. I'r gwrthwyneb, plentyn yn mynegi ei arddull ei hun o ddysgu fyddai'r plentyn sy'n brysur drwy'r amser. Pa ddiben, fyddai dadl Reggio Emilia, i geisio gorfodi plentyn o'r fath i eistedd a gwneud gweithgareddau bwrdd?

Aotearoa – Seland Newydd

Yn debyg i Gymru, ond ddegawd ynghynt, cafwyd newidiadau mawr yn y cwricwlwm blynyddoedd cynnar yn Seland Newydd drwy edrych yn ofalus ar y dystiolaeth o blaid newid. Ymestynnwyd syniadau ac arferion Reggio Emilia i Seland Newydd gan ddylanwadu'n fawr ar y rhai a fu'n datblygu Te Whāriki, sef cwricwlwm blynyddoedd cynnar blaengar y wlad honno.

> Fframwaith yw Te Whāriki ar gyfer datblygiad a dysgu cynnar tamariki / plant oddi fewn i gyd-destun sosio-ddiwylliannol. Mae'n pwysleisio partneriaeth dysgu rhwng kaiako / athrawon, rhieni, a whānau / teuluoedd. Mae kaiako / athrawon yn nyddu cwricwlwm holistaidd mewn ymateb i ddysgu a datblygiad tamariki / plant yn y ddarpariaeth plentyndod cynnar ac oddi fewn i gyd-destun ehangach byd y plentyn.
>
> *Te Whāriki is a framework for providing for tamariki/children's early learning and development within a socio-cultural context. It emphasises the learning partnership between kaiako/teachers, parents, whānau/ families. Kaiako/teachers weave an holistic curriculum in response to tamariki/children's learning and development in the early childhood setting and the wider context of the child's world.*
>
> (http://www.minedu.govt.nz/web/downloadable/dl3567_v1/whariki.pdf. Mynediad Ionawr 2010)

Mae dylanwad y Māori, sef brodorion Aotearoa (yr enw Māori ar Seland Newydd), yn drwm ar ddiwylliant plentyndod cynnar y wlad. Yr enw a roddir ar gwricwlwm blynyddoedd cynnar yw Te Whāriki – sef yr enw'r Māori ar fat arbennig sy'n cael ei defnyddio, yn seremonïol rhan amlaf, i bawb gael sefyll arno a chael eu cynnwys yn y croeso. Gwreiddir Te Whāriki, felly, yn ddwfn yn athroniaeth a gwerthoedd Māori gyda chryn bwyslais ar y cwricwlwm deuddiwylliannol. Mae cysyniadau diwylliannol teuluol y Māori yn ganolog i'w ysbryd a'i ethos.

Fel mae cylchoedd meithrin a Mudiad Ysgolion Meithrin yn rhan allweddol – ac unigryw – o ddarpariaeth blynyddoedd cynnar yng Nghymru, mae i Aotearoa-Seland Newydd hithau ei mudiad Māori, sef Te Kōhanga Reo. Mae kōhanga reo (yn llythrennol 'nythod iaith') yn gylchoedd meithrin sy'n arddel diwylliant ac iaith y Māori. Yn dilyn trefedigaethu a threfoli'r Māori oddi ar eu ffyrdd traddodiadol o fyw ar y *marae*, bu pryder ynghylch colli'r iaith a'r traddodiadau Māori. Daeth Saesneg a ffyrdd Anglo-Americanaidd o fyw i danseilio'r diwylliant brodorol. Mewn ymgais i atal y dirywiad, sefydlwyd y kōhanga reo.

Cysyniadau diwylliannol Māori

Iwi – iwi yw'r llwyth y perthyn unigolyn iddo

Kawa – traddodiadau a'r ffyrdd traddodiadol o fyw / gweld y byd

kōhanga reo – cylchoedd meithrin Māori

Kura kaupapa Māori – ysgolion trochiant iaith Māori

Marae – man cyfarfod

Whakapapa – achaeth, llinach deuluol

Whānau – teulu, gan gynnwys y teulu estynedig

Whanaungatanga – perthnasau

Nid yw rhai o'r cysyniadau a'r arferion diwylliannol – neu'r ffordd o weld y byd – yn gwbl eglur i ni sydd o dras Ewropeaidd. Yn wir, mae rhai ohonynt yn ddigon dieithr. Byddai Māori, er enghraifft, yn medru adrodd llinach *whakapapa* ei deulu a'i lwyth. Trwy'r *whakapapa* y bydd Māori yn gosod ei hun mewn perthynas â'r byd, yn adnabod ei hun a'i hunaniaeth unigol.

Drwyddo, gwelir bod *whānau,* sef y teulu estynedig, yn bwysig iawn. Adlewyrchir hyn, wrth gwrs, yn namcaniaethau Bronfenbrenner, yn ymagweddiad Reggio Emilia ac yn narganfyddiadau prosiect EPPE, sef bod gan deulu a chymuned bwysigrwydd cwbl greiddiol i fywydau plant.

Un gwahaniaeth mawr rhwng Te Whāriki a'r Cyfnod Sylfaen yw oed y plant. Yn Seland Newydd, mae cwricwlwm yn cynnwys plant o enedigaeth i oed cychwyn ysgol. Yng Nghymru, wrth gwrs, nid yw'r cwricwlwm yn cychwyn nes bod plentyn yn 3 oed. Er bod ystod o wasanaethau cyhoeddus i blant cyn 3 oed yng Nghymru, megis Dechrau'n Deg, nid oes cyswllt clir rhwng gwasanaethau cyn 3 oed a rhai ar ôl 3 oed. Fodd bynnag, mae elfennau pwysig yn gyffredin a gellir gweld sut mae athroniaeth Te Whāriki wedi dylanwadu ar y Cyfnod Sylfaen, er enghraifft trwy'r gosodiad o werthoedd pedagogaidd a ddaw o ddogfennaeth Te Whāriki

> Mae'r cwricwlwm hwn yn pwysleisio swyddogaeth allweddol dysgu sy'n cael ei gyfryngu'n gymdeithasol ac yn ddiwylliannol, a'r berthynas ymatebol ddwyochrog i blant gyda phobl, lleoedd a phethau. Mae plant yn dysgu drwy gydweithredu gydag oedolion a chyfoedolion, drwy gyfranogiad sy'n cael ei lywio a thrwy arsylwi ar eraill yn ogystal â thrwy anturio unigol a myfyrio.
>
> *This curriculum emphasises the critical role of socially and culturally mediated learning and of reciprocal and responsive relationships for children with people, places, and things. Children learn through collaboration with adults and peers, through guided participation and observation of others, as well as through individual exploration and reflection.*
>
> (http://www.educate.ece.govt.nz/learning/curriculumAndLearning/TeWhariki.aspx. Mynediad Medi 2009)

Ceir adlais cadarn o hyn yn ymagweddiad y Cyfnod Sylfaen i ddysgu ac addysgu plant ifainc.

Sylfeini Te Whāriki yw'r ymrwymiad i bedwar egwyddor sylfaenol, sef:

- ***Ymrymuso***: ymrymuso'r plentyn ifanc i ddysgu ac i dyfu
- ***Datblygiad cyfannol***: yn adlewyrchu natur gyfannol, holistaidd ac integredig dysgu plant
- ***Teulu a chymuned***: pwysigrwydd creiddiol teulu a chymuned i fywydau a dysgu plant
- ***Perthynasau***: bod plant yn dysgu drwy ymwneud agos a chynnes ag eraill.

Er bod Te Whāriki yn cydnabod pwysigrwydd meysydd dysgu, nid ydynt yn ganolog i'r cwrciwlwm. Nid oes deilliannau mesuradwy, felly, a bydd pob darpariaeth blynyddoedd cynnar yn gweu'r egwyddorion cwricwlwm yn eu ffyrdd eu hunain. Felly, mae'n gwbl dderbyniol i ddarpariaeth Steiner, er enghraifft, a darpariaeth fwy traddodiadol chwilio eu llwybr eu hunain gydfodoli oddi fewn i fframweithiau Te Whāriki. Yn hytrach na rhestru deilliannau dysgu, mae model Te Whāriki yn plethu 'sgiliau hanfodol' (*essential skills)* gyda meysydd dysgu hanfodol (*essential learning areas)* i greu fframwaith gysylltiol, er enghraifft.

Lles y plentyn

Cysylltiad â sgiliau hanfodol		*Cysylltiad gyda meysydd dysgu hanfodol*	
Sgiliau cyfathrebu	Plant yn datblygu hyder a gallu i fynegi eu meddyliau a'u teimladau'n effeithiol ac yn briodol	Iaith ac ieithoedd	Mae hyder a sgìl mewn iaith yn hybu ymdeimlad o hunanwerth ac yn caniatáu i blant gyfranogi'n effeithiol a gwneud synnwyr o'r byd
Rhifedd	Plant yn datblygu hyfedredd mewn cysyniadau mathemategol a mwynhau eu defnyddio mewn bywyd bob dydd.	Mathemateg	Mae archwilio cysyniadau mathemategol yn annog creadigedd, dyfalbarhad, a hunan-hyder.
Sgiliau gwybodaeth	Plant yn ennill hyder wrth ddarganfod a deall trefniadau ac ymddygiad diogel.	Gwyddoniaeth	Mae datblygu ymwybyddiaeth o'ch lle yn yr amgylchedd yn meithrin chwilfrydedd a dealltwriaeth wyddonol.
Sgiliau datrys problemau	Plant yn teimlo'n hyderus wrth gymryd peth cyfrifoldeb am archwilio, holi a phrofi syniadau er mwyn datrys problemau	Technoleg	Mae gallu i ddatrys problemau ymarferol yn ychwanegu at hunan hyder ac ymdeimlad o les.
Hunanreolaeth a sgiliau cystadleuol	Plant yn datblygu ymdeimlad o hunanwerth wrth gymryd peth cyfrifoldeb am eu hiechyd a'u diogelwch eu hunain, a hefyd datblygu dulliau o ddelio â gwrthdaro, her a newid.	Gwyddorau Cymdeithasol	Mae cydweithio yn cynorthwyo plant i ddatblygu hyder yn eu gallu i ddatblygu perthynas ag eraill.

Sgiliau Cymdeithasol a chyd-weithredu	Plant yn medru cymryd rhan mewn ystod o drefniadau cymdeithasol ac maent yn datblygu ymdeimlad o gyfrifoldeb am eraill ac ymddiriedaeth mewn eraill.	Y celfyddydau	Mae'r celfyddydau yn bwysig i ddatblygu hunanfynegiant ac i ymdeimlad o hunanwerth a mwynhad.
Sgiliau corfforol	Plant yn cael eu cynorthwyo i ddatblygu iechyd personol drwy ymarfer, glendid da, diet iach ac i fwynhau sgiliau corfforol a hamdden.	Iechyd a lles corfforol	Mae agweddau corfforol, cymdeithasol, emosiynol ac ysbrydol twf plentyn yn bwysig er mwyn sicrhau bod plant yn datblygu hyder ynddynt eu hunain ac yn eu sgiliau.
Sgiliau astudio a gweithio	Plant yn datblygu hyder i reoli rhai tasgau'n annibynnol ac i dalu sylw serch pethau'n dwyn eu sylw.		

(http://www.educate.ece.govt.nz/learning/curriculumAndLearning/TeWhariki/Part%20D/Wellbeing.aspx. Mynediad Hydref 2009)

Storïau Dysgu

Ffordd hynod ddiddorol o gofnodi ac asesu dysgu plant ifainc sydd wedi dod o Aotearoa-Seland Newydd yw'r storïau dysgu. Arsylwadau naratif yw'r rhain sy'n dogfennu dysgu'r plentyn mewn mwy o ddyfnder na thrwy arsylwi unigol. Yn ei gwaith arloesol ar hyn, dywed Margaret Carr (Athro Addysgu Blynyddoedd Cynnar ym Mhrifysgol Waikato) am ei siwrnai o asesu a chofnodi traddodiadol (*a folk model of assessment,* fel mae hi'n ei alw) i ddull mae hi'n ei ystyried yn fwy addas. Gwelir yn ei llyfr *Assessment in Early Childhood Settings: Learning Stories* y tabl canlynol sy'n amlinelliad clir o'r gwahaniaethau sylfaenol rhwng yr hen ffordd a'r ffordd newydd o asesu dysgu plant.

Tybiaethau ynghylch...	Model traddodiadol ynghylch asesu	Model amgen
Pwrpas a diben	Mesur yn erbyn rhestr fechan o sgiliau sy'n diffinio 'hyfedredd' ar fynediad i'r ysgol	I hyrwyddo dysgu
Amcanion diddordeb	Darnio sgiliau ysgol-seiliedig a'u heithrio o gyd-destun	Anianau dysgu
Ffocws ar gyfer ymyrriad	Diffygion, llenwi'r bylchau, yn flaenllaw	Credyd, hyrwyddo anian, yn flaenllaw
Dilysrwydd	Arsylwi gwrthrychol	Arsylwi dehongliadol, trafodaeth a chytundeb
Cynnydd	Hierarchaeth sgiliau	Cyfranogi sy'n gynnyddol gymhleth
Gweithrefnau	Rhestrau gwirio	Storïau dysgu
Gwerth i ymarferwyr	Arolygaeth gan asiantaethau allanol	Ar gyfer cyfathrebu gyda phedwar grŵp: plant, teuluoedd, staff eraill, yr hunan

Addaswyd o Carr (2002:3)

Yn ei model dadansoddol, mae Carr yn awgrymu bod y model *'folk'* neu'r model traddodiadol o asesu, drwy restrau gwirio a mesur perfformiad yn erbyn sgiliau, yn un gor-syml ac amrwd. Mae ei dull hi, sef y storïau dysgu, yn medru dal cymhlethdod dysgu plant fel proses amlhaenog a chyd-destunnol. Rhan o'r athroniaeth hon yw gweld dysgu plant fel rhan o broses gyflawn a chymhleth. Mae Carr, fel ei chydweithwyr May a Lee, wedi ei dylanwadu gan Bronfenbrenner a'i fodel o ddatblygiad ecolegol, Bruner a'i syniadau cyffrous am sgaffaldu dysgu, a Rogoff am ei hymchwil yn dangos rôl diwylliant a chymdeithas mewn dysgu plant

> Gall Storïau Dysgu ddal cymhlethdod dysgu a datblygiad y plentyn... integreiddio'r cymdeithasol gyda'r deallusol a'r affeithiol... a chynnwys llais y plentyn.
>
> *Learning stories can capture the complexity of the child's learning and development... integrate the social with the cognitive and the affective... and incorporate the child's voice.*
>
> (Carr, 2001: 95)

Gwelir felly fod y stori ddysgu yn gosod dysgu'r plentyn mewn cyd-destun ehangach, gan gynnwys persbectif y teulu ac, wrth gwrs, y plentyn ei hun. Bydd ffocws y stori ddysgu ar ddiddordeb y plentyn ac nid ar ddisgwyliadau oedolion. Drwy wneud hyn, mae'n medru rhyddhau llais y plentyn a chaiff addysgwyr olwg mwy cyfoethog a pherthnasol ar sut mae'r plentyn yn canfod y ddarpariaeth a sut mae'r plentyn yn dysgu.

Prif negeseuon y bennod

- Mae llawer yn gyffredin rhwng dynesiad Reggio Emilia, egwyddorion Te Whāriki a'r Cyfnod Sylfaen yng Nghymru a bu'r athroniaeth sy'n sail i Reggio Emilia a Te Whāriki yn ddylanwadol iawn drwy'r byd.
- Gwelir bod yr athroniaeth hon yn gosod cryn bwysigrwydd ar blant fel bodau grymus sy'n arwain eu dysgu eu hunain.
- Mae lle canolog i ddiwylliant, cymdeithas, teulu – sef cyd-destun cymhleth bywydau plant – yn y cwricwlwm.

Pennod 13

A all plant ifainc newid y byd?

Addysg ar gyfer datblygu cynaliadwy a'r Cyfnod Sylfaen

Pennod 13

A all plant ifainc newid y byd? Addysg ar gyfer datblygu cynaliadwy a'r Cyfnod Sylfaen

Glenda Tinney

Dim ond pan fydd y goeden olaf wedi marw, y bydd argae ar draws yr afon olaf, y cae olaf dan goncrit, y sylweddolwn nad ydym yn gallu bwyta arian.

(Y Pennaeth Si'hal o lwyth y Suquamish, oddeutu 1854)

Dyma rai cwestiynau i'w hystyried cyn cychwyn:

- Sut fyddech chi'n diffinio datblygiad cynaliadwy?
- Ydy datblygiad cynaliadwy yn berthnasol i blant ifainc a'r rheini sy'n gweithio gyda nhw?
- Beth yw addysg ar gyfer datblygu cynaliadwy a dinasyddiaeth fydeang a sut ddylid ei hymarfer?

Pan holir myfyrwyr am y pethau hyn, yn aml byddant yn cyfeirio at gynlluniau ailgylchu, compostio, gwneud tiroedd ysgolion yn fwy gwyrdd, hel trychfilod bach a gerddi bywyd gwyllt. Bydd gweithgareddau ymarferol o'r fath yn aml yn cael eu trin gyda'i gilydd dan ymbarél Addysg ar gyfer Datblygu Cynaliadwy a Dinasyddiaeth Fydeang (ADCDF), ac maent yn cynnig cyfleoedd gwerthfawr i blant ymwneud â dinasyddiaeth weithredol ymarferol o fewn eu hysgol neu'u cymuned. Fodd bynnag mae perygl y bydd golwg mor gyfyngedig ar y cysyniad addysgol hwn yn methu ag adnabod natur ddadleuol datblygiad cynaliadwy yn ogystal â'r ddamcaniaeth fwy sylfaenol sydd wrth wraidd arfer ADCDF yng Nghymru.

Mae Llywodraeth Cynulliad Cymru wedi datblygu thema ADCDF drawsbynciol yn y cwricwlwm diwygiedig i Gymru *Manteisio i'r eithaf ar ddysgu* (APADGOS, 2008i). Awgryma dogfennau gwybodaeth y llywodraeth bod ADCDF

> yn ymwneud â'n bywyd bob dydd. Mae'n ymwneud â materion mawr y byd – newid yn yr hinsawdd, masnach, y traul ar adnoddau a'r amgylchedd, hawliau dynol, gwrthdaro a democratiaeth – a'u perthynas â'i gilydd a'u perthynas â ni. Mae'n ymwneud â'r ffordd rydyn ni'n trin y ddaear a'n gilydd, faint bynnag o bellter sydd rhyngom. Mae'n ymwneud â'r ffordd yr ydyn ni'n paratoi at y dyfodol. Mae gan bawb ohonom ran i'w chwarae.
>
> (APADGOS, 2008i: 4)

Bydd y bennod hon yn archwilio ADCDF a'i damcaniaethau creiddiol, a bydd yn dangos bod angen i weithwyr addysg proffesiynol ddeall y cysyniad ar lefel fwy sylfaenol na dim ond cynllunio gweithgareddau unigol i wneud pethau'n 'fwy gwyrdd'. Bydd hefyd yn dangos bod cysylltiadau cadarn rhwng y Cyfnod Sylfaen ac ADCDF a bod cwricwlwm i blant ifainc sy'n cynnwys dysgu drwy brofiad a chwarae yn cydblethu'n glòs ag egwyddorion ac arfer ADCDF a'r nod o geisio

> … dod o hyd i ffyrdd o godi ymwybyddiaeth a chamau gweithredu er mwyn mynd i'r afael â chanlyniadau ein dewisiadau ffordd o fyw a'n paratoi ar gyfer byw'n gynaliadwy yn yr 21 ain ganrif fel dinasyddion bydeang.
>
> (APADGOS, 2008l: 3)

Y daith tuag at Addysg ar gyfer Datblygu Cynaliadwy a Dinasyddiaeth Fydeang

Roedd y penawdau'n gyson yn newyddion y 1970au hwyr a'r 1980au:

- lluniau lloeren yn dangos dinistrio coedwigoedd glaw'r Amazon,
- dihysbyddu'r haen oson o ganlyniad i CFCs
- coedwigoedd Sgandinafia'n marw oherwydd glaw asid
- diffeithdiro tir pori ar raddfa eang
- gorbysgota
- gollwng olew
- newid yn yr hinsawdd

Bu trasiedïau megis gollwng cemegau yn Bhopal, India, a damwain niwclear Chernobyl yn yr Undeb Sofietaidd gynt, yn fodd i ddwysáu ymwybyddiaeth a phryder cynyddol cymdeithas bod yr amgylchedd yn effeithio'n uniongyrchol ar ddynoliaeth. Byddai unrhyw ddifrod i'r amgylchedd hwn yn ddifrod i gymdeithas yn y pen draw ac i'r fframweithiau economaidd y dibynnai arnynt. Hefyd, amlygai tlodi bydeang ac anghydraddoldeb rhwng y gwledydd datblygedig a'r gwledydd sy'n datblygu yr anghyfiawnder a diffyg hawliau dynol a wynebir gan ganran sylweddol o bobl y byd, yn enwedig o ran yr anghenion dynol sylfaenol am ddŵr glân, bwyd a lloches. Yn y cyd-destun hwn daeth datblygiad cynaliadwy yn ganolbwynt i agendâu bydeang, cenedlaethol a lleol dros y pedair degawd ddiwethaf, ac mae'n parhau i ddylanwadu ar sectorau llywodraethol ac anllywodraethol heddiw.

Gellir olrhain cronoleg materion datblygiad cynaliadwy a'n hymwybyddiaeth yn ôl i'r 1960au. Yn 1962 cyhoeddwyd *Silent Spring* gan Rachel Carson, gan ddwyn ynghyd doreth o ymchwil ar docsicoleg, ecoleg ac epidemioleg a dangos y niwed roedd plaleiddiaid (*insecticides*) yn ei wneud i anifeiliaid ac iechyd dynol. Yn 1969 ffurfiwyd Cyfeillion y Ddaear, corff anllywodraethol (NGO) oedd wedi ymrwymo i amddiffyn yr amgylchedd, amddiffyn amrywiaeth fiolegol, ddiwylliannol ac ethnig. Erbyn 1982 cyhoeddwyd Siarter Fydeang ar gyfer Natur gan y Cenhedloedd Unedig a fabwysiadodd yr egwyddor bod pob ffurf ar fywyd yn unigryw ac yn haeddu cael ei pharchu beth bynnag fo'i gwerth i ddynoliaeth, ac erbyn canol y 1980au, darparodd gwyddoniaeth dystiolaeth o ddisbyddu'r haen oson a rôl nwyon CFC yn y broses honno. Mae enw Chernobyl yn un sy'n atsain trychineb oherwydd y ddamwain niwclear yn 1986 a'r ffrwydrad ymbelydrol gwenwynig anferthol a ddaeth yn ei sgil. Gwelwyd ffotograffau lloeren o'r difrod i goedwigoedd glaw'r Amazon yn dechrau ymddangos erbyn yr 1980au hwyr ac yn 1992, cynhyrchwyd Agenda 21 gan Gynhadledd y Cenhedloedd Unedig ar yr Amgylchedd a Datblygu (Uwchgynhadledd y Ddaear yn Rio), dogfen oedd yn lasbrint ar gyfer datblygiad cynaliadwy. Erbyn 1987 bodolai consensws rhyngwladol bod angen taclo'r problemau cynyddol. Cyhoeddwyd un o'r diffiniadau cyffredin o ddatblygiad cynaliadwy yn 1987 yn adroddiad y Cenhedloedd Unedig *Our Common Future* (Comisiwn y Byd ar yr Amgylchedd a Datblygu):

> datblygu sy'n bodloni anghenion y presennol heb beryglu gallu cenedlaethau'r dyfodol i fodloni'u hanghenion eu hunain.
>
> *development which meets the needs of the present without compromising the ability of future generations to meet their own needs.*
>
> (Brundland,1987 yn DEFRA, 2005: 6)

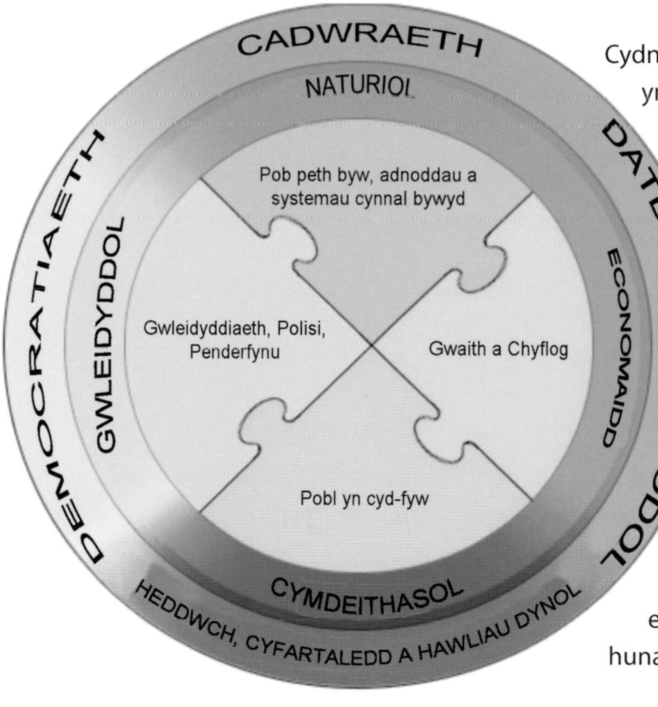

Cydnabu'r adroddiad angen i bob cenedl yn y byd feddwl y tu hwnt i'w hanghenion ei hun a chynllunio defnyddio adnoddau'n gynaliadwy. Daeth yn amlwg hefyd fod y problemau a wynebai dynoliaeth yn gydgysylltiol ac yn aml yn cael eu hysgogi gan ymddygiad pobl. Er mwyn datrys problemau o'r fath byddai angen gweithredu gan bob haen o gymdeithas, a gellid cyflawni datblygiad cynaliadwy drwy gydnabod nad oedd datblygu amgylcheddol, cymdeithasol, gwleidyddol ac economaidd yn sefyll ar eu pennau'u hunain (gweler Ffigwr 1).

Ffigwr 1: Codwyd y llun o UNESCO, 2002

Yn 1992, cynhyrchwyd Agenda 21 gan Gynhadledd y Cenhedloedd Unedig ar yr Amgylchedd a Datblygu (Uwchgynhadledd y Ddaear yn Rio), dogfen lasbrint ar gyfer datblygiad cynaliadwy. Roedd Agenda 21 yn agenda fydeang a gydnabu fod angen i bob cenedl, boed dlawd neu gyfoethog, weithio gyda'i gilydd er mwyn datrys problemau megis newid yn yr hinsawdd, dinistrio coedwigoedd a thlodi. Yn bwysicach na hynny, cydnabu Agenda 21 fod angen gweithredu'n lleol fel man cychwyn i newid problemau cynyddol o ran anghydraddoldeb a'r amgylchedd yn fydeang. Nodai y byddai angen i bob sector o gymdeithas (plant a phobl ifainc, menywod, pobloedd brodorol, ffermwyr, undebau llafur, y gymuned wyddonol, awdurdodau lleol, busnes, diwydiant a chyrff anllywodraethol) gyfrannu er mwyn cefnogi datblygiad cynaliadwy.

Ystyrid addysg yn allweddol i gyflawni cynaladwyedd gan adroddiad Brundtland (1987) ac Agenda 21 ac mae hyn wedi treiddio i'r cynlluniau gweithredu a fabwysiadwyd gan nifer o wledydd. Fel yr awgrymir gan Gynhadledd y Cenhedloedd Unedig ar yr Amgylchedd a Datblygu (UNCED) 1992 (yn Fien a Tilbury,1998):

> Mae addysg yn hanfodol er mwyn hyrwyddo datblygiad cynaliadwy a gwella gallu'r bobl i fynd i'r afael â materion yn ymwneud â'r amgylchedd a datblygu... Mae'n hollbwysig er mwyn cyflawni ymwybyddiaeth, gwerthoedd ac agweddau amgylcheddol a moesegol, a sgiliau ac ymddygiad sy'n cyd-fynd â datblygu cynaliadwy ac er mwyn cael cyfranogiad effeithiol y cyhoedd wrth wneud penderfyniadau.
>
> *Education is critical for promoting sustainable development and improving the capacity of the people to address environment and development issues.... It is critical for achieving environmental and ethical awareness, values and attitudes, skills and behaviour consistent with sustainable development and for effective public participation in decision making.*

Argymhellion Agenda 21 a ysgogodd weithredu ADCDF yng Nghymru a'r gwaith a wneir mewn lleoliadau heddiw.

Cymru

Datblygiad cynaliadwy ac ADCDF

Ar ôl Uwchgynhadledd y Ddaear yn Rio, llywodraeth y Deyrnas Unedig oedd un o'r cyntaf yn y byd i gyflwyno Strategaeth Datblygu Cynaliadwy fel ymateb i Agenda 21 a'r pryderon a godwyd yn yr Uwchgynhadledd honno.

(http://www.eurodechange.co.uk/earth_summit_92/chapter36.pdf).

Ers datganoli mae Cymru wedi mynd â'r cysyniad o gynaladwyedd i galon ei llywodraeth a hi yw un o ddim ond dwy wlad yn Ewrop (Y Ffindir yw'r llall) i fod â statud llywodraethol sy'n ymgorffori datblygu cynaliadwy ar draws ei holl waith gan osod dyletswydd ar Gynulliad Cenedlaethol Cymru i hyrwyddo datblygu cynaliadwy.

Yn 2000 cyhoeddodd y Cynulliad ei Gynllun Datblygu Cynaliadwy *Dysgu Byw'n Wahanol* gyda Chynllun Gweithredu'n dilyn yn 2001 er mwyn rhoi'r Cynllun ar waith. Mae Llywodraeth Cynulliad Cymru hefyd wedi cefnogi datblygiad ADCDF ar draws y sectorau addysg. Yn 2006 cyhoeddodd llywodraeth Cymru *Addysg ar gyfer Datblygu Cynaliadwy a Dinasyddiaeth Fydeang – Strategaeth Weithredu* (APADGOS, 2006b).

Awgryma'r cyfarwyddyd yng Nghymru y dylai fod ymrwymiad i gynaladwyedd ar draws y lleoliad cyfan, ac mae saith **thema gydgysylltiedig** i ddysgu ac addysgu ADCDF yng Nghymru:

- Dewisiadau a Phenderfyniadau
- Defnyddio a Gwastraffu
- Iechyd
- Hunaniaeth a Diwylliant
- Newid yn yr Hinsawdd
- Cyfoeth a Thlodi
- Yr Amgylchedd Naturiol

Meddwl Cydgysylltiedig ac ADCDF

Mae Cymru wedi dod ag ADC a DF at ei gilydd, gan amlygu, fel y gwna nifer o awduron (Smyth, 2006; Foster, 2001; Fien a Tilbury, 1998; Huckle a Sterling, 1996), y dylai cynaladwyedd ddod ag ystod amrywiol o faterion at ei gilydd, ac na ddylid meddwl bod ADCDF yn ymwneud â'r amgylchedd a dim byd arall. Fodd bynnag, mae gwireddu'r cysylltiad hwn rhwng addysg a datblygiad cynaliadwy wedi bod yn anodd. Nododd Uwchgynhadledd y Ddaear yn Johannesburg 2002 fod anghydraddoldeb a thlodi bydeang yn cynyddu a bod materion amgylcheddol megis newid yn yr hinsawdd yn parhau i fod yn broblemau allweddol. Hefyd mae nifer o awduron wedi cwestiynu defnyddioldeb cysyniad megis datblygiad cynaliadwy sy'n gallu golygu unrhyw beth i unrhyw un yn ddibynnol ar beth yw'i farn bersonol am y byd (Whitehead, 2007; Nicol, 2003; Huckle a Sterling, 1996).

Gellir ystyried datblygiad cynaliadwy yn gysyniad anthroposentrig lle mae anghenion pobl a'u lles ar draul yr amgylchedd naturiol (Whitehead, 2007; Pepper, 1996). Yn ôl y ddadl hon, nid oes gwir ddiddordeb gan y gymdeithas ddynol mewn 'Achub y Blaned' ond yn hytrach mewn achub ei hun, ac yn aml mesurau symbolaidd yw unrhyw weithredu ymarferol o ran datblygiad cynaliadwy. Awgryma awduron megis Naess (1988) a Nicol (2003) fod angen golwg ecosentrig ar y byd er mwyn i ddatblygiad cynaliadwy weithio, lle y gosodir gwerth ar natur sydd y tu hwnt i'w defnyddioldeb i bobl. Er mwyn cael cynaladwyedd cadarn byddai angen newidiadau radical a chwyldroadol i'r gymdeithas orllewinol brif ffrwd.

Mae llyn lleol wedi ei lygru gan sbwriel, carthion, a chemegion o ffatrïoedd lleol. Roedd y llyn, unwaith, yn ardal bysgota ffyniannus gydag ymwelwyr cyson. Roedd ffermwyr lleol hefyd yn defnyddio dŵr y llyn i ddyfrio anifeiliaid.

Dewisiadau a Phenderfyniadau
Mae ein dewisiadau yn effeithio ar y llyn - ydyn ni'n mynd â sbwriel adre, chwilio bin neu adael y sbwriel yno?

Defnydd a Gwastraff
Ydy'r deunyddiau rydym yn ei ddefnyddio yn cael ei gynhyrchu mewn ffordd gynaliadwy? Oes modd eu hail gylchu a'u hail ddefnyddio?

Newid hinsawdd
Beth fydd yr effaith ar newid hinsawdd os nad yw'r llyn yn medru cynhyrchu bwyd i'r bobl leol?

Cyfoeth a Thlodi
Beth fydd effaith y broblem llygredd ar bysgota, twristiaeth, ffermio a chyflogaeth yn yr ardal?

Iechyd
Beth fydd effaith dŵr wedi ei lygru o'r llyn ar fywyd gwyllt ac iechyd y bobl leol?

Hunaniaeth a diwylliant
Pa effaith caiff llygredd ar bysgota lleol, twristiaeth a phobl leol?

Yr amgylchedd naturiol
Beth fydd yn digwydd i anifeiliaid a phlanhigion sy'n byw yn y llyn o ganlyniad i lygredd a gwastraff?

Teuluoedd anthroposentrig neu ecosentrig

Y teulu Jones

Teulu o ddau oedolyn a dau blentyn yw'r Jonesiaid sy'n byw mewn tŷ â phedair ystafell wely yng Nghaerdydd. Maent yn ystyried eu hunain yn deulu cynaliadwy. Mae'r tŷ wedi'i inswleiddio'n dda i arbed colli gwres, maent yn diffodd goleuadau a chyfarpar trydanol arall pan na fyddant yn eu defnyddio ac yn ceisio arbed dŵr lle bo'n bosibl. Wrth siopa, bydd y teulu'n ailddefnyddio bagiau cotwm neu hen fagiau plastig. Mae'r teulu'n ailgylchu ac yn compostio gwastraff.

Mae 2 gar gan y teulu ac maent yn gyrru i'r gwaith a'r ysgol. Maent yn mynd ar wyliau dramor bob blwyddyn ac mae ganddynt amrywiaeth o ddyfeisiau electronig megis ffonau symudol, cyfrifiaduron, setiau teledu a systemau sain. Fel arfer byddant yn siopa mewn archfarchnad fawr tu allan i'r dref ac yn prynu amrywiaeth o fwydydd heb ystyried lle na sut maent wedi cael eu tyfu, eu prosesu a'u cludo.

Y teulu Evans

Teulu o bedwar yw'r teulu Evans yn byw mewn cymuned fechan yng nghefn gwlad Cymru. Mae'r teulu'n byw yn un o'r tipis ar y safle. Maent yn cynhyrchu trydan o dyrbin bach, ac yn defnyddio tanau coed i goginio. Mae gan y gymuned ei chyflenwad dŵr ei hun, wedi'i gysylltu â ffynnon naturiol, gyda dŵr o'r nant leol fel cyflenwad wrth gefn. Mae'r teulu'n tyfu llawer o'u ffrwythau a'u llysiau'u hunain ac yn magu'u defaid a'u moch eu hunain ar gyfer cig. Nid oes car ganddynt ac maent yn dibynnu ar gludiant cyhoeddus neu gerdded. Mae'r plant yn cerdded i'r ysgol leol ac mae unrhyw siopa'n cael ei wneud yn y pentref lleol. Mae busnes bach gan yr oedolion yn gwerthu llysiau, yn gwneud ac yn trwsio tipis ac yn lletya ymwelwyr sy'n talu ar gyfer cyrsiau ymwybyddiaeth mae'r gymuned yn eu rhedeg.

- Trafodwch yr olwg wahanol ar y byd a chynaladwyedd a arddangosir gan y ddau deulu hwn
- P'un yw'r teulu anthroposentrig a'r teulu ecosentrig?
- Pa mor gynaliadwy yw eu ffyrdd o fyw?
- Beth yw goblygiadau dewis y naill ffordd o fyw neu'r llall i chi a chenedlaethau'r dyfodol?

Mae'r rhaniadau dwfn hyn o ran athroniaeth yn gwneud addysg ar gyfer datblygu cynaliadwy yn anodd. A ydy addysgwyr yn newid y byd yn radical neu'n gwneud dim mwy na chynnal y *status quo*?

Mae Jickling (1992) yn cwestiynu'r holl syniad o addysg ***ar gyfer*** unrhyw beth, gan nodi y dylai addysg ddarparu'r gallu i feddwl yn greadigol er mwyn datrys problemau cymdeithas. Awgryma Fien (1997) y gwelid niwtraliaeth addysgwyr wrth ymgysylltu â dysgwyr fel rhinwedd, pan ymdrinnir â phynciau mewn dull cytbwys heb ddatgelu'u barn eu hunain na hyrwyddo set penodol o werthoedd. Wrth gwrs mae niwtraliaeth yn anodd, os nad yn amhosibl, o fewn systemau addysg sy'n rhan o gymdeithas ddynol sy'n drwm o werthoedd ac sydd ag amrywiaeth barn a chred. Byddai addysgwyr â barn sy'n seiliedig ar adluniad cymdeithasol (*social reconstruction*) megis Stanley (1985) yn dadlau na ddylai addysg gynnal y *status quo* yn unig, yn hytrach dylai ddarparu 'addysgeg feirniadol' (*critical pedagogy)* sy'n rhoi cychwyn i newid cymdeithasol (Fien, 2004). Awgryma Fien eto pan fydd athrawon yn celu'u barn eu hunain rhag myfyrwyr, fod hyn yn annog y myfyrwyr hwythau i gelu'u cred a'u gwerthoedd rhag pobl eraill. Mewn achosion fel hyn, gall addysgeg sy'n caniatáu i ddysgwyr fynegi'u barn eu hunain, yn ogystal â chwestiynu ac ystyried senarios a barn arall, hyrwyddo disgwrs beirniadol o'r fath.

Mae ADCDF yn un o'r meysydd a werthusir gan Estyn yn ystod arolygiadau ysgolion ac mae hyn yn tanlinellu'r pwysigrwydd a osodir ar y maes hwn gan LlCC. Noda cyfarwyddyd ADCDF pa mor bwysig yw hi bod ADCDF yn drawsgwricwlaidd, yn rhyngddisgyblaethol ac nid yn bwnc sydd ddim ond yn 'ychwanegyn'.

Yn ôl astudiaeth waelodlin o ADCDF yng Nghymru gan Estyn (2006), roedd llawer o ysgolion oedd yn ymwneud ag ADCDF yn canolbwyntio i raddau llawer mwy helaeth ar faterion yn gysylltiedig â chynaladwyedd a'r amgylchedd. Mae damcaniaethau ADCDF yn cwmpasu maes gorchwyl llawer ehangach, ac yn y blynyddoedd nesaf bydd yn ddiddorol gwerthuso a ellir sicrhau cydbwysedd rhwng materion amgylcheddol, cymdeithasol, economaidd a diwylliannol, sef yr allwedd i ddatblygiad cynaliadwy, drwy ymgorffori dinasyddiaeth fydeang.

Egwyddorion ADCDF

Yn ôl y disgrifiad ohoni yn natganiad Tbilisi (Tbilisi Declaration on Environmental Education, Intergovernmertal Confernce on Environmental Education Tblisi, Georgia, 1977), gwelir Addysg Amgylcheddol fel rhagflaenydd naturiol Addysg ar gyfer Datblygu Cynaliadwy. Adlewyrcha egwyddorion Tbilisi y syniad bod yr amgylchedd, cymdeithas, moeseg, diwylliant a'r economi yn gydgysylltiedig ac wrth galon datblygu cynaliadwy (gweler http://www.environment.gov.au/education/publications/discpaper/app2.html). Ni ellir archwilio y cyflwr cydgysylltiedig hwn drwy ecoleg a'r wyddor naturiol wrth eu hunain. Rhaid cael dulliau rhyngddisgyblaethol. Os mai deall cemeg newid yn yr hinsawdd yn unig a wnawn, gan anwybyddu'r strwythurau economaidd a gwleidyddol creiddiol sy'n cadw'r gymdeithas ddynol i ddibynnu ar ddefnyddio tanwyddau ffosil, ac felly i gynhyrchu nwyon tŷ gwydr, bydd yn anodd ystyried atebion realistig. Ni all ymwneud ychwaith â dysgu am gynaladwyedd yn unig. Mae dysgwyr yn rhan o'r problemau a wynebir gan y ddynoliaeth. Mae'r rhain yn broblemau i bawb ac felly rhaid i ddysgwyr ddod i gysylltiad â senarios go iawn sy'n caniatáu iddynt gwestiynu, datrys problemau a meddwl yn feirniadol am faterion cymhleth y gall fod mwy nag un ateb iddynt.

'Meddwl yn Fydeang, Gweithredu'n Lleol'

Mae'r slogan Agenda 21 hwn wrth wraidd Addysg ar gyfer Cynaladwyedd. I'r rhan fwyaf o bobl, a phlant ifainc yn benodol, mae'n anodd iawn meddwl am broblemau pell yn nhermau haniaethol. Gallai glanhau parc lleol, plannu coed neu ysgrifennu at ffrind drwy'r post mewn gwlad arall fod yn ffordd well i ddechrau ymddiddori mewn problemau bydeang yn hytrach na chlywed neu wylio ffilm am lygredd, dinistrio coedwigoedd glaw neu dlodi bydeang.

Mae gwaith mwy diweddar yn awgrymu bod y gydberthynas rhwng y gymdeithas ddynol, yr ecosystem, a strwythurau economaidd a gwleidyddol wrth wraidd addysg ar gyfer cynaladwyedd (Smyth, 2006; Stone a Barlow, 2005; Fien, 2004). Mae'n dod â nifer o ddisgyblaethau ynghyd, gan gynnwys astudiaethau amgylcheddol, astudiaethau heddwch, hawliau dynol a dinasyddiaeth fydeang, ac felly mae'n datblygu golwg gyfannol ar le'r unigolyn yn y byd. Mae maes rhyngddisgyblaethol o'r fath wedi ysgogi awduron megis Sterling (2001) a Foster (2001) i awgrymu bod angen symudiad paradeim mewn addysg, lle rhoddir cyfle i ddysgwyr gwestiynu normau cymdeithas a meddwl yn greadigol ac yn feirniadol am eu byd a'u perthynas ag ef. Mae'n ymhlyg mewn syniadau o'r fath mai dim ond pan fydd addysg ei hun yn gynaliadwy y gall addysg ddatblygu dysgwyr a chymdeithas gynaliadwy (Fien, 2004). Felly dylai addysg ar gyfer cynaladwyedd fod yn broses ddysgu a ddylai ymestyn gallu myfyrwyr i feddwl drostynt eu hunain, a'u gallu i adfyfyrio, meddwl yn greadigol ac yn feirniadol am eu byd, hwyluso dinasyddiaeth weithredol a deall mai nhw sydd â'r cyfrifoldeb am ddatblygiad cynaliadwy ac nid pobl eraill sydd 'allan yno', rhywle:

> Daethpwyd i weld addysg ar gyfer datblygu cynaliadwy fel **proses o ddysgu sut i wneud penderfyniadau** sy'n ystyried dyfodol hirdymor yr economi, ecoleg a thegwch i bob cymuned... Mae hyn yn cynrychioli gweledigaeth newydd o addysg... yn mynd i'r afael â **chymhlethdod a chyflwr cydberthynol** problemau megis tlodi, defnydd gwastraffus, diraddiad amgylcheddol, dadfeiliad trefol, twf yn y boblogaeth, iechyd, gwrthdaro a thorri hawliau dynol sy'n bygwth ein dyfodol. Mae'r weledigaeth hon o addysg yn pwysleisio ymagwedd **gyfannol, ryngddisgyblaethol** tuag at ddatblygu'r wybodaeth a'r sgiliau sydd eu hangen ar gyfer dyfodol cynaliadwy yn ogystal â newidiadau o ran gwerthoedd, ymddygiad a ffyrdd o fyw.
>
> *Education for sustainable development has come to be seen as* ***a process of learning how to make decisions*** *that consider the long-term future of the economy, ecology and equity of all communities.... This represents a new vision of education... addressing the* ***complexity and interconnectedness*** *of problems such as poverty, wasteful consumption, environmental degradation, urban decay, population growth, health, conflict and the violation of human rights that threaten our future. This vision of education emphasises a* ***holistic, interdisciplinary*** *approach to developing the knowledge and skills needed for a sustainable future as well as changes in values, behaviour, and lifestyles.*
>
> (UNESCO, 2003, t. 4)

Nodweddion Addysg ar gyfer Datblygu Cynaliadwy a Dinasyddiaeth Fydeang

- ***Rhyngddisgyblaethol*** – gan gwmpasu a chysylltu ystod o feysydd amrywiol.
- ***Cyfannol*** – gan gydgysylltu'r dysgwr â'r byd
- ***Beirniadol*** – yn gallu edrych ar faterion o bersbectifau amrywiol gan ystyried senarios a safbwyntiau gwahanol
- ***Creadigol*** – yn caniatáu i blant feddwl tu hwnt i normau cymdeithasol ac arbrofi â syniadau gwahanol
- ***Cymhleth*** – nid oes atebion hawdd
- ***Dysgu gweithredol*** drwy ddarganfod – dylai'r dysgu fod yn ddysgu uniongyrchol gyda'r myfyrwyr yn ymchwilio ac yn arbrofi
- ***Datrys problemau*** – ni ddylid rhoi'r atebion i fyfyrwyr na chyfarwyddiadau, ond dylent gael y cyfle i feddwl a mynd i'r afael â phroblemau'u hunain
- ***Adfyfyriol*** – dylai myfyrwyr gael amser i adfyfyrio, ystyried a gwerthuso'u syniadau a'u dysgu
- ***Cynnwys y lleoliad cyfan*** – ni all ysgol sy'n hyrwyddo compostio fod â chegin sy'n taflu'i gwastraff i'r bin
- ***Edrych tuag at y dyfodol*** – mae'r dyfodol yn amodol ar ymddygiad heddiw. Os gall plant gysylltu eu hymddygiad nawr gyda'u dyfodol, byddant yn gweld bod gwastraffu adnoddau a'r ffordd y maent yn trin eu cyd-ddyn yn effeithio arnynt
- ***Cyfranogiad gweithredol*** – nid yw'n ddigon i ddysgu am y maes hwn, rhaid i bob aelod o gymdeithas gymryd rhan weithredol er mwyn dod yn fwy cynaliadwy.
- ***Cynnwys pawb*** – mae addysg ar gyfer cynaladwyedd cynnwys y gymuned gyfan nid addysgwyr a dysgwyr yn unig. Dylai fod 'ffiniau aneglur' (*fuzzy borders* fel y cyfeiria Sterling (2001) atynt). Mae rhieni a'r gymdogaeth ehangach yn rhan o'r profiad i'r un graddau â'r plant
- ***Hwyluso yn hytrach na chyfarwyddo*** – bydd rhaid i athrawon a gofalwyr adfyfyrio ar eu syniadau, agweddau, ymddygiad a gwerthoedd eu hunain. Hefyd rhaid iddynt gymryd diddordeb yn y byd o'u cwmpas a'u lle ynddo a dod yn rhyngddisgyblaethol yn eu barn am y byd. Bydd hyn yn gofyn am gefnogaeth ac adnoddau gan alluogi'r addysgwyr i fod yn hyderus mewn meysydd amrywiol a allai gwmpasu gwybodaeth gymdeithasol, wyddonol, economaidd a gwleidyddol

Noda Davis (1998: 143) 'nifer o gwestiynau mawr am y dyfodol' a chyflwyna ddadl gref fod datblygiad cynaliadwy yn fater hollbwysig i iechyd a lles plant ifainc yn ogystal ag i iechyd a lles y gymdeithas ehangach yn y dyfodol. Mae cwestiynau mawr Davis yn rhai heriol iawn ac maent yn ymwneud â sut bydd bywyd ymhen hanner can mlynedd:

Rhai o'r cwestiynau mawr

- Sut mae disgwyl i'n plant fyw bywydau iach a bywiog gyda chymaint o ddibyniaeth ar lygryddion?
- Beth fydd yn wynebu ein plant wedi i ni amharu ar allu'r biosffer i adfer ei hun a hynny'n arwain at rannau o'r byd yn methu â chael dŵr glan neu fod angen cyflenwi ynni ac adnoddau ar raddfa enfawr er mwyn sicrhau ei ansawdd?
- Sut fywyd gaiff ein plant o ganlyniad i golli coedwigoedd ac effeithiau datblygu diwydiannol?
- Beth fydd effaith y trais ar y teledu, mewn gemau fideo a gemau cyfrifiadurol ar ein plant?
- Beth fydd effaith marchnata a thargedu plant a phobl ifainc i brynu dillad a nwyddau rhad sy'n cael eu cynhyrchu ar draul bywydau plant a phobl ifainc eraill?
- Beth fydd canlyniad y diwylliant sy'n ystyried plant yn 'unedau economaidd', diwylliant sy'n eu targedu drwy ymgyrchoedd hysbysebu i 'fwyta'r byrgyr hwn, i wisgo'r sgidiau hynny, yfed y ddiod honno, prynu'r tegan hwnnw' (Adams, 1996: 2, dyfynnwyd yn Davis, 1998).

Mae dyfodol posibl plant ifainc sydd yn y Cyfnod Sylfaen ar hyn o bryd yn ddibynnol ar benderfyniadau ac ymddygiad y gymdeithas rydyn ni, fel oedolion yn rhan ohoni. Ond mae modd dylanwadu ar hyn. Bydd eu hymddygiad, gwerthoedd ac agweddau hwythau'n diffinio'u dyfodol eu hunain a dyfodol cymdeithas. Plant ifainc heddiw fydd gwleidyddion, economegwyr ac amgylcheddwyr yfory, a nhw fydd yn gyfrifol am fynd i'r afael â rhai o'r cwestiynau mawr.

ADCDF a'r Cyfnod Sylfaen

Mae rhai yn awgrymu bod plant ifainc yn rhy anaeddfed i ddatblygu'r sgiliau gwybyddol angenrheidiol i feddwl am broblemau cymhleth bydeang (Warnock, 1996; Fien, 1997). Nid ydynt, meddai rhai, yn meddu ar y wybodaeth i ddod i farn wybyddus. Fodd bynnag, mae eraill megis Murdoch (1992) yn dadlau ei bod yn bosib, fel gyda llawer o bynciau dadleuol neu anodd, dechrau meddwl am gynaladwyedd ar lefel emosiynol a gwybyddol sy'n briodol i'r plentyn. Ymchwiliodd Page (2000) i obeithion ac ofnau plant pedair a phum mlwydd oed yn Awstralia. Dangosai'r plant hyn ymwybyddiaeth o broblemau amgylcheddol megis cynhesu bydeang. Gweithiodd Elm (2006 dyfynnwyd yn Hicks a Holden, 2007) gyda phlant pedair a chwe blwydd oed a gyfeiriai at faterion yn gysylltiedig â sbwriel a'r byd naturiol yn eu gobeithion i'w dyfodol eu hunain a dyfodol eu cymuned. Awgryma Sterling (2001) fod gan ddysgwyr eu barn eu hunain am faterion cynaliadwy eisoes, dan ddylanwad eu rhieni, eu cymuned a'r cyfryngau. Awgryma Symons (1996) y caiff plant ifainc fudd o gael eu darparu ag amgylchedd dysgu sy'n cefnogi hunan-barch, cyfathrebu a chydweithio, gan nodi bod plant sy'n parchu'u hunain yn fwy tebygol o fod yn fwy allgarol (*altruistic)*, hael a pharod i rannu, cysyniadau sy'n gysylltiedig yn glòs ag agenda cynaladwyedd. Mae gan blant sy'n cael cefnogaeth i fynegi'u meddyliau'n fwy eglur ac i wrando ar bobl eraill agweddau mwy cadarnhaol tuag at bobl eraill, a byddant wedi'u paratoi'n well i ddadlau a thrafod eu hunain y materion cymhleth sy'n ffurfio rhan o ADCDF yn hytrach na dibynnu ar ddull didactig (Symons, 1996). Noda Davis (2009; 2010) fod i addysg plentyndod cynnar ac addysg amgylcheddol (a, byddem yn dadlau, ADCDF) nifer o elfennau cyfochrog yn nhermau'u dulliau o ran athroniaeth ac addysgeg, gyda phwyslais ar gyfaniaeth, cwricwlwm rhyngddisgyblaethol ac integredig, a dysgu gweithredol a pherthnasol dan arweiniad y plentyn. Mae'n frawychus felly fod llawer o'r ymchwil ar blant ac addysg ar gyfer cynaladwyedd mewn gwirionedd yn anwybyddu rôl plant ifainc fel cyfranogwyr gweithredol mewn cynaladwyedd er gwaethaf enghreifftiau o waith ymarferol arloesol.

Mae'r tebygrwydd rhwng egwyddorion ADCDF a fframwaith y Cyfnod Sylfaen yn drawiadol. Er enghraifft noda'r Fframwaith ar gyfer Dysgu Plant 3 i 7 oed yng Nghymru fod *'datblygiad cyfannol plant a'u sgiliau ar draws y cwricwlwm, gan adeiladu ar eu profiadau dysgu, gwybodaeth a sgiliau blaenorol'* (APADGOS, 2008a: 4) wrth wraidd cwricwlwm y Cyfnod Sylfaen. Mae hyn yn cyd-fynd â phwyslais addysg ar gyfer datblygiad cynaliadwy ar ddysgu integredig, cyfannol a rhyngddisgyblaethol sy'n adeiladu ar brofiadau blaenorol plant yn hytrach na gweld plant fel llestri gweigion i'w cyfarwyddo (Sterling, 2001). Pwysleisia'r Fframwaith eto bod *'rhaid cydnabod ac ystyried y profiadau y mae plant wedi'u cael cyn dechrau yn yr ysgol/ lleoliad'* (APADGOS, 2008a: 5) ac y dylai lleoliadau ddarparu *'cwricwlwm ystyrlon a pherthnasol sy'n cymell eu plant'.* Unwaith eto mae hyn yn atgyfnerthu ethos addysg ar gyfer datblygu cynaliadwy o ran dysgu am faterion sy'n berthnasol i gyd-destun y plant. Hefyd hyrwydda'r Fframwaith y Cyfnod Sylfaen gwricwlwm gweithredol, sy'n seiliedig ar ddarganfod gan *'hybu sgiliau darganfod ac annibyniaeth'* (APADGOS, 2008a: 4) lle *'wrth i blant ddysgu sgiliau newydd dylid rhoi cyfleoedd iddynt ymarfer y sgiliau hynny mewn gwahanol sefyllfaoedd, myfyrio a gwerthuso'u gwaith.'* At hyn, mae dogfen Addysgeg Dysgu ac Addysgu'r Cyfnod Sylfaen yn nodi *'ystyrir bod grymuso yn gysyniad canolog fel bod plant mewn sefyllfa well i reoli eu bywydau yn well er mwyn gwella eu hunanhyder, medrusrwydd a hunan-barch'* (APADGOS, 2008d:5). Byddai'r pwyslais hwn ar annibyniaeth, adfyfyrio a gweithgarwch, hunanbarch a hyder yn darparu'r sgiliau yr awgryma Symons (1996) sydd eu hangen ar blant ifainc i drafod ac ymwneud â rhai o broblemau'r byd.

Awgryma dogfen gyfarwyddyd y Cyfnod Sylfaen ymhellach fod angen *'cysylltiadau cadarnhaol rhwng y cartref a darparwyr gofal ac addysgu, a gwerthfawrogiad o rieni / gofalwyr fel addysgwyr cyntaf y plant'* (APADGOS, 2008b: 5). Mae cysylltiadau cadarn rhwng cymuned y plentyn a'i ysgol neu leoliad hefyd wrth wraidd addysg ar gyfer datblygu cynaliadwy. Byddai 'ffiniau aneglur' Sterling rhwng y gymuned (gan gynnwys y rhieni) ac ysgol neu leoliad plentyn yn caniatáu i rieni fod yn rhan o'r broses ddysgu gyda'u plant. Os ydy plentyn yn creu gardd bywyd gwyllt yn yr ysgol, gall y rhieni gymryd rhan yn y prosiect gyda nhw. Os ydy plentyn yn dysgu ac yn datblygu ymddygiad ailgylchu yn yr ysgol ond nad yw hyn yn cael ei hyrwyddo gartref, gallai prosiectau ar y cyd sy'n cysylltu'r plant a'r rhieni gefnogi dealltwriaeth a chymhelliant y naill a'r llall yn y maes hwn. Yn bwysicach fyth, mae cyfranogiad gan rieni a'r gymuned ehangach mewn dysgu gan blant yn caniatáu cyfnewid a thrafod syniadau, credoau a gwerthoedd â grŵp ehangach o bobl, lle gall athrawon hwythau ddysgu oddi wrth farn arall am gynaladwyedd.

Byddai'r rhan fwyaf o ddiffiniadau a gysylltir ag addysg ar gyfer cynaladwyedd yn cytuno bod cyfranogiad gweithredol a dinasyddiaeth yn bwysig. Dyma hefyd yr egwyddor sydd wrth wraidd Erthygl 12 Confensiwn y Cenhedloedd Unedig ar Hawliau'r Plentyn y mae Llywodraeth Cynulliad Cymru ers ei sefydlu wedi ymrwymo'n gadarn iddo. Fodd bynnag, er gwaethaf Cynghorau Ysgolion a fforymau eraill lle rhoddir cyfrifoldeb i blant ysgol am ddatblygu mentrau yn yr ysgol, efallai na wrandewir ar leisiau plant ifainc ac efallai yr anwybyddir eu syniadau am weithredu cadarnhaol. Nodai model Hart (1997) o'r ysgol o gyfranogiad agweddau gwahanol rôl pobl ifainc wrth wneud penderfyniadau. Awgryma Hart fod cyfranogiad ystyrlon yn caniatáu i blant gychwyn eu syniadau'u hunain mewn rhaglenni neu brosiectau penodol, lle byddant yn cyfarwyddo'r gwaith eu hunain neu'n rhannu'r penderfyniadau ag oedolion cefnogol. I blant ifainc iawn gall cychwyn syniadau fod yn anodd, fodd bynnag mae'n bosibl gwneud penderfyniadau ar y cyd gydag oedolion cefnogol sy'n fodlon gwrando ar eu hanghenion a'u barn, ac mae'n cysylltu'n agos â syniadau Vygotsky a Bruner (Siencyn, 2008) ynghylch rôl oedolion wrth gefnogi a chynnal dysgu gan blant ifainc.

Cae'r Ffair

Meithrinfa ac Eco-ganolfan

Un prosiect sy'n helpu ymddiddori plant a'r gymuned ehangach mewn cynaladwyedd yw rhaglen yr Eco-ysgolion ac Eco-ganolfannau. Menter ryngwladol yw hon sy'n annog plant a phobl ifainc i gymryd rolau allweddol wrth wneud penderfyniadau a chyfranogi mewn meysydd sy'n gysylltiedig â sbwriel, lleihau gwastraff, cludiant, byw'n iach, defnydd o ynni a dŵr, tiroedd yr ysgol a dinasyddiaeth fydeang (http://www.eco-schoolswales.org/home.asp). Yng Nghymru y mudiad Cadwch Gymru'n Daclus sy'n rheoli'r fenter.

Dyfarnwyd Baner Werdd i Gae'r Ffair yn Sir Gaerfyrddin fel eco-ganolfan. Dros y blynyddoedd diweddar mae'r feithrinfa ddwyieithog hon wedi cychwyn nifer o fentrau sy'n cefnogi cynaladwyedd o fewn y lleoliad. Yn yr awyr agored mae ardal ar gyfer offer bwydo adar, ardaloedd tyfu planhigion, tŷ gwydr i dyfu llysiau, pentwr pren i annog cynefin pren marw ac ardal gompostio.

Mae ymwybyddiaeth o bwysigrwydd cael staff, rhieni a'r gymuned ehangach i gymryd diddordeb wedi bod yn allweddol i lwyddiant y fenter. Gweithiodd sefydliadau lleol gyda staff y feithrinfa a'r rhieni i helpu codi ymwybyddiaeth am faterion cynaliadwy a sut i'w hyrwyddo o fewn eu lleoliad. Bydd y plant yn cael mynd ar lawer o deithiau i ardaloedd naturiol lleol.

Hefyd mae cyfle ganddynt i ymweld â busnesau lleol er mwyn prynu'r adnoddau sydd eu hangen i wneud yr offer i fwydo'r adar ac ati. Mae plant ifainc a'r staff hefyd wedi cymryd rhan wrth fonitro'r defnydd o adnoddau yn y lleoliad ac wrth gymryd camau i wastraffu llai. Yn sgil newidiadau a mentrau syml o fewn y lleoliad mae ethos o ADCDF yn rhan o fywydau'r plant ifainc sy'n mynychu Cae'r Ffair.

Mae'r maes dysgu Datblygiad Personol a Chymdeithasol, Lles ac Amrywiaeth Ddiwylliannol yn y Cyfnod Sylfaen (APADGOS, 2008h:16) yn rhoi cyfleoedd i blant werthfawrogi'u hunain, ei gilydd a'u hamgylchedd. Rhoddir cyfleoedd iddynt *'siarad am y penderfyniadau a wneir mewn storïau neu sefyllfaoedd, neu benderfyniadau personol, a myfyrio yn eu cylch, gan awgrymu ymatebion eraill'* (APADGOS, 2008h: 17) a holi cwestiynau am beth sy'n bwysig mewn bywyd o safbwynt personol ac o safbwynt pobl eraill. Hefyd rhoddir cyfle iddynt *'siarad am y dewisiadau sydd ar gael i unigolion, a thrafod p'un a yw'r dewisiadau hynny'n golygu bod gwneud penderfyniad yn haws neu'n fwy cymhleth'*. Dibynna addysg ar gyfer datblygu cynaliadwy ar ddeall credoau, gwerthoedd ac ymddygiad amrywiol. Er enghraifft, fel yr awgryma Symons (1996), mae rhaglenni ailgylchu'n codi cwestiynau os nad yw'r plant wedi gallu holi a thrafod pam, beth a sut mae ailgylchu.

Mae ailgylchu poteli plastig amser byrbryd ynddo'i hun yn wrthgynhyrchiol. Mae angen i oedolion a phlant allu myfyrio ar y cwestiynau ehangach:

- Pam defnyddio poteli plastig?
- A fyddai jwg o sudd a chwpanau gwydr yn fwy cynaliadwy?
- Pam rydym ni fel cymdeithas yn taflu cymaint i ffwrdd?
- Oni fyddai'n well newid ein hymddygiad na gwneud dim ond dod o hyd i ddewis arall i blastig?

Mae hwyluso trafod a holi yn hollbwysig i Addysg ar gyfer Cynaladwyedd, fel ag y mae i'r Cyfnod Sylfaen:

Bydd y cyfle i feddwl am senarios a syniadau eraill yn haws mewn amgylchedd dysgu lle bydd plant ifainc yn dechrau gwerthfawrogi bod y byd yn llawn o benderfyniadau cymhleth a lle mae cyfle ganddynt, fel yr anoga'r Cyfnod Sylfaen, i holi ac adfyfyrio ar eu gwerthoedd a'u penderfyniadau'u hunain.

> *Mae'r ymarferydd fel hwylusydd dysgu yn ganolog i ddull gweithredu'r Cyfnod Sylfaen, ac mae'r plentyn yn ganolbwynt i'r dysgu a'r addysgu'*
>
> (APADGOS, 2008b:12)

Yn aml gall y lle canolog hwn fod yn lle anghysurus neu feichus, yn enwedig yn nhermau cynaladwyedd. Efallai fod y plant yn trafod materion mae'r oedolion eu hunain yn ansicr yn eu cylch. Fodd bynnag mae hi'n bosibl dod dros hyn drwy sicrhau ffynonellau gwybodaeth da ar addysgwyr, a bod y wybodaeth honno'n gyfredol ac yn berthnasol, er mwyn cefnogi'u cysylltiadau â phlant ynglŷn ag agweddau amrywiol ar gynaladwyedd. Bydd gofyn i oedolion gydnabod nad ydynt ac na allant fod 'yn hollwybodus', a byddant yn dysgu gyda'r plant ac oddi wrthynt. Yn aml bydd mwy o gwestiynau nag o atebion ond mae hyn yn adlewyrchu cynaladwyedd bydeang ei hun lle mae'r materion sy'n wynebu bodau dynol yn esblygu ac yn newid yn barhaus.

Cyfaniaeth y tu hwnt i'r plentyn

Honna rhai awduron (Sterling, 2001; Davis, 1998) na ellir addysgu nac arfer ADCDF ar ei phen ei hun. Pwysleisia Symons (1996) fod plant sy'n gweld arfer anghynaliadwy yn eu lleoliadau'n llai tebygol o newid eu hymddygiad a'u hagweddau, hyd yn oed os ydy gweithgarwch ADCDF gadarnhaol yn rhan o'r cwricwlwm. Mae'r broblem 'gwnewch fel y dywedaf nid fel y gwnaf' yn anodd ac mae'n gofyn am ymagwedd sy'n cwmpasu'r lleoliad cyfan. Dadleua Sterling (2001) fod angen i leoliadau addysgol asesu'u cynaladwyedd eu hunain a sicrhau bod yr holl staff yn ei arfer yn hytrach nag ychydig o rai ymroddedig yn unig. Fodd bynnag, mewn gwirionedd mae lleoliadau'n aml yn gweithio o fewn awdurdodau lleol sydd dan ddylanwad y llywodraeth. Efallai bydd plant ifainc a'u hathrawon yn penderfynu yr hoffent ddefnyddio deunyddiau wedi'u hailgylchu ar gyfer crefftau, defnyddio llai o ddeunydd pecynnu mewn diodydd amser byrbryd a chadw byrbrydau Masnach Deg yn unig. Dim ond os bydd yr awdurdod lleol yn caniatáu ymreolaeth brynu i'r lleoliadau y gellir gweithredu hyn, ond yn aml maent yn cael eu cyfyngu gan bolisïau prynu a osodir i ysgolion.

Awgryma Corney (2006) fod angen addysg a hyfforddiant effeithiol yn y maes hwn ar athrawon dan hyfforddiant. Mae'n we gymhleth o sectorau, a rhaid iddynt oll groesawu ADCDF a bod yn gyfarwydd â'i hethos os am sefydlu arfer da. Â Sterling ymhellach gan awgrymu:

> ar y cyfan mae addysg brif ffrwd yn cynnal anghynaladwyedd – drwy atgynhyrchu normau'n anfeirniadol, drwy ddarnio dim ond adran gyfyngedig o'r sbectrwm o allu ac angen dynol, drwy anallu i archwilio posibiliadau eraill, drwy wobrwyo dibyniaeth a chydymffurfiaeth, a thrwy wasanaethu peiriant prynwriaeth
>
> *most mainstream education sustains unsustainability-through uncritically reproducing norms, by fragmenting only a narrow part of the spectrum of human ability and need, by an inability to explore alternatives, by rewarding dependency and conformity, and by servicing the consumerist machine*
>
> (Sterling 2001: 14–15)

Atgyfnerthu ymddygiad anghynaliadwy

Mae'n werth cwestiynu rôl lleoliadau – ysgolion, meithrinfeydd, cylchoedd meithrin – o ran atgyfnerthu ymddygiad anghynaliadwy.

- Sut mae plant yn teithio i'r lleoliad?
- A oes bws cerdded neu ydy'r holl blant yn cael eu gyrru mewn ceir?
- Ydy digwyddiadau'r ysgol megis disgos a phartïon yn dibynnu ar werthu llwythi o fwyd sothach a photeli/cwpanau plastig?
- Sut mae plant yn cael eu hannog i feddwl a bod yn wahanol?

Bydd llawer o leoliadau'n gweithio mewn partneriaeth â swyddogion addysg neu arbenigwyr ar gynaladwyedd o sefydliadau eraill. Mae sefydliadau o'r fath yn darparu cyfleoedd dysgu gweithredol ac ymarferol sy'n cysylltu'n glòs ag ADCDF, yn ogystal ag agweddau eraill o gwricwlwm y Cyfnod Sylfaen. Mae prosiectau Eco-ysgolion, Ysgolion Coedwig, Masnach Deg a chynlluniau byw'n iach hefyd yn darparu cyfleoedd i blant ifainc i weld safbwyntiau gwahanol a ffyrdd gwahanol o fyw a phwysigrwydd gweithio mewn partneriaeth. Bydd nifer o sefydliadau hefyd yn darparu cyfleoedd i fyfyrwyr ar gyrsiau addysg a darpar athrawon wella'u gwybodaeth eu hunain o ADCDF trwy ymweliadau maes, darlithoedd gan siaradwyr gwadd a chyfleoedd i wirfoddoli.

Dysgu yn yr Awyr Agored

Mae dysgu yn yr awyr agored yn llinyn pwysig ar draws pob maes dysgu o fewn cwricwlwm y Cyfnod Sylfaen. Tan yn ddiweddar mae llawer o'r drafodaeth am y blynyddoedd cynnar a'r awyr agored wedi canolbwyntio ar y buddion mae'r awyr agored yn eu rhoi i'r plentyn. Mae'n hanfodol cydnabod y gall profiadau yn yr awyr agored i blant bach hefyd fod o fudd i'r amgylchedd natur gan hyrwyddo greddfau gofalu am natur ac am bobl eraill mewn plant ifainc (Mackey, 2009).

Awgrymir gan ymchwil fod oedolion sydd bellach yn gweithio mewn proffesiynau'n ymwneud â'r amgylchedd yn cyfeirio at brofiadau cynnar yn yr awyr agored fel rhai sy'n allweddol i'w hymwybyddiaeth am yr amgylchedd fel oedolion (Palmer 1993, Tanner 1980). Archwilir hyn hefyd gan Wilson (1997a) a Louv (2008) sy'n awgrymu bod ymwneud a byd natur ynddo'i hun yn hyrwyddo empathi â natur. Honna Wilson (1997b) fod gan fodau dynol gariad cynhenid at y byd naturiol a'u bod yn bondio ag ef, sy'n gysylltiedig â'n hanes esblygiadol mewn cymdeithas anhrefol. Cyfeiria at hyn fel bioffilia gan nodi'r angen i blant fod mewn amgylcheddau naturiol. Noda Louv (2008) hefyd fod plant yn dioddef o 'anhwylder diffyg natur' mewn byd lle na allant ryngweithio a chwarae mewn lleoedd gwyllt.

Awgryma gwaith Wilson eto fod plant nad ydynt yn cael cyfleoedd i fod yn yr awyr agored yn adeiladu ofnau a ffobiâu o'r awyr agored. Cynhaliodd Wilson, (1994 dyfynwyd yn Wilson, 1997b) gyfweliadau â grŵp o ddeg ar hugain o blant 3-5 oed gan ofyn cwestiynau iddynt am eu dealltwriaeth, agweddau a theimladau tuag at y byd naturiol. Roedd gan y rhan fwyaf o'r plant agweddau negyddol iawn tuag at natur, yn ofnus am rai anifeiliaid a phlanhigion, yn ofni salwch o fod allan yn y glaw ac yn argymell bod yn dreisgar tuag at bryfed ac adar ifainc. Heb brofiadau cadarnhaol yn yr awyr agored, gall yr ofnau a'r annifyrrwch sydd gan blant am natur eu hatal rhag dysgu am natur.

Wrth gwrs mae hyn yn her i'r Cyfnod Sylfaen. Mae rhyngweithio â natur yn gofyn am ardaloedd naturiol, nid meysydd chwarae concrit. Gall gweithio mewn partneriaeth â rhaglenni megis Ysgolion Coedwig ddarparu profiadau yn yr awyr agored, fodd bynnag mewn gwirionedd mae angen i blant gymryd perchnogaeth ar eu hardaloedd arbennig eu hunain. Dylid caniatáu i blant 'greu, newid a phersonoli' yr amgylchedd (Wilson, 1997b). Gallai'r iard a'r maes chwarae fod yn hafan i natur hefyd, ond mae hyn yn gofyn ymrwymiad, cefnogaeth o'r gymuned a chyfranogiad a chynllunio gweithredol gan y plant er mwyn troi concrit yn ardd fywyd gwyllt, ardal wyllt neu warchodfa. Yn aml bydd plant sydd wedi cael eu cynnwys mewn dull ystyrlon wrth ddylunio a chynllunio'u profiadau natur yn fwy tebygol o ofalu am leoedd o'r fath a'u hamddiffyn nag os ydynt wedi cael eu cynllunio ar eu cyfer, neu os oedd eu cyfranogiad yn symbolaidd yn unig (Hart, 1987 dyfynnwyd yn Symons, 1996).

Er mwyn i brofiadau awyr agored fod yn rhai buddiol, rhaid i oedolion y Cyfnod Sylfaen werthfawrogi natur eu hunain ac ystyried eu hymatebion eu hunain. Weithiau bydd plant ifainc yn gwasgu ar bryfetach, yn chwarae â nhw neu'n eu symud o'u cynefin. A ddylai'r oedolion anwybyddu hyn neu'i droi'n gyfle i ddysgu? Ystyriwch y cyfoeth o gyfleoedd am drafodaeth mewn cwestiynau megis

- Sut mae'r falwoden yn teimlo o gael ei chario i ffwrdd o'i chartref?
- A hoffem ni gael ein cario i ffwrdd, heb rybudd, o'n cartrefi a'n ffrindiau?
- A oes hawl gennym chwarae gyda phethau byw?
- Pam y cafodd y falwoden ei gwasgu, a wnaeth hi ddrwg i ti?

Effaith crychdonni *(ripple effect)*

Roedd bachgen ifanc mewn meithrinfa yn Seland Newydd yn ei chael yn anodd bondio â'r plant eraill ac yn aml roedd yn grac ac yn rhwystredig. Bu amser mewn lleoliad naturiol yn gymorth i'w dawelu. Un diwrnod daeth o hyd i löyn y llaethlys (*monarch butterfly*) marw a'i ddal yn ofalus yn ei ddwylo. Roedd diddordeb gan y plant eraill a daethant i ymgasglu o'i gwmpas. Roedd y bachgen ifanc yn dysgu empathi trwy ofalu am y glöyn byw, ond ar yr un pryd gwelai'r plant eraill agwedd wahanol arno, sef fel plentyn gofalgar yn ei ymateb i'r anifail marw yn hytrach na'r plentyn crac a rhwystredig blaenorol oedd yn hoffi bod ar ei ben ei hun. Mae gofalu am natur yn cael effaith crychdonni gan effeithio ar berthnasau ehangach plant ifainc. Fel addysgwyr rhaid i ni sicrhau bob amser bod modd meithrin empathi o'r fath drwy annog trin pethau byw mewn modd heddychlon ac urddasol.

(Vaealiki a Mackey, 2008 yn Mackey (2009)

Gall chwarae yn yr awyr agored gynnwys plannu coed, garddio, compostio, ailgylchu a phrosiectau tebyg eraill. Awgryma Davis (1998) ymhellach y dylai'r rheini sy'n gweithio gyda phlant ifainc ddod yn eiriolwyr gan sicrhau bod yr ardaloedd yn yr awyr agored sydd ar gael i blant yn ddigonol. Hefyd atgyfnertha'r farn y byddai rhieni a'r gymuned ehangach yn elwa o fod yn rhan o brofiadau o'r fath, yn enwedig pryd mae plant yn treulio ychydig iawn o amser yn yr awyr agored oherwydd ofnau rhieni ynghylch mwy o draffig, damweiniau a pherygl gan ddieithriaid; pryderon am iechyd a diogelwch a chyfreitha mewn lleoliadau a mannau cyhoeddus (Gill, 2007) a thynfa teledu a'r cyfryngau eraill yn cadw plant dan do (Palmer, 2006; Davis, 1998). Fel yr awgryma Malone (2007: 514-515)

> drwy lapio'u plant mewn gwlân cotwm, mae llawer o rieni'n methu caniatáu'r cyfleoedd i adeiladu'r gwydnwch a'r sgiliau sy'n hanfodol er mwyn bod yn ddefnyddwyr galluog ac annibynnol o'r amgylchedd. Yr eironi yw ei bod yn debygol y bydd eu plant, heb y sgiliau hyn, mewn mwy o berygl o ddioddef o'r peryglon mae'r rhieni hyn yn ymdrechu i amddiffyn eu plant rhagddynt.
>
> *by bubble wrapping their children, many parents are failing to allow the opportunities to build the resilience and skills critical to be competent and independent environmental users. The irony is that without these skills their children are likely to be at greater risk of falling victim to the dangers that these parents strive to protect their children from*

Fel y pwysleisir gan Chawla (1998) a Wilson (1997a,b) gall ymarferwyr blynyddoedd cynnar wneud hyn os byddant yn caniatáu i blant fod yn fwy rhydd yn yr awyr agored, yn caniatáu iddynt wneud penderfyniadau ynglŷn â'u hamgylchedd awyr agored a bod â digon o grebwyll i wrando ar blant a dilyn eu cynlluniau a'u dyheadau.

Fodd bynnag dim ond un darn o agenda ADCDF yw bod yn yr awyr agored ac fel y pwysleisia Symons (1996) dylai ymwybyddiaeth am natur fod yng nghyd-destun materion cymdeithasol, economaidd a diwylliannol.

Stori Elen

Mae Elen yn 5 mlwydd oed. Mae'n dod â chas gwag gwas y neidr i'r ysgol. Mae'n llawn cyffro wrth ddangos hwn i'w hathrawes. Daeth o hyd iddo ar y penwythnos ac mae'n chwilfrydig iawn i wybod beth yw ef. Mae'r athrawes yn gofyn i Elen beth mae wedi dod â hi. Pan wêl ei hathrawes beth sydd gan Elen, ei hadwaith greddfol yw dweud 'O ych a fi, rho fe yn y bin'

- Beth fyddech chi wedi'i wneud os mai chi oedd yr athrawes?
- Pa gyfleoedd sydd yma i gynnwys ADCDF?
- Os nad ydych wedi gweld cas gwas y neidr o'r blaen, oes ymchwil y byddech yn ei wneud er mwyn cefnogi Elen a'i chwilfrydedd?

Pwyntiau trafod ehangach:

- Sut gallwch gadw ar y blaen o ran gwybodaeth ddiweddar?
- Allwn ni ateb cwestiynau plant bob tro?
- A ddylai'r rheini sy'n gweithio gyda phlant ifainc gwestiynu'u credoau a'u hagweddau'u hunain?

Prif negeseuon y bennod

- Mae ADCDF wedi dablygu yng Nghymru fel ateb i bryderon rhyngwladol am sefyllfa cymdeithasol, economegol ac amgylcheddol y byd.
- Ni ddylid ystyried ADCDF fel ymateb i'r amgylchedd yn unig ond yn ffordd ryngddisgyblaethol o ystyried ein byd.
- Mae'r Cyfnod Sylfaen yn cysylltu yn agos gydag athroniaeth ADCDF ac yn creu sylfaen da i blant ifanc ddatblygu yn ddinasyddion sy'n ymwybodol o'i lle yn y byd a'u heffaith ar eu hardaloedd lleol, ac yn fyd eang.
- Y gobaith yw bydd plant ifanc heddiw yn meddu'r sgiliau a'r hyder i greu cymdeithas gynaliadwy, deg a chydradd.

Pennod 14

Gair i gloi... y stori'n parhau

Pennod 14

Gair i gloi... y stori'n parhau

Siân Wyn Siencyn

Cafodd y syniad o'r Cyfnod Sylfaen groeso brwd pan gyhoeddwyd y ddogfen ymgynghorol gyntaf yn 2003 fel rhan o raglen *Y Wlad sy'n Dysgu* Llywodraeth y Cynulliad (LlCC, 2003) ac mae'r brwdfrydedd yn parhau. Gwelwyd buddsoddi cyson o du'r Cynulliad mewn hyfforddiant, deunyddiau arweiniol, a staff arbenigol i gynnig cyngor i ymarferwyr. Yn wir mae Llywodraeth y Cynulliad yn cyllido, drwy'r awdurdodau lleol, swyddogion hyfforddiant a chefnogaeth y Cyfnod Sylfaen ac, at ei gilydd, maen nhw'n effeithiol yn eu dylanwad ar ymarfer (Estyn, 2010b). Ond bu hefyd gryn feirniadaeth o rai agweddau o weithredu'r Cyfnod Sylfaen. Bu Estyn yn yr un adroddiad ar effaith y rhaglen hyfforddiant cenedlaethol ar ddysgu ac addysgu yn y Cyfnod Sylfaen yn nodi bod diffyg hyfforddiant penodol ar gyfer penaethiaid ac arweinwyr yn y Cyfnod Sylfaen yn wendid ac yn 'fwlch pwysig yn [y] rhaglen hyfforddiant' (2010a: 4). Erys hyn, fel cynifer o faterion eraill, yn gryn her i bawb ohonom sy'n ewyllysio llwyddiant gwireddu gweledigaeth y Cyfnod Sylfaen. Nid mater o grwpiau o bobl (menywod at ei gilydd) yn y dosbarthiadau babanod a derbyn neu yn y cylch meithrin, yw'r Cyfnod Sylfaen hwn. Mater i'r ysgol gyfan yw deall, gwerthfawrogi a chefnogi'r weledigaeth heriol hon. Gwelir consýrn eto gan Estyn (Estyn, 2010a) ynghylch y rheidrwydd ar i ysgolion wella medrau cymdeithasol ac emosiynol disgyblion a hefyd cydweithio'n fwy systematig â rhieni i gynorthwyo disgyblion difreintiedig. Mae anghyfiawnder a thlodi yn rhwystrau arwyddocaol i gymdeithas deg ac i wireddu egwyddorion mawr ddinasyddiaeth fydeang yng Nghymru. Dywed adroddiad Rhwydwaith Dileu Tlodi Plant Cymru bod plant sydd dan anfantais yn pryderu nid yn gymaint am agweddau materol tlodi ond hefyd am y teimlad o unigedd a'r pryder a ddaw yn sgil peidio â chael eich parchu a'ch gwerthfawrogi fel eich cyfoedion.

Mater arall sy'n cynnig cryn her i ni yng Nghymru, fel yng ngweddill Prydain, yw denu dynion i weithio gyda phlant ifainc ac atal y rhagfarn ddiwylliannol a chymdeithasol yn eu herbyn pan fyddant yn dewis gyrfa mewn gwasanaethau plentyndod cynnar.

Ystyriwch

Dengys ystadegau addysg Cymru ar gyfer 2010 bod cyfanswm o 13,582 o athrawon yn gweithio mewn ysgolion cynradd a 2,133 ohonyn nhw'n ddynion. Mae 309 o ddynion yn gweithio fel cynorthwywyr mewn ysgolion cynradd allan o gyfanswm o 15,046 o gynorthwywyr

(http://www.statswales.wales.gov.uk/ReportFolders/reportFolders.aspx

Mae'r National Day Care Trust yn nodi bod 97.5% o weithlu gofal ac addysg plant ifainc yng Nghymru a Lloegr yn fenywod. Yn Norwy, mae'n agos i 9% yn ddynion... ffigwr bychan o hyd ond mae llywodraeth Norwy yn ceisio codi'r nifer o ddynion yn y gweithlu drwy ymgyrchoedd penodol.

Pam tybed fod cyn lleied o ddynion yn cael eu denu i weithio gyda phlant ifainc?

Gweithio fel tîm a gweithio gydag eraill

Un o'r heriau mwyaf anodd sy'n wynebu'r rhai hynny sy'n gweithio yn y Cyfnod Sylfaen yw'r disgwyliad i weithio fel tîm. Mae gweithio fel tîm effeithiol a gweithio mewn partneriaeth go iawn gydag eraill yn fantra a glywir yn gyson ond nid yw'n hawdd ei sefydlu na'i gynnal. Gyda'r disgwyliad o gymhareb oedolion i blant llawer uwch yn y Cyfnod Sylfaen nag oedd yn arferol, bydd mwy o oedolion yn gweithio yn yr un gofod gyda'r plant a'r oedolion hynny gydag amrywiol a gwahanol gymwysterau. Bydd rhai o'r oedolion yn cael eu talu llawer mwy nag eraill a bydd cyfrifoldebau ac amodau gwaith yn amrywio. Gall hyn arwain at dyndra ac annifyrrwch.

Bydd y rhai sy'n gweithio yn y Cyfnod Sylfaen yn gweithio mewn partneriaeth gydag ystod o wahanol bobl. Pwy yw aelodau'r bartneriaeth dydd i ddydd: rhieni, cydweithwyr, aelodau eraill staff gan gynnwys penaethiaid… plant eu hunain?

Mae partneriaeth go iawn yn gofyn llawer mwy o sgiliau a nodweddion proffesiynol os yw am lwyddo go iawn. Ystyriwch yr hyn sydd ei angen er mwyn i'r bartneriaeth fod yn un llwyddiannus:

- **Parch:** tuag at rieni, tuag at farn arall, tuag at brofiadau eraill
- **Gallu i wrando**: ar y farn arall ac at ddisgwyliadau eraill
- **Cydnabod**: arbenigedd eraill; bod gan rieni, er enghraifft, arbenigedd gwerthfawr iawn ar eu plant
- **Ymddiriedaeth**: mae'n anodd gweithio mewn partneriaeth os nad ydych yn teimlo'n saff
- **Cyfathrebu effeithiol**: y rheidrwydd i siarad yn glir, i ddefnyddio iaith a geirfa sy'n ddealladwy, i fedru 'darllen' ymateb eraill
- **Parodrwydd i newid**: yn sgil gwybodaeth newydd, syniadau newydd, myfyrio ar ymarfer

Beth arall sydd ei angen er mwyn gweithio'n effeithiol mewn partneriaeth go iawn?

Mae Leeson a Huggins (2010: 103) yn awgrymu bod y diffiniad traddodiadol o 'cydweithwyr' yn rhy gyfyng o lawer i wneud cyfiawnder â chymhlethdod darpariaeth cyfoes. Y duedd yw diffinio 'cydweithiwr' yn nhermau'r rhai hynny sydd â chefndir proffesiynol tebyg. Mae'r dynesiad integredig (*integrated approach*) fodd bynnag yn mynnu diffiniad mwy radical, felly mae'r term 'cydweithwyr', meddai Leeson a Huggins yn golygu pawb sydd yn rhyngweithio ac yn cydweithio tuag at nod cyffredin, cydnabyddedig (*...all the people who interact and work together towards a common, identified goal*). Golyga hyn bob un sy'n cydweithio yn yr un sefydliad neu ddarpariaeth, ymarferwyr proffesiynol eraill, y gymuned ehangach, yn ogystal â theuluoedd a phlant eu hunain.

Ystyriwch y gweithwyr proffesiynol y bydd hi'n bosibl – yn debygol efallai – i chi ddod ar eu traws wrth i chi weithio gyda phlant yn y Cyfnod Sylfaen.

- Seicolegydd addysg
- Therapydd iaith a lleferydd
- Gweithiwr cymdeithasol
- Swyddog teuluol yr heddlu
- Athro ymgynghorol (amhariad gweld)
- Cynorthwyydd arbenigol (plant ar y sbectrwm Awtistig)

Ymchwiliwch i waith, hyfforddiant a chymwysterau'r gweithwyr allweddol hyn. Nodwch eraill fydd yn gweithio gyda phlant ifainc a'u teuluoedd.

Cafwyd, dros y degawdau, gatalog o adroddiadau yn nodi peryglon enbyd i blant o ganlyniad i asiantaethau proffesiynol yn methu cydweithio'n effeithiol. Mae Adroddiadau Laming (i farwolaeth Victoria Climbié yn 2003 a Baby Peter yn 2009) yn amlinellu, mewn modd dirdynnol, yr hyn sy'n digwydd pan na fydd pobl broffesiynol yn gweithredu. Un o nodweddion creiddiol cydweithio effeithiol yw cyfathrebu effeithiol ac yn aml mae hyn yn golygu deall 'iaith' asiantaethau eraill. Mae i fyd addysg ei eirfa a'i normau ieithyddol, ei jargon unigryw (*cyrhaeddiad, cyflawniad, asesiad* ac yn y blaen) sydd yn wahanol i'r math o eirfa y byddai gweithwyr iechyd neu weithwyr gofal cymdeithasol yn eu defnyddio. Mae Leiba (2003) yn cyfeirio at *codification of communication* sy'n arwain at un grŵp o bobl broffesiynol yn eithrio grwpiau eraill drwy ddefnydd o jargon ac acronymau. Yn rhy aml efallai bydd pobl broffesiynol yn cynnal eu grym a'u statws drwy'r defnydd o eirfa a math o iaith ac sy'n arwain at gadw rhieni allan o bartneriaeth go iawn yn y sgwrs.

Mae sensitifrwydd i'r gwahaniaethu hyn yn allweddol. Dywed Leeson a Huggins (2010: 109) eto fel hyn:

> Mae adeiladu tîm rhwng asiantaethau ac oddi fewn i ddarpariaeth blynyddoedd cynnar yn dibynu ar barodrwydd i wrando ac ar barodrwydd i newid.
>
> *Team building between agencies and within early years settings depends on a willingness to listen and a willingness to change.*

Un o sgiliau angenrheidiol i fyfyrwyr a hyfforddeion yw datblygu'r sgiliau angenrheidiol i weithio mewn tîm. Mae ymateb yn effeithiol i ofynion dysgu plant yn datblygu gyda phrofiad. Mae gofyn i athrawon ifainc, weithiau.'arwain' tîm o oedolion sy'n aml yn fwy profiadol o lawer na nhw eu hunain. Gall hyn fod yn anodd i'r athro ifanc ac i'r hen lawiau. Wrth adfyfyrio ar eu sgiliau eu hunain, disgwylir i hyfforddeion adnabod tystiolaeth o'u profiad ysgol sy'n bodloni gofynion safonau SAC. Nid yw'n hawdd i hyfforddeion i sefydlu perthynas gyda rhieni'r plant yn eu gofal. Ystyriwch, er enghraifft, y math o sgiliau a sensitifrwydd sydd eu hangen er mwyn sefydlu partneriaeth weithredol a chyfartal gyda:

- Rhieni byddar i blant sy'n clywed?
- Teulu Mwslimaidd, gyda'r fam yn gwisgo'r nicab (llen dros yr wyneb)?
- Rhiant o wlad Pwyl sydd ddim yn rhugl yn Gymraeg nac yn Saesneg?

Mae gweithio mewn partneriaeth go iawn gyda rhieni a theuluoedd yn medru bod yn heriol iawn. Nid peth hawdd yw diffinio beth yw teulu nac ychwaith i adnabod teuluoedd fel unedau.

Rhieni nad ydynt yn breswylwyr

(Non-resident parents)

Mae ffynonellau ystadegau cyhoeddus yn ddiddorol iawn a cheir, drwy Gyfrifiad statudol er enghraifft, wybodaeth helaeth a chyfoethog ynghylch tueddiadau cymdeithasegol. Mae Wilson (2010) yn nodi math o deulu, sef teulu lle nad yw un o'r rhieni'n breswylwyr ac yn eu diffinio fel teulu ble nad yw oedolion yn byw yn yr un cartref ag o leiaf un o'i plant (*adults who are **not** usually resident in the same household as at least one of their birth children.'*). Diffinnir plant, yn y cyd-destun hwn, fel rhai o dan 16 oed neu o dan 19 oed os ydynt mewn addysg amser-llawn ond nid y rhai hynny sydd wedi sefydlu eu teuluoedd eu hunain, drwy briodas, cyd-fyw, neu enedigaeth plentyn.

- Yn 2008, amcangyfrifwyd bod oddeutu 2.1 miliwn (cyfystyr ag oddeutu 9 y cant) o gartrefi yng ngwelydd Prydain yn cynnwys o leiaf un plentyn gyda rhiant nad yw'n breswyliwr.
- Mae 18 y cant o blant gyda rhiant nad yw'n breswyliwr yn aros gyda'r rhiant absennol o leiaf unwaith yr wythnos. Mae 10 y cant ychwanegol yn aros dros nos gyda'r rhiant absennol o ddeutu unwaith bob pythefnos.

Beth yw arwyddocâd ystadegau fel hyn i chi, fel gweithiwr proffesiynol sydd am sefydlu partneriaethau gweithredol gyda rhieni? Beth yw'r her i chi?

Dengys ymchwil (Cozier 1999; Ridge 2002, Dearden *et al* 2010) bod nifer o rieni tlawd wedi cael profiadau diflas yn yr ysgol ac yn y system addysg a'u bod, yn rhy aml, wedi gadael ysgol heb gymwysterau. Gall hyn arwain at deimladau negyddol tuag at ysgolion a hefyd deimlad o fod yn anghyfforddus mewn adeiladau ysgol. Bydd y diffyg hyder, pryder, sgiliau llythrennedd isel sy'n dod o brofiadau ysgol anodd yn medru arwain at anghyfartaledd amlwg yn y berthynas rhwng ysgolion a'r cartref, rhwng athrawon a rhieni. Mae gan rieni huawdl, dosbarth canol, meddai Crozier (1999) fantais amlwg wrth drafod eu plant gydag ysgolion.

Yr ymarferydd adfyfyriol

Gyda phroffesiynoli'r maes blynyddoedd cynnar, gwelir trafodaeth gynyddol ar beth yn union a olygir wrth ymarfer proffesiynol. Wrth weithio gyda phlant ifainc, mae pob un ohonom yn dod â ni ein hunain i'r gwaith: ein hagweddau, ein profiadau, ein personoliaethau, ein gwybodaeth, ein rhagfarnau. Bydd y cyfuniad hwn yn dylanwadu ar y math o ymarfer rydym yn ei harddel. Un o'r heriau mwyaf sy'n wynebu ymarferwyr blynyddoedd cynnar yn eu harfer proffesiynol yw cyplysu damcaniaeth ac ymarfer. Dywed Leeson (2010: 35) fel hyn:

> ...mae cydblethiad gwybodaeth ac ymarfer, gan ddefnyddio'r damcaniaethau sydd ar gael, yn agwedd allweddol o ymarfer adfyfyriol...nid yw ymarferwyr yn gweld, bob tro, bod cysylltiad rhwng damcaniaeth a phrofiad go iawn, gwelir damcaniaeth fel rhywbeth atodol, diddorol ond nid yn gymwys.
>
> *...the integration of knowledge and practice, using the theories available to us, is a crucial aspect of reflective practice....practitioners do not always see theory as related to real experience, theory is regarded a sideshow, it is interesting but not applicable.*

Adlewyrchiad yw hyn, bid siŵr, o syniadau Paulo Freire yn ei waith yn cyplysu athroniaeth, gwleidyddiaeth ac ymarfer addysgol. Dywed fel hyn:

> Mae angen damcaniaeth ar ymarfer ac mae angen ymarfer ar ddamcaniaeth, yn union fel mae angen dŵr glân ar bysgodyn. Mae ymarfer sydd wedi ei wahanu oddi wrth yr adfyfyrio beirniadol sy'n arddangos y damcaniaeth sydd wrth wraidd ymarfer yn ddi-os yn cynorthwyo testun yr ymarfer i ddeall ymarfer drwy adfyfyrio arno a'i wella.
>
> *Practice needs theory and theory needs practice, just like a fish needs clean water. Practice apart from critical reflection which illuminates the theory embedded in practice, cannot help our understanding. Revealing the theory embedded in practice undoubtedly helps the subject of practice to understand practice by reflecting and improving on it.*
>
> (Freire 1996: 108)

Er bod y dweud yn drwsgl i ni (mewn Portiwgaleg roedd Freire, oedd yn wreiddiol o Frasil, yn ysgrifennu er bod ei glasur *Pedagogy of the Oppressed* wedi ei gyfieithu i'r Saesneg ers blynyddoedd), mae'r neges yn syml sef bod cyswllt uniongyrchol rhwng damcaniaeth ac ymarfer ac mae ymarfer yn cael ei wella o fyfyrio arno. Mae Bolton (2005: 25) yn cynnig trosiad yr hebog i ddisgrifio'r proses sydd ymhlyg wrth adfyfyrio ar ymarfer. Mae adfyfyrio gweithredol, meddai, yn hebog yn y meddwl sy'n cylchu o'ch cwmpas yn eich gwylio'n gweithio ac yn gyson penderfynu ar y gweithredu hwnnw.

Nid cysyniad newydd yw adfyfyrio ar ymarfer. Roedd yr addysgwr a'r athronydd addysg dylanwadol John Dewey (1933) yn ymdrin â phwysigrwydd yr arfer ac mae meysydd amrywiol yn cydnabod rôl allweddol ymarfer adfyfyriol: nyrsio a meddygaeth, gofal, gwaith cymdeithasol yn ogystal â meysydd megis peirianneg, pensaernïaeth ac yn y blaen. Ceir, at hyn, amrywiol fodelau sy'n cynnig fframweithiau i'r broses. Mae Boud, Keogh a Walker (1985), er enghraifft yn awgrymu prosesau sy'n cydnabod emosiynau a theimladau:

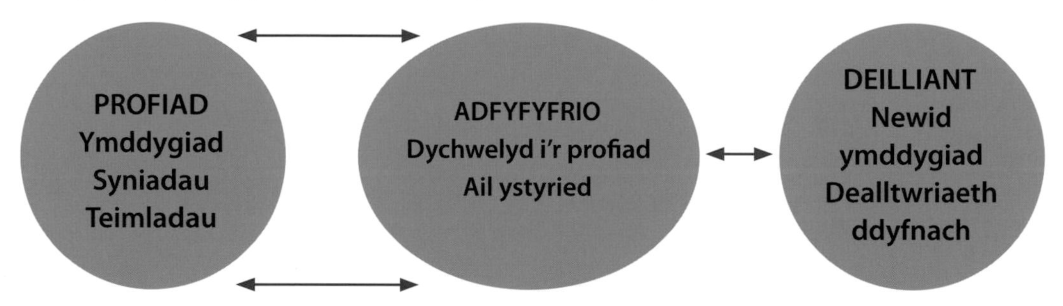

Gwelir Ghaye a Ghaye (1998) yn cynnig lefelau a camau yn y broses o adfyfyrio, sef:

Disgrifiadol (*Descriptive*)	Hanes y digwyddiad sy'n cael ei ystyried.
Canfyddiadol (*Perceptive*)	Cysylltu'r disgrifiad a theimladau personol.
Derbyngarol (*Receptive*)	Parodrwydd i fod yn agored i olwg neu dehongliadau gwahanol i'r digwyddiad sy'n cael ei ystyried.
Rhyngweithredol (*Interactive*)	Creu cysylltiadau rhwng dysgu ac unrhyw weithredu yn y dyfodol.
Beirniadol (*Critical*)	Dyma gychwyn ar y broses o gwestiynu ymarfer arferol a hynny mewn modd creadigol a chadarnhaol, datblygu dulliau newydd o weithio a damcaniaethau newydd.

Mae eraill yn cynnig proses digon tebyg ac maent i gyd yn awgrymu proses sy'n cynnwys camau penodol:

- Disgrifiad: beth ddigwyddodd?
- Teimladau: sut oeddech chi'n teimlo neu beth oeddech chi'n meddwl amdano? ➤
- Gwerthusiad: beth oedd nodweddion da a nodweddion ddim cystal am y profiad? ➤
- Dadansoddiad: pa gasgliadau daethoch chi iddyn nhw a beth arall gellid bod wedi ei wneud? ➤
- Gweithredu: petai'r un peth yn digwydd eto, beth fyddech chi'n neud?

Ystyriwch

Rydych yn sylwi bod un o'ch cydweithwyr yn gofyn mwy o gwestiynau i fechgyn nag i ferched wrth iddyn nhw chwarae gydag offer adeiladu tu allan. Mae'n ymddangos i chi ei bod yn talu mwy o sylw i fechgyn nag i ferched. Ond, o sylwi'n fwy gofalus, mae ei sgwrs yn fwy disgrifiadol gyda'r merched, er enghraifft:

- Bydd digon o le i bawb yn y den yna, yn bydd?
- Sut fath o fwyd bydd pawb am gael tybed?

Mae hi'n holi mwy o gwestiynau i fechgyn unigol a rheiny'n gwestiynau sy'n gofyn ymatebion a meddwl technegol, er enghraifft:

- Sut wyt ti'n mynd i gael y cerrig yna i ddal y bont, Dafydd?
- Wyt ti'n meddwl bydd y dail yn llosgi?

Rydych yn teimlo bod angen ystyried ei dull hi o sgwrsio gan fod, yn eich barn chi, berygl iddi syrthio i stereotepio rhyw a hynny'n ddifeddwl. Mae hyn wedi bod ar eich meddwl am beth amser. Yn defnyddio rhai o'r fframwaith adfyfyriol ac egwyddorion gweithio mewn partneriaeth, sut fyddech chi'n ymdrin â sefyllfa fel hyn?

> Mae ymarfer adfyfyriol yn siwrne dysgu ddiddiwedd sydd â nodweddion personol a proffesiynol yn perthyn iddi ac mae'r rhain yn uno fel mae'r unigolyn yn perchnogi'r prosesau meddwl a'r gweithredu ac yn datblygu syniad o gyfrifoldeb personol am 'deilliannau ar gyfer plant' fel unigolyn ac fel aelod o'r 'cymuned ymarfer'.
>
> *Reflective practice is...a never-ending 'learning journey' involving personal and professional qualities and attributes that merge as the individual assumes ownership of thinking processes and actions and develops a personal sense of responsibility for the 'outcomes for children' as individual and part of a 'community of practice'.*
>
> *(Appleby 2010: 9)*

Cymuned Ymarfer

(*Community of Practice***)**

Mae'r cysyniad o Gymuned Ymarfer yn un weddol newydd. Mae Wenger (1998) yn un o'r rhai cyntaf i osod fframwaith i'r syniadau hyn, fframwaith sy'n dod o draddodiad damcaniaethau dysgu cymdeithasol. Gwelir defnyddio'r term fwyfwy ym maes gofal ac addysg plant, yn enwedig gyda sefydlu canolfannau integredig. Drwy adfyfyrio ar eu gwaith fel tîm o bobl rhagor na fel unigolion, daw'r tîm i ganfod ei hun fel uned gyda'r tîm yn adfyfyrio arno'i hun.

Cynnal y traddodiad ac ymestyn y weledigaeth

Yn Corby yng nghanolbarth Lloegr, mae canolfan nodedig iawn, sef y Pen Green Centre sydd wedi dod yn enwog am y gwaith arloesol a gyflawnwyd yno dros y degawdau. Dywed Margy Whalley, un o sylfaenwyr blaengar Pen Green, fel hyn:

> Daeth nifer o staff Pen Green, fel gweithwyr blynyddoedd cynnar mewn lleoliadau eraill, i ymddiddori mewn gweithio gyda phlant ifainc oherwydd eu hangerdd dros gyfiawnder cymdeithasol a'u hymroddiad i hawliau plant.
>
> *Many of the Pen Green staff team, like early years educators in other settings, first became interested in working with young children because of a passion for social justice and a commitment to children's rights.*
>
> (Whalley 2001: 136)

Dyna, ddigon tebyg, yw cymhelliant pawb ohonom sy'n eiriol ar ran plant ac sy'n rhan o'r lobi barhaus, yn wleidyddol, economaidd ac yn gymdeithasol, i sicrhau tegwch i blant. Rhan greiddiol o'r tegwch hwnnw yw darpariaeth addas gydag oedolion sy'n deall eu dysgu ac sy'n barod i wrando arnyn nhw. Mae hanes addysg a gofal i blant ifainc yn llawn o enwau a'r rheini'n enwau sydd wedi dylanwadu ar y presennol: Rousseau, Pestalozzi, Robert Owen, Froebel, Montessori, Rachel a Margaret McMillan, Susan Isaacs, Vygotsky ac yn fwy diweddar, Loris Malaguzzi, Jerome Bruner, Lilian Katz a myrdd o rai eraill. Yn ei herthygl yn cloriannu cyfraniad Robert Owen, Margaret McMillan a Susan Isaacs i faes gofal ac addysg plant ifainc, dywed Pound (2010:5) fel hyn:

> Er i'r arloeswyr hyn gychwyn o fannau tra gwahanol, mae'r ymarfer a ddatblygwyd ganddynt a'u hathroniaeth yn debyg iawn... Consýrn am ddatblygiad cyflawn y plentyn yn ganolog – roeddynt yn wybodus iawn am blant am eu bod wedi eu harsylwi'n ofalus. Roedd y tri wedi arddangos parch aruthrol at blant... [roeddent] am weld plant yn canu a dawnsio, yn rhedeg ac yn anturio...
>
> *Despite the fact that these three pioineers had such different starting points, the practice they developed and the philosophies they held had many similarities... Concern for children's all-round development was fundamental – they all knew a great deal about children because they observed them carefully. All three demonstrated immense respect for children... [they] wanted children to sing and dance, run and explore...*

Gwelir yn y llinach hon o athronwyr, seicolegwyr, addysgwyr – ac, yn ei hanfod, ymgyrchwyr gwleidyddol o blaid plant – bod traddodiad wedi ei sefydlu, traddodiad di-dor o bobl sydd wedi cynnal y gwerthoedd gorau a'r ymroddiad mwyaf cadarn i les plant a'u dysg. Mae'r Cyfnod Sylfaen yn y traddodiad hwnnw ac mae'n ddatblygiad gall Cymru fod yn hynod falch ohono. Yr her nawr i'r rhai hynny fydd yn gwireddu'r Cyfnod Sylfaen yn ymarferol, ddydd i ddydd yn eu darpariaeth ac i'r rhai hynny ohonom ni sy'n hyfforddi, ysgrifennu, ymchwilio a damcaniaethu, yw cadw'n driw i'r traddodiad ysblennydd.

Llyfryddiaeth

ACAC. (1996) *Canlyniadau Dymunol ar gyfer dysgu plant cyn oed ysgol orfodol.* Caerdydd: Awdurdod Cwricwlwm ac Asesu Cymru.

Abbot, L. a Nutbrown, *C. (gol) (2001) Experiencing Reggio Emilia: Implications for Preschool Provision. Milton Keynes:* Open University Press.

Adams, W. M. (1995) 'Green Development Theory? Environmentalism and Sustainable Development', yn J. Crush (gol), *Power of Development*. Llundain: Routledge, tt. 85-96.

Adey, P., Robertson, A. a Venville, G. (2001) *Let's Think!* Windsor: NFERNelson.

Akarro, R. J. 'Culture and its Impact on the Education of the Maasai and the Coastal Women of Tanzania', *European Journal Of Social Sciences,* 6, 3, Mehefin, 2008, tt. 297-305.

Allen, S. (2008) 'Y Sgiliau Meddwl: pwysigrwydd datblygiad cymdeithasol ac emosiynol y plentyn bach', yn S. W. Siencyn (gol) *Y Plentyn Bach: Cyflwyniad i Astudiaethau Plentyndod Cynnar.* Caerfyrddin: Cyhoeddiadau Coleg y Drindod, tt. 137-160.

Appleby, K. (2010) 'Reflective Thinking; Reflective Practice', yn Reed, M. a Canning, N.(gol) *Reflective Practice in the Early Years*. Llundain: Sage.

Arolygaeth Gofal a Gwasanaethau Cymdeithasol Cymru (AGGCC): Gwasanaethau Gofal Dydd i Blant 2008 – 2009. http://cymru.gov.uk/cssiwsubsite/newcssiw/publications/annualreports/0809report/daycare/?lang=cy [Mynediad: Mawrth 2010].

Awdur anhysbys, 'Friedrich Froebel Fund' 2009. www.froebel.org [Mynediad: Gorffennaf 2009].

Baetens Beardsmore, H (1986).*Bilingualism: Basic principles.* Clevedon, Multilingual Matters.

Bailey R., Doherty J., a Pickup I.,2007, Physical Development and Physical Education yn Riley J (gol) *Learning in the Early Years,* 2il arg. Llundain: Sage Publications.

Baker, C. (2006) *Foundations of Bilingual Education & Bilingualism* Clevedon: Multilingual Matters.

Balldock, P. (2001) *Regulating Early Years Services*. Llundain: David Fulton.

Barron, F. (1998) 'Putting Creativity to Work', yn R. Sternberg (gol) *The Nature of Creativity*. Caergrawnt: Cambridge University Press, tt.76-98.

Baumfield, V. and Mroz, M. 'Investigating pupils' questions in the primary classroom', *Educational Research,*44, 2, Gorffennaf, 2002, tt. 129 - 140.

Bayley R. a Edgington, M. (2008) 'Keeping a child-centred perspective on learning' Llundain: MA Education LTD.

Becker, K. A. (2003) *History of the Stanford-Binet Intelligence Scales: Content and Psychometrics*. Itasca: Riverside Publishing Company.

Berk, L. E. (2004) *Awakening Children's Minds: How Parents and Teachers can make a Difference.* New York: NY Oxford University Press (US). [e-lyfr]. Ar gael yn: http://www.netlibrary.com/Reader [Mynediad: Gorffennaf 2009].

Bercow Review (2008*) Services for Children and Young People (0-19) with Speech, Language and Communication Needs.* Llundain: DCSF Publications

Bialystok, E. (2001). *Bilingualism in development: Language, literacy, and cognition.* New York: Cambridge University Press.

Bignold, W. a Gayton, L. (gol) (2009) *Global Issues and Comparative Education.* Exeter: Learning Matters.

Bilton, H. (2002) *Outdoor Play in the Early Years. Management and Innovation*. Llundain: David Fulton Publishers.

Bilton, H., James, K., Wilson, A. a Woonton, M. (2005) Learning *Outdoors Improving the Quality of Young Children's Play Outdoors*. Llundain: David Fulton Publishers.

Blakemore, S-J, a Frith, U. (2005) *The Learning Brain: lessons for education.* Rhydychen: Blackwell Publishing.

Bloch, M. N. a Pellegrini, A. D. (1989) *The ecological context of children's play*. Norwood, New Jersey: Ablex Publishers.

Boden, M. A. (2004) *The Creative Mind: Myths and Mechanisms.* (2il arg). Llundain: Routledge.

Bonelli, P., Dixon, M. A Ratner, N. B (2000). 'Child and parent speech and language following the Lidcombe Programme of early stuttering intervention'. *Clinical Linguistics & Phonetics*. Vol. 14, no. 6. tt: 427 – 446.

Borsley, R. D. and Jones B. M., (2000), 'The syntax of Welsh negation', *Transactions of the Philological Society* 98:1, 15-47.

Bradshaw, J. a Mayhew, E. (2005) *The Well-being of Children in the UK,* (2il arg). Llundain: Save the Children (London).

Bredekamp, S. a Copple, C. (1997), *Developmentally Appropriate Practice in Early Childhood Programs*. Washington D.C.: NAEYC Publications.

Brehony, K. J. 'Child Development: Pioneers-'Back to Nature'', *Nursery World*, Awst, 2006.

Broadhead, P. ac English, C. (2005) 'Open-ended role play: supporting creativity and developing identity', yn J. Moyles (gol) *The Excellence of Play*. (2il arg) Buckingham: Open University Press, tt. 72-85.

Brock, A., Dodds, S., Jarvis, P. ac Olusoga, Y. (2009) *Perspectives on Play: Learning for Life.* Llundain: Pearson Education.

Bronfenbrenner, U. (1978) *The Ecology of Human Development*. Cambridge.MA Harvard University Press.

Brooker, L. (2002) *Starting School: young children learning cultures*. Buckingham: Open University Press

Brosterman, N. (1997) *Inventing Kindergarten,* New York: Harry N. Abrams.

Bruce, T. (1996) *Helping Young Children to Play.* Llundain: Hodder and Stoughton.

Bruce, T. (2004) *Developing learning in early childhood.* Llundain: Paul Chapman.

Bruce, T. (2004a) *Early Childhood Education.* (2il arg). Llundain: Hodder & Stoughton.

Bruce. T. (gol) (2006) *Early Childhood: A Guide for Students.* Llundain: Sage Publications.

Bruce, T. (2007) *Cultivating Creativity in Babies, Toddlers and Young Children*. Llundain: Hodder and Stoughton.

Bruner, J. (1971) *The Relevance of Education*. Llundain: Redwood Press.

Bruner, J. (1977) *The Process of Education*. Cambridge, MA: Harvard University Press.

Bruner, J. (1982) 'What is representation?' yn M. Roberts a J. Tamburrini (gol) *Child Development 0-5.* Caeredin: Holmes McDougall.

Bruner, J. (1990) *Acts of meaning.* Cambridge, MA: Harvard University Press.

Burman, L. (2009) *Are you listening?* St Paul, MN: Red Leaf Press.

Buttriss, J. a Callander, A., (2008) *A-Z Special Needs for Every Teacher.* Llundain: Optimus Publishing.

Caldwell, L. B. (2003) *Bringing Learning to Life: The Reggio Approach to Early Childhood Education*. Efrog Newydd: Teachers College Press.

Carr, M. (2001) *Assessment in Early Childhood Settings: Learning Stories*. Llundain: Paul Chapman Publishing.

Carreha, T. N., Carraher, D. W. a Schliemann, A.D. (2000) 'Mathematics in the streets and in schools', yn P. K. Smith ac A. D. Pellegrini (gol) *Psychology of Education: Major Themes Volume 3.* Llundain: RoutledgeFalmer, tt. 21-29.

Cazden, C.(2001) *Classroom Discourse: The Language of Teaching and Learning*. Llundain: Heinemann.

Cheminais, R. (2008) *Every Child Matters: A Practical Guide for Teaching Assistants*. Llundain: David Fulton.

Chartier, A. a Geneix, N. (2006) *Pedagogical Approaches to Early Childhood Education*. Strong Foundations: Early Childhood and Care.

Chawla, L. 'Significant Life Experiences Revisited: a review of research on sources of environmental sensitivity', *The Journal of Environmental Education,* 29, 3, Gwanwyn, 1998, tt. 369-444.

Child Poverty Action Group (2009) *Child wellbeing and child poverty: Where the UK stands in the European table*. Llundain: Child Poverty Action Group.

Chilvers, D. (2006) *Young Children Talking: the art of conversation and why children need to chatter.* Llundain: British Association for Early Childhood Education.

Chomsky, N. (1965) *Aspects of the Theory of Syntax,* Cambridge: M.I.T. Press.

Chomsky, N. (1968) *Language and Mind*, New York: Harcourt, Brace & World

Chwarae Cymru, 'Egwyddorion Gwaith Chwarae', (2005) http://www.playwales.org.uk/downloaddoc.asp?id=49&page=67&skin=0 [Mynediad: Mehefin 2009].

Clark, A., McQuail, S. a Moss, P. (2003) *Exploring the field of listening to and consulting with young children*. Research Report 445, Llundain: Department for Education and Skills.

Clark, A., Kjørholt, A.T. a Moss, P. (2005) *Beyond listening: children's perspectives on early childhood services*, Bristol: Policy Press.

Clark, A. a Moss, P. (2001) *Listening to young children: the Mosaic approach,* Llundain: National Children's Bureau for the Joseph Rowntree Foundation.

Clark, A. a Moss, P. (2005) *Spaces to Play: More listening to young children using the Mosaic approach*, Llundain: National Children's Bureau.

Clarke, J. (2007) *Sustained Shared Thinking*. Llundain: Featherstone Educational Ltd.

Clay, M. M. (2002). *An observation survey of early literacy achievement*. Portsmouth, NH: Heinemann.

Claxton, G. (2002) *Building Learning Power*. Bristol: TLO Limited.

Claxton, G. (2007) 'Cultivating positive learning dispositions', yn H Daniels et al (gol), *The Routledge Companion to Education*, Llundain: Routledge.

Claxton, G. a Carr, M. 'A Framework for teaching learning: the dynamics of disposition', *Early Years*. 24, 1, Mawrth, 2004, tt. 87-97.

Cline, A. 'Rene Descartes Biography: Biographical Profile of Rene Descartes' Dim dyddiad. http://atheism.about.com/od/philosopherbiographies/p/Descartes.htm [Mynediad: Medi 2009].

Cohen, D. (2006) *The Development of Play* (3ydd arg). Llundain: Routledge.

Cole, D. 'Dirt is good: the concept of 'Play Malnourishment' in the UK'. http://www.playwales.org.uk. [Mynediad: 2005].

Collins, J. a Foley, P. (gol) (2008) *Promoting children's well-being: policy and practice,* Milton Keynes: Open University Press.

Connor, C. a Lofthouse, B. (1990) *The Study of Primary Education: A Source Book, Volume 1, Perspectives.* Llundain: Falmer Press.

Consortiwm De Ddwyrain Cymru: 'Datblygiad Proffesiynol Parhaus' 2001-2010. http://www.cpdsewales.org.uk/cpd/ [Mynediad: Rhagfyr 2009].

Cooper, H. (2004) *Exploring Time and Place Through Play: Foundation Stage - Key Stage One*. Llundain: David Fulton Publishers. [e-lyfr]. Ar gael yn: http://www.netlibrary.com/Reader [Mynediad: 2006].

Copple, C. & Bredekamp, S. (2006) *Basics of Developmentally Appropriate Practice - an Introduction for Teachers of Children 3-6,* Washington D.C: National Association for the Education of Young Children.

Corney, G. 'Education for Sustainable Development: An Empirical Study of the Tensions and Challenges Faced by Geography Student Teachers', *International Research in Geographical and Environmental Education*, 15, 3, Awst, 2006, tt. 224-240.

Cousins, J. (2003) *Listening to Four Year Olds: How They Can Help Us Plan Their Care and Education.* Llundain: National Early Years Network.

Cozier, G. "Parental Involvement, who wants it?" *International Studies in Sociology of Education*, 9, 3, Tachwedd, 1999, tt. 219-238.

Craft, A. (2001) 'Little c creativity', yn A. Craft, B. Jeffrey, a M. Leibling (gol) *Creativity in Education.* Llundain: Continuum, tt. 45-61.

Craft, A. (2004) *Creativity and Early Years Education: A lifewide foundation*. Llundain: Continuum.
Crowley, A. a Winckler, V (2008) *Children in Severe Child Poverty in Wales: an agenda for action.* Caerdydd: Cronfa Achub y Plant a Sefydliad Bevan.
Cullingford, C. 'A fleeting history of happiness: children's perspectives.' *Education 3-13,* 36, 2, 2008, tt. 153-160.
Cummins, J. a Swain, M. (1986). *Bilingualism in education: Aspects of theory, research and policy.* Llundain: Longman.
Cynulliad Cenedlaethol Cymru (2001) *Gosod y Sylfaen: Darpariaeth y Blynyddoedd Cynnar i Blant Teirblwydd: Adroddiad Terfynol.* Caerdydd: Cynulliad Cenedlaethol Cymru.
Dahlberg, G. (2003) 'Pedagogy as a loci of an ethics of an encounter', yn M. Bloch, T. Popkewitz, K. Holmlund, a I. Moqvist (gol) *Governing children, families and education: Restructuring the welfare state,* New York: Palgrave McMillan, tt. 261-286.
Dahlberg, G. & Moss, P. (2005) *Ethics and politics in early childhood education,* Llundain: Routledge.
David, T. (gol) (1999) *Young Children Learning*. Llundain: Paul Chapman Publishing.
David, T. (2008) What is early childhood for? yn K.Goouch and A.Lambirth (gol) *Using Phonics and the Teaching of Reading: a Critical Perspective.* Maidenhead: McGraw-Hill/Open University Press
Davis, J. (1998) 'Young Children, Environmental Education and the Future', yn N. Graves (gol) *Education and the Environment*. Llundain: World Education Fellowship, tt. 141-153.
Davis, J. 'Educating for sustainability in the early years: Creating cultural change in a child care setting', *Australian Journal of Environmental Education,* 21, 2005, tt. 47-55.
Davis, J. 'Revealing the research 'hole' of early childhood education for sustainability: a preliminary survey of the literature', *Environmental Education research,* 15, 2, Ebrill, 2009, tt. 227-241.
Davis, S., Comrie, J., Evans-Ritter, D., Haughton, C., Hurcom, J., Morgan, S. (2008) *Personal and Social Development, Well-Being and Cultural Diversity: A Resource Reader for the Foundation Phase Practitioner*. Caerdydd: UWIC Press.
Davies, E. (2001) *They All Speak English Anyway* Caerdydd: Cyngor Canolog ar gyfer Addysg a Hyfforddiant Gofal Cymdeithasol..
Dearden, L., Sibieta, L. a Sylva, K. (2010) *The Socioeconomic Gradient in Child Outcomes:The Role of Attitudes, Behaviours and Beliefs from Birth to Age 5: Evidence from the Millennium Cohort Study.* IFS Working Paper, Llundain: Institute for Fiscal Studies.
DeCasper, A.J. a Fifer, W.P., (1980). 'Of human bonding: newborns prefer their mothers' voices'. *Science* 208, tt. 1174–1176.
DEFRA, (2005) One *Future –Different Paths. The UK Framework for Sustainable Development.* Llundain: DEFRA.
Delamain, C. a Spring, J. (2003) *Ganes for Young Children.* Milton Keynes. Speechmark Publishing Ltd.
Department for the Environment Food and Rural Affairs, (2005) One *Future –Different Paths. The UK Framework for Sustainable Development.* Llundain: DEFRA.
Department for Education and Schools (2007) *The Early Years Foundation Stage: Effective practice: Multi-agency Working.* Llundain: DfES.
Department of Education and Science, (1967) *Children and their Primary Schools: Volume 1.* Llundain: Her Majesty's Stationary Office.
Dockett, S and Perry, B (2001) 'Starting school: effective transitions'. *Early Childhood Research and Practice*, 3 (2), 1-14.
Doherty, J. (2003) *Supporting Physical Development and Physical Education in the Early Years.* Buckingham: Open University Press.
Doherty, J., a Hughes, M. (2009) *Child development : theory and practice 0-11.* Harlow: Longman.
Donaldson, M. (1976) *Children's Minds.* Llundain: Fontana.

Doran, T., Drever, F. a Whitehead, M. 'Health of Young and Elderly Informal Carers; Analysis of UK census data', *British Medical Journal,* 327, Rhagfyr, 2003, tt.1388.
Drummond, M. J. a Pollard, A. (1993) *Assessing Children's Learning.* Llundain: David Fulton Publishers.
Drury, R. (2007) *Young Bilingual Learners at Home and School.* Stoke on Trent: Trentham,
Duffy, B. (2000) *Supporting Creativity and Imagination in the Early Years.* Buckingham: Open University Press.
Duffy, B. (2005) 'Art in the early years' yn J. Moyles (gol) *The Excellence of Play.* (2il arg) Buckingham: Open University Press, tt. 186-199.
Duffy, B. (2006) *Supporting Creativity and Imagination in the Early Years.* (2il arg) Buckingham: Open University Press.
Durham, C. (2006) *Chasing Ideas: The fun of freeing your child's imagination.* Llundain: Jessica Kingsley Publishers.
Dunlop, A. W. a Fabian, H. (gol) (2007) *Informing transitions in the early years: Research, Policy and Practice.* Maidenhead: Open University Press.
Durkin, C. 'Transition: The child's perspective.' *Educational & Child Psychology,* 17, 1, 2000, tt. 64-75.
Dweck, C. S. (2000) *Self Theories: Their role in motivation, personality and development (Essays in Social Psychology).* Lillington NC: Taylor and Francis.
Edinburgh Rudolf Steiner School. 'What is Steiner Education?' 2007-2010. http://www.steinerweb.org.uk/the-school/what-is-steiner-education [Mynediad: Hydref 2009].
Edwards, C. Gandini, L. a Forman, G. *(gol) (1998) Hundred Languages of Children.* Llundain: Ablex Publishing Corporation.
Egan, D. (2007) *Combating Child Poverty in Wales: are effective education strategies in place?* York: Joseph Rowntree Foundation.
Elis-Thomas, D. 'Welsh Statutory Instrument 2005 No. 3200 (W. 236): The Schools Councils (Wales) Regulations 2005' Tachwedd 2005. http://www.opsi.gov.uk/legislation/wales/wsi2005/20053200e.htm [Mynediad: 2008].
ERIC Digests: (http://www.ericdigests.org/2001-3/reggio.htm, [Mynediad Rhagfyr 2009]
Eskesen, K. (2007) Refocus study week, Denmark: (20-27 September).
Estyn, (2006) *Establishing a position statement for Education for Sustainable Development and Global Citizenship in Wales.* Caerdydd: ESTYN.
Estyn, (2007) *Cynlluniau Peilot y Cyfnod Sylfaen.* Caerdydd: Cyhoeddiadau Estyn.
Estyn, (2008) *Dweud eich dweud: pobl ifainc, cyfranogiad a chynghorau ysgol.* Caerdydd: Cyhoeddiadau Estyn.
Estyn (2009) *Arfer orau mewn darllen ac ysgrifennu ymhlith disgyblion rhwng pump a saith oed.* Caedrydd: Cyhoeddiadau Estyn.
Estyn (2010a) *Mynd i'r afael â thlodi plant ac anfantais mewn ysgolion.* Caerdydd: Cyhoeddiadau Estyn.
Estyn (2010b) *Hyfforddiant y Cyfnod Sylfaen a'i effaith ar ddysgu ac addysgu.* Caerdydd: Cyhoeddiadau Estyn.
Evans, D. 'Sky's the limit for outdoor classrooms', *TES Cymru.* 20 Mawrth, 2009.
Fawcett, L. M. a Garton, A. F. 'The effect of peer collaboration on children's problemsolving ability', *British Journal of Educational Psychology,* 75, Mehefin, 2005, tt.157-169.
Feldman, D. H., Csikszentmihalyi, M. a Gardner, H. (1994) *Changing the World: A Framework for the Study of Creativity.* Llundain: Praeger Publishers.
Fendler, L. (2001) 'Educating flexible souls', yn K. Hultqvist & G. Dahlberg (gol) *Governing the child in the new millennium,* Llundain: Routledge, tt. 119-142.
Ferreiro, E., a Teberosky, A. (1982). *Literacy before schooling.* Exeter, NH: Heinemann Educational Books.
Fien, J. 'Learning to care: A Focus for Values in Health and Environmental Education', *Health Education*

Research Theory and Practice, 12, 4, 1997, tt. 437-447.

Fien, J. (2004) 'Education for Sustainability,' yn R. Gilbert (gol) *Studying Society and Environment: A Guide for Teachers*. Melbourne: Thomson Social Science Press, tt. 189-200.

Fien, J. a Tilbury, D. 'Education for sustainability. Some questions for reflection', *Roots,* 17, Rhagfyr, 1998, tt. 20-24. [Ar-lein]. Ar gael yn: http://www.bgci.org/resources/article/0294/ [Mynediad: 2010].

Fisher, J. (2008) *Starting from the Child* (3ydd arg). Berkshire: Open University Press.

Fisher, R. (1990) *Teaching children to think*. Rhydychen: Blackwell.

Fisher, R 'Philosophy in primary schools: fostering thinking skills and literacy', *Reading,* 35, 2, Gorffennaf, 2001, tt. 67-73.

Fisher, R. (2003) *Understanding creativity: a challenging concept*. Primary Leadership Paper, Llundain: NAHT.

Fisher, R. and Williams, M. (2006) *Unlocking literacy: a guide for teachers.* Llundain: David Fulton.

Flavell, J. H. **'**Cognitive Development: Children's knowledge about the mind', *Annual Review of Psychology,* 50, 1999, tt. 21-45.

Flynn, J. R. 'Massive IQ gains in 14 nations: what IQ tests really measure', P*sychological Bulletin,* 101, 2, 1987, tt. 271- 291.

Forestry Commission, Wales. 'Woodlands for Learning.' 2010. www.forestry.gov.uk/wales [Mynediad: Tachwedd 2009].

Foster, J. 'Education as Sustainability', *Environmental Education Research*, 7, 2, Mai, 2001, tt. 153-165.

Fowler, K. a Robins, A. (2006), 'Being reflective: Encouraging and teaching reflective practice', yn A. Robins (gol) *Mentoring in the Early Years*. Llundain: Paul Chapman Publishing, tt. 31-45.

Freire, P. (1970) *Pedagogy of the Oppressed.* Llundain: Penguin Books.

Freire, P. (1996) *Letters to Christina.* Llundain: Routledge.

Frost J. L.. (1992) *Play and Playscapes,* Albany, NY: Delmar.

Garcia, O. a Baker, C. (gol) (2007) *Bilingual Education: an introductory reader.* Clevedon: Multilingual Matter.

Gandini, L. (1993) 'Fundamentals of the Reggio Emilia Approach to Early Childhood.Education', *Young Children*, 49, 1, 1993, tt. 4-8.

Gandini, L. (2005) *In the Spirit of the Studio: Learning From the Atelier of Reggio Emilia.* New York: Teachers College Press. [e-lyfr]. Ar gael yn: http://www.netlibrary.com/Reader [Mynediad: Tachwedd 2009]

Gardner, H. (1982) *Art, Mind, and Brain: A Cognitive Approach to Creativity*. New York: Basic Books.

Gardner, H. (1993) *Creating Minds. An anatomy of creativity through the lives of Picasso, Einstein, Stravinsky, Eliot, Graham, and Ghandi.* New York: Harper Collins.

Gardner, H. (1999) *Intelligence Reframed.* New York: Basic Books.

Gardner, H. (2006) *Multiple Intelligences: New Horizons in Theory and Practice*. NY: Basic Books.

Garrick, R. (2004) *Playing Outdoors in the Early Years.* Llundain; Continuum.

Gasper, M. (2010) *Multi-agency Working in the Early Years – Challenges and Opportunities,* Llundain: Sage Publications.

Ghaye, T., a Ghaye, G.; (1998) *Teaching and Learning Through Critical Reflective Practice.* Llundain: David Fulton Publishers.

Georghiades, P. 'From the general to the situated: three decades of Metacognition', *International Journal of Scientific Research*, 26, 3, 2004, tt. 365-383.

Gibb, B. J. (2007) *The rough guide to the brain*. Llundain: Penguin Books.

Gill, T. (2007) *No Fear. Growing Up in a Risk Averse Society.* Llundain: Calouste Gulbenkian Foundation.

Gleave, J. (2008) *Risk and Play: a literature review.* http://www.playday.org.uk/PDF/Risk-and-play-a-literature-review.pdf. (Mynediad Medi 2010).

Godwin and Perkins (2002) *Teaching Language and Literacy in the Early Years*. Llundain: David Fulton

Goldschmied, E. a Jackson, S. (1994) *People under three: young children in daycare*. Llundain: Routledge.

Gombert, J. (1997). Metalinguistic development in first language acquisition. In L. Van Lier & D. Corson (gol), *Encyclopaedia of language and education. Volume 6, Knowledge about language* (pp. 43–51). Dordrecht/Boston: Kluwer Academic Publishers.

Goodman, Y. a Martens, M. (gol) (2007) *Critical Issues in Early Literacy: Research and Pedagogy*. New Jersey: Lawrence Erlbaum Associates.

Goouch, K. (2006) 'Supporting children's development and learning', yn T. Bruce (gol) *Early Childhood: A Guide for Students*. Llundain: Sage Publications, tt. 173-189.

Gopnik, A., Meltzoff, A., a Kuhl, P. *How Babies Think: the science of childhood*. Llundain: Weidenfeld & Nicolson, 2000.

Goswami, U. and Bryant, P.E. (1990) *Phonological Skills and Learning to Read*, Hove, East Sussex: Lawrence Earlbaum.

Grant, C. A. a Zeichner, K. M. (1984) 'On becoming a reflective teacher,' yn C. A. Grant (gol) *Preparing for Reflective Teaching*. Boston: Allyn and Bacon, tt. 1-18.

Grigg, R. (2008) 'Golwg hanesyddol ar 'ddiflaniad' plentyndod' yn Siencyn, S. W. *Y Plentyn Bach: Cyflwyniad i Astudiaethau Plentyndod Cynnar*. Caerfyrddin: Cyhoeddiadau Coleg y Drindod.

Griggs, S. A. 'Learning Styles Counseling.ERIC Digest,' Rhagfyr, 1991. Ar-lein]. Ar gael yn: http://www.ericdigests.org/1992-4/styles.htm [Mynediad: 2010].

Gross, P. (1997) *Joint Curriculum Design: Facilitating learner ownership and active participation in secondary classrooms*. New Jersey: Lawrence Erlbaum Associates.

Grugeon, E. (2005) *Teaching Speaking and Listening in the Primary School* (3ydd arg). Llundain: David Fulton Publishers. [e-lyfr]. Ar gael yn: http://www.netlibrary.com/Search/BasicSearch.aspx [Mynediad: 2009].

Guilford, J. P. 'Creativity', *American Psychologist*, 5, 9, 1950, tt. 444-45.

Gura, P. (gol) (1992) *Exploring Learning: Young Children and Blockplay*. Llundain: Paul Chapman.

Gussin Paley (1992) *You Can't Say You Can't Play*, Llundain: Harvard University Press.

Gutman, L., and Feinstein, L. (2008) *Children's well-being in primary school: pupils and school effects*, Research report No. 25. Llundain: Centre for Research on the Wider Benefits of Learning, Institute of Education, University of London.

Hale, B. a Maclean, K. 'Overview of Steiner Education' 2004. [Ar-lein]. Ar gael yn: www.etln.org.uk/resources [Mynediad: Mai 2009].

Hanson, M. J. 'Early Transitions for Children and Families: Transitions from Infant Toddler Services to Preschool Education' 1999. http://ericdigests.org/200.2/early.htm [Mynediad: Medi 2009].

Harriman, H. (2006) *The Outdoor Classroom-A Place to Learn*. UK: Corner to Learn Ltd.

Hart, R. (1997) *Children's Participation. The Theory and Practice of Involving Young Citizens in Community Development and Environmental Care*. Llundain: Earthscan.

Heilman, K. M. (2005) *Creativity and the brain*. Llundain: Psychology Press.

Her Majesty's Stationary Office (2003) *The Victoria Climbé Inquiry (chairman: Lord Laming)* Norwich: HMSO.

Her Majesty's Stationary Office (2007) *Fairness and Freedom: The Final Report of the Equalities Review*, Norwich: HMSO.

Her Majesty's Stationary Office (2009) *The protection of children in England: a progress report*. Norwich: HMSO.

Hertzman, C. (2002) *Leave No Child Behind – Social Exclusion and Child Development*, Ontario: The Laidlaw Foundation.

Hewett, T., Smalley, N., Dunkerley, D. a Scourfield, J. (2005) *Uncertain Futures- Children Seeking Asylum in Wales*. Caerdydd: Save the Children.

Hicks, D. a Holden, C. 'Remembering the Future: What do Children Think?' *Environmental Education Research*, 13, 4, 2007, tt.501-521.

Hirsch, E. (1984) *The Block Book*. Washington D.C.: NAEYC.

Hohmann, M. a Weikart, D. P. (2002) *Educating Young Children.* Michigan:High/Scope Press.

Holland, P. (2003) *We Don't Play with Guns Here: War, Weapons and Superhero Play in the Early Years.* Maidenhead: Open University Press.

Howard-Jones, P. 'Neuroscience and Education: Issues and Opportunities' Dim dyddiad. http://www.tlrp.org/pub/documents/Neuroscience%20Commentary%20FINAL.pdf [Mynediad: Ionawr 2010].

Howe, M. J. A. (1997) *IQ in question: the truth about intelligence*. Llundain: SAGE.

Hohmann, M. and Weikart, D. (2002). 'Educating Young Children: Active Learning Practices for Preschool and Child Care Programs'. Ypsilanti, MI: High/Scope Press. Marshall,

Huckle, J. 'Values education through geography: a radical critique', *Journal of Geography*, 82, 2, Mawrth, 1983, tt. 59-63.

Huckle, J. 'Education for Sustainable Development: A Briefing Paper for the Teacher Training Agency' 2005. www.ttrb.ac.uk/attachments/5ecda376-6e78-43b1-a39b-230817b68aa4.doc

Huckle, J. and Sterling, S. (gol) (1996) *Education for Sustainability.* Llundain: Earthscan.

Hughes, M. 'Closing the Learning Gap' 1999. [Ar-lein]. Ar gael yn: www.etln.org.uk/resources [Mynediad: Mai 2009].

Huttenlocher, J. (1976). 'Language and intelligence.' Yn L. Resnick (gol.), *New approaches to intelligence*. Hillsdale, NJ: Lawrence Erlbaum Associates.

Isaacs, S. (1930) *Intellectual Growth in Young Children*. Llundain: Routledge.

Isenberg, P. a Jalongo, M. (1993) *Creative Expression and Play in the Early Childhood Curriculum.* Englewood Cliffs, NJ: Prentice Hall.

Jarman, E. (2007) Communication Friendly Spaces.. www.elizabethjarmanltd.co.uk/cfs.php *(Mynediad. Medi 2010)..*

Jickling, B.'Why I don't want my children educated for sustainable development', *Journal of Environmental Education,* 23, 4, 1992, tt.5-8.

Jones, C. (2004) *Supporting Inclusion in the Early Years,* Maidenhead: Open University Press.

Kaga,Y. 'Preschool Class for 6 year olds in Sweden:A Bridge Between Early Childhood and Compulsory School', *UNESCO Policy Brief on Early Childhood*, 38, Mai-Mehefin, 2007. Paris: UNESCO.

Kamen, T. (2000) *Psychology for Childhood Studies*. Llundain: Hodder & Stoughton.

Kaminski, I. 'Firm Foundations Already Laid,' *TES Cymru*, 30 Ionawr, 2009.

Karmiloff, H. a Karmiloff-Smith, A. (2001) *Pathways to Language: From Fetus to Adolescent.* Cambridge, MA: Harvard University Press.

Katz, L. (1999) 'Curriculum Disputes in Early Childhood Education' http://ericdigests.org/2000-3/disputes.htm [Mynediad: Awst 2009).

Katz, L. G., & Chard, S. C. (1989). *Engaging children's minds: The project approach.* Norwood, NJ: Ablex.

Katz, L. G. a Chard, S. C. (1996) 'The Contribution of Documentation to the Quality of Early Childhood Education', *ERIC Clearinghouse on Elementary and Early Childhood Education.*

Kelly, T. E. 'Discussing controversial issues: four perspectives on the teacher's role', *Theory and Research in Social Education*, 14, 2, Gaeaf, 2002, tt. 113-138.

Kendrick, M. & McKay, R. (2004). Drawings as an alternative way of understanding young children's construction of literacy. *Journal of Early Childhood Literacy*, 4, 1, April, 2004, pp.109-128.

Knight, S. (2009) *Forest Schools and Outdoor Learning in the Early Years*. Llundain: Sage Publications Ltd.

Knowles, G. (gol) (2006) *Supporting Inclusive Practice.* Llundain: David Fulton Publishers.

Kratzig,G. P., ac Arbuthnott, K. D. 'Perceptual Learning Style and learning proficiency A test of the hypothesis', *Journal of Educational Psychology*, 98, 1, 2006, tt. 238-246.

Kuhn, D. (2000). 'Theory of mind, metacognition and reasoning: a life-span perspective', yn P. Mitchell a K. Riggs (gol) *Children's Reasoning and the Mind*. Hove: Psychology Press, tt. 301-326.

Laevers, F. (1994). (gol) *Defining and assessing quality in early childhood education*. Belgium: Laevers University Press.

Laevers, F. (gol) (2005) *Well-being and involvement in care settings: a process orientated self-evaluation instrument*. Belgium: Research Centre for Experiential Education.

Langsted, O. (1994) 'Looking at quality from the child's perspective', yn P. Moss ac A. Pence (gol) *Valuing Quality in Early Childhood services: New approaches to defining quality*. Llundain: Paul Chapman Publishing, tt. 28-42.

Larkin, S. (2002) 'Creating metacognitive experiences for 5 and 6 year old children', yn M. Shayer a P. Adey, *Learning Intelligence: Cognitive Acceleration Across the Curriculum from 5 to 15 years*. Buckingham: Open University Press, tt. 65-79.

Lasenby M.(2003), *The Early Years. A Curriculum for Young Children*. Outdoor Play, Llundain: Harcourt Brace Jovanovich.

Leeson, C. a Huggins, V. (2010) 'Working with Colleagues,' yn R. Parker-Rees, C. Leeson, J. Willan a Savage, J.(gol) *Early Childhood Studies* (3ydd arg). Exeter: Learning Matters, tt. 101-111.

Leiba, T. (2003) 'Mental Health Policies and Interprofessional Working,' yn J. Weinstein, C. Whittington a Leiba, T. (gol) *Collaboration in Social Work Practice*. Llundain: Jessica Kingsley Publishers, tt. 161-180.

Lenneberg, E. (1967) *Biological Foundations of Language*. New York: John Wiley & Sons.

Levine, K., a Chedd, N. (2007) *Replays: Using Play to Enhance Emotional and Behavioural Development for Children with Autistic Spectrum Disorders*. Llundain: Jessica Kingsley Publishers.

Liebschner J. (2001) *A Child's Work, Freedom and Guidance yn Froebel's Educational Theory and Practice*, Caergrawnt: The Lutterworth Press.

Lindon J. (2001) *Understanding Children's Play*, Y Deyrnas Unedig: Nelson Thornes.

Lindon, J. (2003) *Too Safe for Their Own Good? Helping Children Learn About Risk and Lifeskills*. Llundain, National Early Years Network.

Lindon, J. (2006) *Equality in Early Childhood*, Llundain: Hodder Arnold, 2006.

Lindon, J. (2008) *Understanding Child Development: Linking Theory and Practice*. Oxon: Hodder Education.

Lipman, M., Sharp, A. M. ac Oscanyan, F. S. (1980) *Philosophy in the Classroom* (2il arg). Philadelphia: Temple University Press.

Littleton, K., Mercer, N., Dawes, L., Wegerif, R., Rowe, D. a Sams, C. 'Talking and thinking together at Key Stage 1', *Early Years*, 25, 2, 2005, tt.167-182.

Lohmann-Hancock C (2007) *Basic Skills Education in the National Probation Service; A Persective from Dyfed-Powys*, Caerdydd: Unpublished EdD.

Louis, S., Beswick, C., Magraw, L. a Hayes, L. (2008) *Again, again: understanding schemas in young children*. Llundain: A & C Black Publishers Ltd.

Louv, R. (2008) *Last Child in the Woods. Saving Our Children From Nature- Deficit Disorder*. North Carolina: Algonquin Books of Chapel Hill.

Lowenfeld, M. (1935) *Play in Childhood*. Llundain: Gollenz.

Llywodraeth Cynulliad Cymru, 'Y Model Cymdeithasol o Anabledd' Dim dyddiad. http://wales.gov.uk/topics/equality/socialmodel/?lang=cy [Mynediad: Rhagfyr 2009).

Llywodraeth Cynulliad Cymru, (2001) *Y Wlad Sy'n Dysgu – Dogfen Ymbaratoi, Rhaglen Gynhwysfawr o Addysg a Dysgu Gydol Oes hyd at 2010 yng Nghymru*. Caerdydd: Llywodraeth Cynulliad Cymru.

Llywodraeth Cynulliad Cymru, (2002) *Polisi Chwarae Llywodraeth Cynulliad Cymru*. Caerdydd: Llywodraeth Cynulliad Cymru.

Llywodraeth Cynulliad Cymru, (2003) *Y Wlad Sy'n Dysgu: Y Cyfnod Sylfaen 3-7 oed*. Dogfen

Ymgynghorol. Caerdydd: Cyhoeddiadau Llywodraeth Cynulliad Cymru.
Llywodraeth Cynulliad Cymru, (2004a) *Plant a Phobl Ifanc: Gweithredu'r Hawliau*. Caerdydd: Llywodraeth Cynulliad Cymru.
Llywodraeth Cynulliad Cymru, (2004b) *Cod Ymarfer Anghenion Addysgol Arbennig Cymru (ail argraffiad)*. Caerdydd: Llywodraeth Cynulliad Cymru.
Llywodraeth Cynulliad Cymru (2004c) Diogelu Plant: Gweithio gyda'n gilydd o dan Ddeddf Plant. Caerdydd: Llywodareth Cynulliad Cymru
Llywodraeth Cynulliad Cymru, (2005a) *Fframwaith Gwasanaeth Cenedlaethol ar gyfer Plant, Pobl Ifanc a'r Gwasanaethau Mamolaeth*. Caerdydd: Llywodraeth Cynulliad Cymru.
Llywodraeth Cynulliad Cymru, (2005b) *Arolwg Sgiliau Dyfodol Cymru*. Caerdydd: Cyhoeddiadau Llywodraeth Cynulliad Cymru.
Llywodraeth Cynulliad Cymru, (2007) *Cynnwys a Chynorthwyo Disgyblion (Cylchlythyr Cynulliad Cenedlaethol Cymru Rhif: 47/2006)*. Caerdydd: Llywodraeth Cynulliad Cymru.
Llywodraeth Cynulliad Cymru, (2008a) *Adroddiad Adolygiad Cenedlaethol o Ymddygiad a Phresenoldeb*. Caerdydd: Cyhoeddiadau Llywodraeth Cynulliad Cymru.
Llywodraeth Cynulliad Cymru, (2008b) *Gofal a Gwasanaethau Cymdeithasol Cymru- Adroddiad Blynyddol 2007-2008*. Caerdydd: Llywodraeth Cynulliad Cymru.
Llywodraeth Cynulliad Cymru, (2008c) *Ymweliadau Addysgol Canllawiau Cymru Gyfan*. Caerdydd: Llywodraeth Cynulliad Cymru.
Llywodraeth Cynulliad Cymru, (2009a) *Ar y Trywydd Iawn – Agenda Bolisi i Weddnewid bywydau Plant a Phobl Ifanc Anabl*. Caerdydd: Llywodraeth Cynulliad Cymru.
Llywodraeth Cynulliad Cymru (2009b) Blwyddyn 1 a 2: Canllawiau Cynllunio Y Cyfnod Sylfaen. Caerdydd: Llywodraeth Cynulliad Cymru
Llywodaeth Cynulliad Cymru (2009c) Dod yn Athro Cymwysedig: Llawlyfr Canllawiau - Cylchlythyr Llywodraeth Cynulliad Cymru Rhif: 017/2009
Mackey, G. 'Ripples of care. Young Children Experience Caring Relationships in the Outdoor Environment.' *Early Education*, 59, 2009, tt. 10-11.
MacNaughton, G. (2003) *Shaping Early Childhood: Learners, Curriculum and Contexts*. Maidenhead: Open University Press.
MacNaughton, G. (2005) *Doing Foucault in Early Childhood Studies*. Llundain: Routlege & Falmer Press,
Malaguzzi, L. (1991) yn P. Wingert a B. Kantrowitz (gol) 'The Best Schools in the World', *Newsweek*. [Ar-lein]. Ar gael yn: http://www.newsweek.com/1991/12/01/the-best-schools-in-the-world.html [Mynediad: 2008].
Malone, K. 'The bubble wrap generation: children growing up in walled gardens', *Environmental Education Research*, 13, 4, Medi, 2007, tt. 513-527.
Maynard, T. a Thomas, N. (gol) (2004) *Early Childhood Studies* Llundain: SAGE Publications.
Maxim G. 1993, *The very young: Guiding children from infancy through the early years,* New York: Merrill.
McGuinness, C. (1999) 'From Thinking Skills To Thinking Classrooms: a review and evaluation of approaches for developing pupils' thinking', *DfEE Research Brief, no.115*. Llundain: Teaching and Learning Research Programme.
McMillan M. (1930), *The Nursery School,* Llundain: Dent.
Mehler, J., Jusczyk, P., Lambertz, G., Halsted, N., Bertoncini, J., & Amiel-Tison, C. (1988). 'A precursor of language acquisition in young infants'. *Cognition, 29*, tt.143-178.
Mercer, N. (2000) *Words and Minds: How we use language to think together*. Oxon: Routledge.
Mercer, N. a Littleton, K. (2007) *Dialogue and the development of Children's Thinking: a sociocultural approach*. Oxon: Routledge.
Mester, J. 'Creatively Constructing a Community of Learners', *Early Childhood Research and Practice,* 10,

1, 2008. [Ar-lein]. Ar gael yn: http://ecrp.uiuc.edu [Mynediad: Gorffennaf 2009].

Miller, L., a Devereux, J (gol) (2004) *Supporting Children's Learning in the Early Years.* Llundain: David Fulton Publishers. [e-lyfr]. Ar gael yn: http://www.netlibrary.com/Details.aspx [Mynediad: Gorffennaf 2009].

Ministry of Education, New Zealand: (http://www.minedu.govt.nz/web/downloadable/dl3567_v1/whariki.pdf. (Mynediad Ionawr 2010)

Moor, J. (2008) *Playing, laughing and learning with children on the autistic spectrum.* Llundain: Jessica Kingsley Publishers.

Moore, R. C. (1989) 'Playgrounds at the Crossroads. Policy and Action Research Required Needed to Ensure A Viable Future for Public Playgrounds in The United States', yn I. Altman ac E. Zube (gol) *Public Spaces and Places: Human Behavior and the Environment.*New York: Plenum, tt. 83-121.

Mortari, L. a Zerbato, R. (gol) (2008) *Adventures in Nature.* (originally published in Italian as *'Avventure in natura'.)* Caeredin: Children in Scotland.

Moss, P. (2001) 'The otherness of Reggio', yn L. Abbott a C. Nutbrown (gol) *Experiencing Reggio Emilia: implications for pre-school provision.* Maidenhead: Open University Press, tt. 125-137.

Moyles, J., Adams, S. a Musgrove, A. (2002) *SPEEL: Study of Pedagogical Effectiveness in Early Learning.* DfES Research Brief and Report 363. Llundain: DfES.

Moyles J. (2003) *Just Playing*? Buckingham: Open University Press.

Moyles, J. (gol) (2007) *The Excellence of Play* (2il arg). Maidenhead: Open University Press.

Murdoch, K. (1992) *Integrating Naturally: Units of Work in Environmental Education.* Melbourne: Dellasta.

Mygind, E. 'A Comparison of Children's Physical Activity Levels in an Outdoor Environment', *Landscape, Youth and Outdoor Education: School of Outdoor Education Conference*, Trinity College, Carmarthen. (17-20 September), 2008.

Nabhan, G. P. a Trimble, S. (1996) *The Geography of Childhood: Why Children Need Wild Places.* Boston: Beacon Press.

Naess, A. (1988) 'Self-realization: An ecological approach to being in the world', yn J. Seed, J. Macy, P. Fleming ac A. Naess (gol) *Thinking Like a Mountain: Towards a Council of all Beings.* Philadelphia: New Society Publishers, tt. 19-30.

National Advisory Committee on Creativity and Cultural Education (NACCCE) (1999) *All our Futures: Creativity, Culture and Education.* Llundain: DfEE.

National Association for the Education of Young Children (NAEYC), 2009, *Developmentally Appropriate Practice in Early Childhood Programs Serving Children from Birth through Age 8,* http://www.naeyc.org/files/naeyc/file/positions/PSDAP.pdf (Mynediad Awst 2009)

New, R. S., Mardell, B. a Robinson, D. 'Early Childhood Education a Risky Buisness: Going beyond what's 'safe' to discover what's possible', *Early Childhood Research and Practice,* 7, 2, 2005. [Ar-lein]. Ar gael yn: http://ecrp.uiuc.edu [Mynediad: Awst 2009].

New Zealand Ministry of Education. (1996) *Te Whāriki: He Whāriki Mātauranga mō ngā Mokopuna o Aotearoa. Early Childhood Curriculum.* Wellington N.Z.: Learning Media Ltd.

Newman J. 'Talents are unlimited: It's Time to Teach Thinking Skills Again!' *Gifted Child Today*, 31, 3, Mehefin, 2008, tt. 34-44.

Nicol, J. (2007) *Bringing the Steiner Waldorf Approach to your Early Years Practice.* Abingdon: Routledge.

Nicol, R. 'Outdoor Education: Research Topic or Universal Value? Part Three', *Journal of Adventure Education and Outdoor Learning,* 3, 1, 2003, tt.11-28.

Nunes Carreha, T., Carraher, D.W., Schliemann, A.D. 'Mathematics in the streets and in schools' yn Smith,P.K., Pellegrini,AD eds (2000) Psychology of Education: Major Themes Volume 3. Llundain: RoutledgeFalmer.

Nutbrown, C. , Clough, P. & Selbie, P. (2008) *Early Childhood Education – History, Philosophy and*

Experience, Llundain: Cyhoeddiadau Sage Cyf. 2008.

Nutbrown, C. & Clough, P. (2006) *Inclusion in the Early Years,* Llundain: Cyhoeddiadau Sage Cyf. 2006.

O'Brien, L. and Murray, R. 'Forest School and its impacts on young children: Case studies in Britain', *Science Direct: Urban Forestry and Urban Greening,* 2007, tt. 249-265. [Ar-lein]. Ar gael yn: www.elsevier.de/ufug [Mynediad: 2010].

O'Connor, T. G., Rutter, M., Becket, C., Keaveney, L., Kreppner, L. a'r English/Romanian Adoptees Study Team 'The Effects of Global Severe Privation on Cognitive Competence: Extension and Longitudinal Follow Up', *Child Development,* 71, 2, 2000, tt. 376- 390.

O'Riordan, T. (1981) *Environmentalism*. Llundain: Pion.

Orr, D.W. (1992) *Ecological Literacy Education and the Transition to a Postmodern World State.* Albany: University of New York Press.

Page, J. (2000) *Reframing the Early Childhood Curriculum: Educational Imperatives for the Future*. Llundain: Routledge Falmer.

Palmer, J. and Suggate, J. 'Environmental cognition: early years and misconceptions at the ages four and six', *Environmental Education Research,* 2, 3, 1996, tt. 301-329.

Palmer, S. (2006) *Toxic Childhood: How the Modern World is Damaging Our Children and What We Can Do About It.* Llundain: Orion Publishers.

Parker-Rees, R. (2007) 'Moving, playing and learning: children's active exploration of their world', yn J. Willan, R. Parker-Rees a J. Savage (gol) *Early Childhood Studies* (2il arg). Exeter: Learning Matters Ltd, tt. 13-23.

Pascal, C. a Bertram, T. (1997) *Effective Early Learning: Case studies for improvement.* Llundain: Hodder & Stoughton.

Pascal C. a Bertram. T., (2002) 'Assessing Young Children's Learning: What Counts?' yn Fisher J. (gol) *Building Foundations for Learning*. Llundain: Paul Chapman.

Pellegrini, A. D. a Smith, P. K. 'Physical Activity Play: The nature and function of a neglected aspect of play', *Child Development,* 69, 3, Mehefin, 1998, tt. 577-598.

Pepper, D. (1996) *Modern Environmentalism An Introduction.* Llundain: Routledge.

Piaget, J. (1962) *Play, Dreams and Imitation in Childhood*. Llundain: Routledge and Kegan Paul.

Piaget , J. (1976) *The Child and Reality.* New York, Penguin..

Piaget, J., and Inhelder, B. (1962). *The Psychology of the Child*. New York: Basic Books

Play Wales/Chwarae Cymru. 'Egwyddorion Gwaith Chwarae Egwyddorion Gwaith Chwarae ar Grŵp Craffu'r Egwyddorion Gwaith Chwarae', 2005. http://www.chwaraecymru.org.uk [Mynediad: Gorffennaf 2009].

Play Wales/Chwarae Cymru. 'Hawl Plant i Chwarae', 2006 www.playwales.org.uk/page.asp?id=40 [Mynediad: Ionawr 2010].

Play Wales/Chwarae Cymru. 'The Playwork Principles: An Introduction', 2006. www.playwales.org.uk/page.asp?id=50 [Mynediad: Gorffennaf 2009].

Pollard, E. a Lee, P. D. 'Child Well-being: A Systematic review of the Literature', *Social Indicators Research,* 61, 1, 2003, tt. 59-78.

Pound, L. (2010) 'Three giants of British early care and education'. *Early Education.* Summer.2010.

Powys Carers Service. 'Full of Care: Young Carers in Wales 2009' Children's Commissioner for Wales, 2009.

Pramling Samuelsson, I. & Asplund Carlsson, M. (2008). 'The playing learning child: towards a pedagogy of early childhood' *Scandinavian Journal of Educational research, 52*(6), 623 - 641.

Pritchard, A. (2009) Ways of Learning: theories and learning styles in the classroom (2il arg). Llundain: Routledge.

Puckett M. B. & Diffily D. (1999) *Teaching young children: An introduction to the early childhood*

profession, New York: Harcourt Brace. .
Pugh, G. a Duffy, B. *Contemporary Issues in the Early Years, 5th Edition,* Llundain: Cyhoeddiadau Sage Cyf. 2010.
Ridge, T. (2002) *Childhood Poverty and Social Exclusion: The Child's Perspective.* Bristol: Policy Press.
Riley, J. (2007) (gol) *Learning in the Early Years.* Llundain: Sage Publications.
Rinaldi, C. (2005) *In dialogue with Reggio Emilia.* Llundain: Routledge.
Rinaldi, C. (2006) *In Dialogue with Reggio Emilia: Listening, researching and learning.* Llundain: Routledge.
Rivkin, M. 'Happy Play in Grassy Places. The Importance of the Outdoor Environment in Dewey's Educational Ideal', *Early Childhood Education Journal*, 25, 3, 1998, tt. 199-202.
Robson, S. a Hargreaves, D. J. 'What do Early Childhood Practitioners Think About Young Children's Thinking?', *European Early Childhood Educational Research Journal.* 13, 1, 2005, tt. 81-96.
Rodger, R. (2003) *Planning an appropriate curriculum for the under-fives: a guide for students, teachers and assistants.* Llundain: Fulton.
Rogoff, B. (2003) *The Cultural Nature of Human Development.* New York: Oxford University Press.
Roskos, K. a Christie, J. F. (2000) *Play and Literacy in Early Childhood Research from Multiple Perspectives.* Mahwah: N. J. Lawrence Erlbaum Associations Inc. [e-lyfr]. Ar gael yn: http://www.netlibrary.com/Search/BasicSearch.aspx [Mynediad: 2009].
Samuelsson, I. P. a Carlsson, M. A. (2008) 'The Playing Learning Child: Towards a pedagogy of early childhood', *Scandinavian Journal of Educational Research*, 52, 6, Rhagfyr, 2008, tt. 623-641.
Sauve, L. 'Environmental Education and Sustainable Development: A Further Appraisal', *Canadian Journal of Environmental Education,* l, 1, 1996, tt. 7-35.
Schweinhart, L.J., Montie, J., Barnett, W. S., Belfield, C. R., Nores, M. (2005) 'Lifetime Effects: The High/Scope Preschool Study through Age 40;. High/Scope Educational Research Foundation. Michigan.
Shaffer, D. R.(1999) *Developmental Psychology: Childhood & Adolescence.* Brooks / Cole Publishing Co.
Sharp, C. (2002) *School Starting Age: European Policy and Recent Research Paper presented at the LGA Seminar* 'When Should Our Children Start School?', LGA Conference Centre, Smith Square, Llundain.
Sheridan, M. D. (1977) *From Birth to Five Years: Children's Developmental Progress* (3ydd arg). Windsor: NFER Press.
Shayer, M. & Adey, P.S, (2002) (gol.). *Learning Intelligence: Cognitive Acceleration across the curriculum from 5 to 15 years.* Milton Keynes: Open University Press.
Siegler, R. S. a Alibali, M. W. (2005) *Children's thinking* (4ydd arg). New Jersey: Prentice-Hall Inc.
Siencyn, S. W. (1995) *A Sound Understanding: An Introduction to Language Awareness,* Caerdydd: Cyngor Canolog ar gyfer Addysg a Hyfforddiant Gofal Cymdeithasol.
Siencyn, S. W. (2008) *Y Plentyn Bach: Cyflwyniad i Astudiaethau Plentyndod Cynnar.* Caerfyrddin: Cyhoeddiadau Coleg y Drindod.
Siencyn, S. W. (2010)'The Challenges of Rural Poverty for Children in Wales', yn Clark, M. & Tucker, S. (gol) *Early Childhoods in a Changing World.* Llundain: Trentham Books.
Siencyn, S.W. a Thomas, S.(2007) Early Years provision in Wales in Clark, M. & Waller, T. (gol) *Early Childhood Education and Care: Policy and Practice.* Llundain: Sage Publications.
Simmons, D.A. 'Urban children's preferences for nature: Lessons from Environmental Education', *Children's Environments*, 11, 3, Medi, 1994, tt. 194-203.
Singer, D. G.,Golinkoff, R. M. Hirsh-Pasek, K. (2006) *Play = Learning: How Play Motivates and Enhances Children's Cognitive and Social-Emotional Growth.* Rhydychen: New York Oxford University Press (US) [e-lyfr] Ar gael yn: http://www.netlibrary.com/Details.aspx [Mynediad: Gorffennaf 2009].
Siraj-Blatchford, I., Milton, E., Sylva, K., Laugharne, J. a Charles, F. (2006) *Adroddiad Prosiect Monitro a*

Gwerthuso Gweithredu'r Cyfnod Sylfaen yn Effeithiol Caerdydd: Llywodraeth Cynulliad Cymru.
Siraj-Blatchford, I. a Sylva, K. (2006) *Prosiect Monitro a Gwerthuso'r Cyfnod Sylfaen yn Effeithiol (MEEIFP) ar draws Cymru*. Caerdydd: Llywodraeth Cynulliad Cymru.
Siraj-Blatchford, I., Sylva, K., Muttock, S., Gilden, R. a Bell, D. (2002) *Researching Effective Pedagogy in the Early Years*. Research Report No. 356, DfES. Llundain: HMSO.
Siraj-Blatchford, I., Sylva, K., Laugharne, J., Milton, E., Charles, F. (2006) *Monitoring and Evaluation of the Effective Implementation of the Foundation Phase (MEEIFP) Project Across Wales*. Caerdydd: Welsh Assembly Government.
Skinner, B.F.(1953) *Science and Human Behavior.* New York: MacMillan.
Skinner, B.F. (1957). *Verbal Learning*. New York: Appleton-Century-Crofts.
Smidt, S. (2006) *The Developing Child in the 21st Century: A global perspective on child development.* Great Britain: Routledge.
Smidt, S. (2007) *A Guide to Early Years Practice* (3ydd arg). Llundain: Routledge.[e-lyfr]. Ar gael yn: http://www.netlibrary.com/Details.aspx [Mynediad: Mehefin 2009].
Smith, N. (1990) *Uneven Development*. Rhydychen: Blackwell.
Smith, P. K. (2010) *Children and Play.* Rhydychen: Wiley-Blackwell Publishing.
Smyth, J.C.'Environment and education: a view of a changing scene', *Environmental Education Research*, 12, 3-4, 2006, tt. 247-264.
Sobel, D. (1996) *Beyond ecophobia*. Great Barrington, MA: Orion Society.
Spelke, E. S. a Newport E. L. (1998) 'Nativism, Empiricism, and the Development of Knowledge', yn R. M. Lerner (gol) *Handbook of child psychology vol 1 theoretical models of human development* (5ed arg). New York: Wiley, tt. 17.
Stanton-Chapman, D.A., Bainbridge NL, Scott K.G. (2002): Identification of early risk factors for language impairment. *Research in Developmental Disabilities.* 23:390-405.
Sterling, S. (2001) *Sustainable Education. Revisioning Learning and Change.* Schumacher Briefing Number 6. Darlington: Green Books Ltd.
Stobbs, N.'Creating a Stimulating Learning Environment', *Practical Pre-school*, 1, 6, Mawrth, 2006, tt. 12-14.
Stone, M. K. a Barlow, Z. (2005) *Ecological Literacy Educating Our Children for a Sustainable World*. Sierra Club Books: San Francisco.
Sylva, K., Melhuish, E. Sammons, P. Siraj-Blachford, I. Taggart, B. and Elliot, K. (2003) *The Effective Provision of Pre-School Education (EPPE) Project: Findings from the Pre-School Period.* Llundain: Institute of Education.
Sylva, K., Melhuish, E., Sammons, P., Siraj-Blatchford, I. (2004) *Education (EPPE) Project: Findings from Pre-school to end of Key Stage1.* Llundain: DfES.
Sylva, K., Melhuish, E., Sammons, P., Siraj-Blatchford, I. a Taggart, B. (2010) *Early Childhood Matters: Evidence from the Effective Pre-school and Primary Education project.* Oxon: Routledge.
Symons, G. (1996) 'The Primary Years,' yn J. Huckle a S. Sterling (gol) *Education for Sustainability.* Llundain: Earthscan, tt. 55-71.
Tanner, T.'Significant Life Experiences: A New Research Area in Environmental Education', *Journal of Environmental Education*, 11, 4, 1980, tt. 20-24.
Tanner, H., Jones, S. a Lewis, H. (Yn y wasg) 'Metacognition in the Foundation Phase: Using VSRD to help young children talk about their thinking'. *Cylchgrawn Addysg Cymru. (Derbyniwyd ar gyfer cyhoeddi Rhagfyr 2010)*
Tayler, C.'Australian early childhood milieu: teacher challenges in promoting children's language and thinking', *European Early Childhood Education Research Journal* 9, 1, 2001, tt. 41-56.

Thomas, S. (2005) *The Foundation Phase: Perceptions, Attitudes and Expectations. An overview of the ethos and an analysis of the implications of the implementation.* (Traethawd MA nas cyhoeddwyd) Caerfyrddin: Coleg y Drindod.

Thornton, L. a Brunton, P. (2005) *Understanding the Reggio Approach.* Llundain: David Fulton Publishers.

Trickey, S. a Topping, K. J. 'Philosophy for children: a systematic review', *Research Papers in Education*, 19, 3, Medi, 2004, tt. 364-380.

Turner, C. (2003) *Are you Listening? What Disabled Children and Young People in Wales Think About the Services They Use,* Caerdydd: Llywodraeth Cynulliad Cymru.

UNESCO, 'United Nations: Decade of Education for Sustainable Development (January 2005-December 2014): Framework for a Draft International Implementation Scheme', Gorffennaf 2003. http://portal.unesco.org/education/en/file_download.php/9a1f87e671e925e0df28d8d5bc71b85fJF+DESD+Framework3.doc [Mynediad: 2010]

UNICEF, 'Child Poverty in Perspective: An Overview of Child Well-being in Rich Countries', 2007. Florence: UNICEF, Innocenti Research Centre

Vecchi, V. (2010) *Art and Creativity in Reggio Emilia: Exploring the role and potential of ateliers* Llundain: Routledge.

Venville, G. J. (2002) 'Enhancing the quality of thinking in Year 1 Classes,' yn Shayer, M., a Adey, P., (gol) *Learning intelligence: cognitive acceleration across the curriculum from 5 to 15 years*. Buckingham: Open University, tt. 35-50.

Vygotsky, L.S. (1962). *Thought and Language*. Cambridge, MA: MIT Press.

Vygotsky, L. (1978) *Mind in Society.* Cambridge: Harvard University Press.

Wallace, B. (2002) *Teaching Thinking Skills Across the Early Years*. Llundain: David Fulton Publishers.

Waller, T. (2005) Modern Childhood: contemporary theories and children's lives. yn Waller T.(gol) *An Introduction to Early Childhood: a multi-disciplinary approach*. Llundain: Sage.

Waller, T. a Swann, R. (2005) *Children's Learning* yn Waller, T.(gol) *An Introduction to Early Childhood: A Multidisciplinary Approach,* Great Britain: Paul Chapman

Walsh, S. (2006) *Investigating classroom discourse.* Llundain: Routledge.

Walsh, G. a Gardner, J. 'Assessing the Quality of Early Years Learning Environments,' *Early Childhood Research and Practice*, 7, 1, Gwanwyn, 2005. [Ar-lein]. Ar gael yn: http://ecrp.uiuc.edu/v7n1/walsh.html [Mynediad: 2010].

Warnock, M. (1996) 'Moral values', yn J. M. Halstead a M. J. Taylor (gol) *Values in Education and Education in Values*. Llundain: The Falmer Press, tt. 45-54.

Waterland, L. (1985) *Read with Me: An Apprenticeship Approach to Reading*. Stroud: Thimble Press.

Wells, G. (1986) *The Meaning Makers: Children learning language and using language to learn.* Portsmouth, NH: Heinemann Educational Books.

Wenger, E.(1998) 'Communities of Practice and social learning systems (http://org.sagepub.com/cgi/content/abstract/7/2/225 Mynediad 2010)

Whalley, M. (2001) *Involving Parents in their Children's Learning.* Llundain: Paul Chapman Publishing.

White, J. (2007) 'Playing and Learning Outdoors.' *Making Provision for High Quality Experiences in the Outdoor Environment.* Llundain: Routlege.

White, J. (2009) 'Creating an inspirational outdoor environment for wellbeing and learning' *Geiriau Bach Conference.* Coleg Prifysgol y Drindod: Caerfyrddin (10 Hydref, 2009).

Whitebread, D., Bingham, S., Grau, V., a Pasternak, D. 'Development of metacognition and self-regulated learning in young children,' *Journal of Cognitive Education and Psychology , 6, 3,*

Tachwedd, 2007, tt. 433-455.
Whitehead, M. (2007) *Spaces for Sustainability Geographical Perspectives on the Sustainable Society*. Abingdon: Routledge.
Whitehead, M. (2009) *Supporting Language and Literacy Development in the Early Years*. Milton Keynes: Open University Press.
Whiteley, H.E., Smith, C.D. and Hutchinson, J. (2005) 'Empowering early years to identify and target areas of difficulty in pre-school children'. *Early Years: An International Journal of Research and Development,* 25, 155-166.
Willis, C. (2009) *Creating Inclusive Learning Environments for Young Children*. Llundain: Sage.
Wilson, R. (1997a) 'Special Places for Young Children', *Roots,* 15, Rhagfyr, 1997a. [Ar-lein]. Ar gael yn: http://www.bgci.org/education/article/280/ [Mynediad: 2009].
Wilson, R. (1997b) 'The Wonders of Nature-Honoring Children's Ways of Knowing', *Early Childhood News*, 1997. [Ar-lein]. Ar gael yn: http://www.earlychildhoodnews.com/earlychildhood/article_view.aspx?ArticleID=70 [Mynediad: 2010].
Winkler, V. (2009) *What is needed to end child poverty in Wales?* York: Joseph Rowntree Foundation.
Wood, E. ac Attfield, J. (1996) *Play, Learning and the Early Childhood Curriculum*. Llundain: Paul Chapman Publishing.
World Commission on Environment and Development Our Common Future, (1987) *The Brundtland Report of the 1987 World Commisson on Environment and Development*. Milton Keynes: Open University Press.
Wylie, C., Thompson, J. a Lythe, C. (1999) *Competent Children at 8 – Families, Early Education, and Schools*. Wellington: New Zealand Council for Educational Research.
Young, P. a Tyre, C. (1985) *Teach Your Child to Read*. Llundain: Routledge.
Yr Adran Plant, Addysg, Dysgu Gydol Oes a Sgiliau (2006) *Adeiladu'r Cyfnod Sylfaen: Cynllun Gweithredu*. Caerdydd: Cyhoeddiadau Llywodraeth Cynulliad Cymru.
Yr Adran Plant, Addysg, Dysgu Gydol Oes a Sgiliau (2007) *Pecyn Hyfforddi Cenedlaethol y Cyfnod Sylfaen – Llawlyfr Modiwl 5 Anghenion Dysgu Ychwanegol,* Caerdydd; Llywodraeth Cynulliad Cymru.
Yr Adran Plant, Addysg, Dysgu Gydol Oes a Sgiliau (2008a). *Fframwaith ar gyfer Dysgu Plant 3 i 7 oed yng Nghymru*. Caerdydd: Cyhoeddiadau Llywodraeth Cynulliad Cymru.
Yr Adran Plant, Addysg, Dysgu Gydol Oes a Sgiliau. (2008b) *Addysgeg Dysgu ac Addysgu*. Caerdydd: Cyhoeddiadau Llywodraeth Cynulliad Cymru.
Yr Adran Plant, Addysg, Dysgu Gydol Oes a Sgiliau (2008c) *Arsylwi ar Blant*. Caerdydd: Cyhoeddiadau Llywodraeth Cynulliad Cymru.
Yr Adran Plant, Addysg, Dysgu Gydol Oes a Sgiliau (2008ch) *Chwarae/Dysgu Gweithredol: Trosolwg ar gyfer Plant 3 i 7 oed* Caerdydd: Cyhoeddiadau Llywodraeth Cynulliad Cymru.
Yr Adran Plant, Addysg, Dysgu Gydol Oes a Sgiliau (2008d) *Datblygiad Corfforol* Caerdydd: Cyhoeddiadau Llywodraeth Cynulliad Cymru.
Yr Adran Plant, Addysg, Dysgu Gydol Oes a Sgiliau (2008dd) *Datblygiad Mathemategol*. Caerdydd: Cyhoeddiadau Llywodraeth Cynulliad Cymru.
Yr Adran Plant, Addysg, Dysgu Gydol Oes a Sgiliau (2008e) *Datblygiad Creadigol* Caerdydd: Cyhoeddiadau Llywodraeth Cynulliad Cymru.
Yr Adran Plant, Addysg, Dysgu Gydol Oes a Sgiliau (2008f) *Gwybodaeth a Dealltwriaeth o'r Byd*. Caerdydd: Cyhoeddiadau Llywodraeth Cynulliad Cymru.
Yr Adran Plant, Addysg, Dysgu Gydol Oes a Sgiliau (2008ff) *Datblygu'r Gymraeg* Caerdydd: Cyhoeddiadau Llywodraeth Cynulliad Cymru.
Yr Adran Plant, Addysg, Dysgu Gydol Oes a Sgiliau (2008g) *Sgiliau Iaith, Llythrennedd a Chyfathrebu.*

Caerdydd: Cyhoeddiadau Llywodraeth Cynulliad Cymru.
Yr Adran Plant, Addysg, Dysgu Gydol Oes a Sgiliau (2008h) Datblygiad Personol a Chymdeithasol, Lles ac Amrywiaeth Ddiwylliannol. Caerdydd: Cyhoeddiadau Llywodraeth Cynulliad Cymru.
Yr Adran Plant, Addysg, Dysgu Gydol Oes a Sgiliau (2008i) *Manteisio i'r Eithaf ar Ddysgu*. Caerdydd: Cyhoeddiadau Llywodraeth Cynulliad Cymru.
Yr Adran Plant, Addysg, Dysgu Gydol Oes a Sgiliau (2008l) *Addysg ar gyfer Datblygu Cynaliadwy a Dinasyddiaeth Fyd-eang: Gwybodaeth i athrawon*. Caerdydd: Cyhoeddiadau Llywodraeth Cynulliad Cymru.
Yr Adran Plant, Addysg, Dysgu Gydol Oes a Sgiliau (2008m) *Fframwaith Sgiliau 3 – 19 yng Nghymru Trosglwyddo.* Caerdydd: Cyhoeddiadau Llywodraeth Cynulliad Cymru.
Yr Adran Plant, Addysg, Dysgu Gydol Oes a Sgiliau (2008n) *Fframwaith Effeithiolrwydd Ysgolion.* Caerdydd: Cyhoeddiadau Llywodraeth Cynulliad Cymru.
Yr Adran Plant, Addysg, Dysgu Gydol Oes a Sgiliau. (2009a) *Proffil Datblygiad Plant y Cyfnod Sylfaen* . Caerdydd: Cyhoeddiadau Llywodraeth Cynulliad Cymru.
Yr Adran Plant, Addysg, Dysgu Gydol Oes a Sgiliau (2009b) *Deunydd hyfforddiant Y Cyfnod Sylfaen: Modiwl 8 Trosglwyddo.* Caerdydd: Cyhoeddiadau Llywodraeth Cynulliad Cymru.
Yr Adran Plant, Addysg, Dysgu Gydol Oes a Sgiliau (2009c) *Llawlyfr Dysgu yn yr Awyr Agored.* Caerdydd: Cyhoeddiadau Llywodraeth Cynulliad Cymru.
Yr Adran Plant, Addysg, Dysgu Gydol Oes a Sgiliau (2009d) *Adroddiad 2009 ar Brofiadau Dysgu Awyr Agored y Cyfnod Sylfaen.* Caerdydd: Cyhoeddiadau Llywodraeth Cynulliad Cymru.

Mynegai